Excel 2010

Excel 2010

Francisco Charte Ojeda

ANAYA
MULTIMEDIA

GUÍAS PRÁCTICAS

Responsable editorial:
Eugenio Tuya Feijoó

Realización de cubierta:
Cecilia Poza Melero

© EDICIONES ANAYA MULTIMEDIA (GRUPO ANAYA, S.A.), 2010
Juan Ignacio Luca de Tena, 15. 28027 Madrid
Depósito legal: M. 21.771-2010
ISBN: 978-84-415-2771-3
Printed in Spain
Impreso en: Closas-Orcoyen, S. L.

Dedicatoria

A mis hijos, David y Alejandro.

Agradecimientos

Las personas solemos dar un significado especial a ciertos números y, casualidad o cuestión de cuántos dedos tenemos en las manos, esos números suelen ser múltiplos de 5. La décima edición de un certamen siempre se destaca como especial, sobre la novena o la undécima. Casi nadie celebra el vigésimo cuarto o vigésimo sexto aniversario de su unión, pero sí el vigésimo quinto (las conocidas bodas de plata). Las conmemoraciones de la mayoría de eventos históricos siguen esa misma regla.

Quizá por esa misma razón este libro, a pesar de haber sido escrito con la misma ilusión y empeño que escribí el anterior y con que será escrito el siguiente, tiene algo que, para el que estas líneas suscribe, lo hace especial. Éste es el centésimo libro que publico, mi libro número cien, y aparece publicado a pocas semanas de que se cumplan veinticinco años de la primera vez que publiqué. Son dos hitos importantes a los que, como curiosidad, también se unen las coincidencias de que ésta es la quinta revisión del libro sobre Excel 2000 que publiqué hace ahora diez años. Cinco, diez, veinticinco y cien, cuatro números que resumen un cuarto de siglo, miles de horas de trabajo y mucha historia personal.

En momentos así uno suele echar la vista atrás y recapitular y, como no podría ser de otra manera, recuerda a todos aquellos que han formado parte de su vida, tanto personal como profesional, personas a las que me gustaría ofrecer un modesto homenaje desde estas líneas, dando las gracias una y mil veces por todo. Gracias a mi familia, a María Jesús, David y Alejandro, a mi madre y a mis hermanos, por el apoyo sin fin, siempre incondicional, que me habéis otorgado. Gracias a infinidad de amigos que, de una manera u otra, me han ayudado a ser quien soy: Luis Sánchez, Antonio José Gutiérrez, Armando Ligero, Ángel M., Luis S., Antonio S., Pedro, David, Mercedes, Pili, Joaquín, José María, Jorge, José Manuel y un largo etcétera cuya ausencia de mención explícita aquí seguro sabrán disculpar. Gracias a todos aquellos con los que he trabajado en estos años por su colaboración, por su ayuda y por hacerme la vida más fácil, ya sea desde la propia editorial, como Chema, Eva, Eugenio, José Carlos, Lorena, Susana y Víctor; desde empresas de software, como Javier, Ibrahim, José Antonio, Carlos y Néstor, o de manera más estrecha y personal, como Tomás e Isabel. Finalmente, y como suele decirse no por ello menos importante, mi más sincero agradecimiento a todos mis lectores, porque ellos son los destinatarios finales de este trabajo y son los que hacen que tenga sentido.

Jaén, 2010

Sobre el autor

Francisco Charte se inició en la informática a principios de la década de los 80, con un Sinclair ZX-81, adentrándose en la programación en ensamblador y prácticamente cualquier otro lenguaje a su alcance. En 1984 publicó su primer artículo en una revista especializada en sistemas MSX y en 1986 su primer libro, dedicado al lenguaje de programación BASIC y el sistema operativo DOS. Desde entonces ha publicado un centenar de libros, principalmente sobre lenguajes de programación, ofimática, bases de datos y sistemas operativos, y casi medio millar de artículos en las más importantes revistas del sector.

Tras casi una década en la empresa privada, como responsable de telecontrol y telecomunicaciones de una gran eléctrica, actualmente distribuye su tiempo entre la investigación, el estudio y la enseñanza. Es Ingeniero en Informática por la Universidad de Jaén, institución en la que prepara su doctorado. Aparte de la evolución y desarrollo de lenguajes de programación, le interesan especialmente el diseño de interfaces de usuario adaptativas, el aprendizaje mediante redes neuronales con funciones de base radial y todo lo relacionado con la historia de la informática.

Desde el año 1997 mantiene su sitio web, *Torre de Babel* (http://fcharte.com), con contenidos técnicos. En el mismo podrá encontrar información sobre éste y otros libros, así como contactar con el autor.

Índice

Introducción

Una de las tareas que mejor saben desempeñar los ordenadores son los cálculos matemáticos. La aritmética básica, la trigonometría, la estadística o la lógica matemática implican el trabajo con números, algo que los ordenadores llevan haciendo desde hace mucho, prácticamente desde el nacimiento de la informática. Los ordenadores personales que usamos actualmente, miles de veces más potentes que los utilizados hace cincuenta años para realizar cálculos militares y científicos, tienen una gran capacidad de cálculo. Esta capacidad, no obstante, no podrá ser utilizada por el usuario a menos que se cuente con un programa o aplicación que se lo permita, ya que los usuarios no suelen comunicarse directamente con el ordenador en el lenguaje de la máquina.

La capacidad de trabajo de los ordenadores es usada por los programas para realizar diferentes tareas. Un programa de tratamiento de imágenes usa esa potencia para crear efectos visuales, tratar los colores o realizar una transición entre imágenes. Por el contrario, un gestor de bases de datos usará esa misma potencia para una tarea completamente distinta, como es el almacenamiento, recuperación y análisis de datos.

Usar el ordenador para aquella tarea para la que fue originalmente creado, la realización de cálculos, requerirá, por lo tanto, que dispongamos de una aplicación que tenga esa finalidad. Este tipo de programa, conocido como *hoja de cálculo*, es el que nos interesa en este momento.

Hojas de cálculo

Una hoja de cálculo es un programa de ordenador que convierte a éste en una potente calculadora. El nombre de este tipo de aplicación viene del uso de una metáfora: la hoja de cálculo representa una hoja de papel cuadriculada, en la que van introduciéndose los datos y las fórmulas necesarias según los resultados que desean obtenerse.

Las hojas de cálculo, también conocidas originalmente como hojas electrónicas, tuvieron en su momento un gran peso en la informática. Hay muchos que afirman que la difusión inicial en el uso de los ordenadores fue, presumiblemente, causa de la aparición de la primera hoja de cálculo. Independientemente de ello, no es discutible la importancia que aplicaciones míticas, como VisiCalc, Lotus 123 y Multiplan, tuvieron en el ámbito informático.

A pesar de los años transcurridos y la gran cantidad de novedades surgidas, los fundamentos de uso o trabajo con una hoja de cálculo siguen siendo exactamente los mismos: una hoja cuadriculada en la que cada retícula, conocida como celdilla, sirve para anotar textos, datos numéricos o fórmulas. Lo interesante, tanto antes como ahora, es que dicha hoja de cálculo es capaz de analizar los datos introducidos, por ejemplo resolviendo las fórmulas y ofreciendo los correspondientes resultados.

Si en sus inicios las hojas de cálculo hacían poco más que lo que acaba de decirse, la evolución de décadas ha ido añadiendo nuevas capacidades. En esa evolución han quedado por el camino productos muy utilizados, como los citados antes o los conocidos Symphony y Open Access, que ya permitían la representación gráfica de los datos, el uso de funciones o la persecución de objetivos.

Microsoft Excel 2010

La evolución generalmente nunca termina pero, de vez en cuando, hace una parada y toma una instantánea del momento en curso. El resultado es un producto que, como Microsoft Excel 2010, incorpora todo lo mejor de la evolución de muchos años al tiempo que, como es lógico, también cuenta con las últimas novedades.

Excel 2010 es una hoja de cálculo que, como todas, se sirve de la misma metáfora de cara al usuario: una hoja en blanco en la que se anotan los datos. Detrás de esa hoja, sin embargo, se encuentra la experiencia de Microsoft no sólo en el campo de la ofimática, sino también en otras tecnologías, como el desarrollo de sistemas operativos o modelos de componentes. Esา

experiencia se ve reflejada en productos como Excel 2010, que son capaces no sólo de realizar cálculos numéricos o hacer representaciones gráficas de ellos, sino que, además, están plenamente integrados en el propio sistema y en Internet.

La integración de Excel con el sistema permite, por ejemplo, una perfecta comunicación entre las diferentes aplicaciones que forman Office 2010, pero también con cualquier otra aplicación Windows. Excel 2010 puede ser utilizado no sólo como una aplicación para el usuario final, caso en el que nos encontramos nosotros, sino también desde herramientas de desarrollo, puesto que se estructura en forma de componentes programables.

Internet, no es preciso decirlo, cada día está más presente y tiene una mayor importancia en todos los ámbitos. La integración de Excel con Internet facilita la publicación de las hojas de cálculo, de tal forma que éstas pueden ser visualizadas incluso por aquellos clientes que no disponen de Excel. También puede utilizarse la Red para hacer posible la colaboración entre grupos de trabajo distantes entre sí.

Este libro

Microsoft Excel 2010 es una de las mejores hojas de cálculo actualmente disponibles, si no la mejor. Este libro, cuya lectura acaba de iniciar, es todo lo que precisa para aprender a utilizarla. Aunque podría leer este libro como cualquier otro, simplemente como un texto, esto tan sólo le serviría para adquirir conceptos y, posiblemente, una idea general de cómo utilizar Excel.

Si lo que quiere es, realmente, aprender a usar Excel 2010, además de este libro necesitará disponer del producto, es decir, de Excel 2010. Tan sólo así podrá ir haciendo prácticas, siguiendo los ejercicios que se propondrán en la mayoría de los capítulos.

Con éste, su libro, y el CD/DVD del producto, lo único que necesita para aprender a utilizar Excel 2010 es seguir leyendo. Posiblemente ahora no sepa mucho acerca de hojas de cálculo, pero dentro de unos días, dedicando algunas horas a la lectura y práctica, sabrá cómo resolver los problemas más diversos, realizar representaciones gráficas de datos, publicar sus documentos en Internet o combinar datos de diversas aplicaciones.

Cómo usar este libro

Como se apuntaba al final de la introducción, que posiblemente acaba de leer, este libro está pensado para ser leído delante del ordenador, llevando a cabo en Excel 2010 los diversos ejercicios o explicaciones que van dándose. Si es un nuevo usuario, que desconoce el funcionamiento de una hoja de cálculo y, en particular, de Excel, lo más recomendable es que lea los capítulos de esta guía de forma secuencial, del primero al último. Si tiene experiencia con otras hojas de cálculo, o bien con versiones previas de Excel, puede usar la guía como una referencia, saltando directamente al capítulo que le interese en cada momento. No obstante, este libro no está estructurado como una referencia de funciones del producto, sino que ha sido planificado con un sentido más didáctico que de consulta.

Lo único que el autor ha asumido respecto a usted, el lector, es que tiene unos conocimientos básicos de informática y sabe cómo utilizar el sistema operativo Windows en alguna de sus versiones, que sabe cómo usar el teclado y cómo servirse del ratón para desplazarse por la pantalla. Si esto es algo que hace habitualmente, lo cual es casi seguro, no tendrá problemas para usar esta guía y, en consecuencia, Excel 2010.

El texto de esta guía se ha estructurado en catorce capítulos, dedicándose el primero a la instalación del producto y el resto a su estudio. El nivel de dificultad va subiendo paulatinamente de capítulo en capítulo, de tal forma que cada vez las explicaciones y ejemplos irán siendo más completos y complejos incrementando, por tanto, su conocimiento de Excel 2010.

Tras haber instalado el producto, el segundo capítulo le servirá para conocer algunos conceptos básicos acerca de las hojas de cálculo y de Excel en particular. También será en este capítulo donde se introducirá de forma general el entorno de Excel 2010, destacándose sobre todo los elementos específicos de esta aplicación.

Los capítulos tercero a quinto son fundamentales, puesto que en ellos aprenderá a introducir datos de todo tipo en la hoja de cálculo, a construir fórmulas y a obtener resultados. También podrá ver cómo mejorar el aspecto de la información, aplicando formatos, separando datos mediante elementos gráficos, etc.

Cualquier cálculo, independientemente de su tipo, se puede reducir, generalmente, a una sucesión de operaciones básicas. Las hojas de cálculo, no obstante, cuentan con funciones que simplifican la realización de operaciones estadísticas, trigonométricas, económicas, etc. En el sexto capítulo podrá conocer algunas de dichas funciones, seguramente las más interesantes.

En la mayoría de los casos, la información elaborada por nosotros en una hoja de cálculo está destinada a otras personas. El séptimo capítulo servirá para saber cómo puede prepararse e imprimirse una hoja de cálculo. También se verá la posibilidad de publicar la información en Internet, de forma que esté accesible en un formato electrónico legible sin necesidad de disponer de Excel 2010.

El octavo capítulo está dedicado a la representación gráfica de los datos, haciendo valer la máxima de que una imagen vale más que mil palabras. Por regla general, la interpretación de los datos es más sencilla con un gráfico que leyendo los números directamente de la hoja de cálculo.

Excel es capaz de trabajar con varias hojas de cálculo combinadas, formando libros, lo cual simplifica ciertas tareas como la consolidación de información periódica. Éste será el tema que se acometa en el noveno capítulo.

Los capítulos décimo a decimocuarto están centrados en los temas más avanzados. El décimo nos servirá para aprender a utilizar listas y tablas de datos como información para nuestros cálculos. En el undécimo veremos cómo es posible analizar dicha información, evaluando distintas hipótesis o escenarios, buscando objetivos, etc. Algunas de las tareas que implica el trabajo con una hoja de cálculo son necesariamente repetitivas. En el duodécimo capítulo sabremos cómo podemos automatizarlas. En el décimo tercer capítulo, aprenderá a integrar sus hojas de cálculo con los documentos generados por otras aplicaciones de Microsoft Office 2010, lo cual le permitirá crear documentos más ricos en contenido. Por último, en el capítulo catorce sabrá cómo puede personalizar la interfaz de Excel 2010.

Además del texto propiamente dicho, esta guía contiene una serie de ejercicios que, para su interés, debería ir realizando paso a paso. Si así lo desea, puede obtener estos ejemplos directamente de las páginas Web de Anaya Multimedia (`http://www.AnayaMultimedia.es`), en la sección titulada **Soporte técnico/Complementos**. Introduzca el código 2335569.

Esperamos que la lectura de esta guía, que acaba de iniciar, le resulte amena y, sobre todo, útil. Ésa es nuestra meta al escribirla.

Convenciones tipográficas

El texto general de este libro está impreso con una tipografía clara que hace cómoda la lectura a pesar del pequeño tamaño de las páginas. De manera adicional, encontrará algunos elementos destacados usando los siguientes tipos de letra:

- *Cursiva*: Es un tipo que se utiliza para diferenciar términos anglosajones o de uso poco común.
- **Negrita**: Le ayudará a localizar rápidamente elementos como las combinaciones de teclas para efectuar diversas acciones o los nombres de los botones.
- `Mono espacio`: Diferencia elementos como los nombres de funciones, referencias a celdillas y código.
- Arial: Destaca sobre el texto todos los elementos relativos a interfaz de usuario, como puede ser el nombre de una opción de menú, el título de una ventana o pestaña, etc.

Instalación de Excel 2010

1

Excel 2010 forma parte de Microsoft Office 2010, la última versión del conocido paquete ofimático de Microsoft. Éste se distribuye en CD/DVD, soporte desde el cual no puede utilizarse directamente. Es necesario, por tanto, realizar un proceso de instalación, en el cual no tan sólo se transferirá contenido del CD/DVD al disco de nuestro ordenador sino que, además, también se realizará toda la configuración necesaria.

Dependiendo de su entorno de trabajo, es posible que en vez de disponer de los CD/DVD de Office 2010 cuente con una unidad de red o un servidor Web desde el cual realizar la instalación.

En este capítulo va a seguirse la instalación desde CD/DVD pero, una vez iniciado el proceso desde la hipotética unidad de red o servidor Web, las diferencias serán mínimas.

1.1. Consideraciones previas

Microsoft Office 2010 es un producto que está disponible en diferentes ediciones, cada una de las cuales incorpora más o menos aplicaciones. Dependiendo de la edición, los requerimientos necesarios serán mayores o menores. En cualquier caso vamos a echar un vistazo general a estos aspectos antes de iniciar la instalación propiamente dicha.

1.1.1. Ediciones de Microsoft Office 2010

Office 2010 es lo que tradicionalmente se conoce como un *paquete integrado* o bien *suite*, es decir, no se trata de una aplicación en sí, sino de un producto que es la unión de varias aplicaciones. Comercialmente hablando, existen varias ediciones distintas de Office 2010. Éstas se diferencian entre sí en la cantidad de aplicaciones que la componen y, obviamente, en su precio.

Las ediciones disponibles son las seis siguientes:

- **Microsoft Office Starter:** Ésta es la edición más básica e incluye las aplicaciones Word y Excel. Se instalará únicamente en ordenadores nuevos y será gratuita, pero a costa de recortar algunas funciones de Word y Excel e incluir publicidad.
- **Microsoft Office Home&Student:** Edición dirigida a estudiantes y uso doméstico, no comercial. Se compone de Word, Excel, PowerPoint y OneNote.
- **Microsoft Office Standard:** La edición estándar incluye Word, Excel, PowerPoint, Outlook, OneNote, Publisher y las aplicaciones Web de Office.
- **Microsoft Office Home&Business:** Dirigida a pequeñas empresas, esta edición ofrece Word, Excel, PowerPoint, OneNote y Outlook.
- **Microsoft Office Professional:** La que puede considerarse edición de nivel intermedio incluye todas las aplicaciones de la anterior más Access y Publisher.
- **Microsoft Office Professional Plus:** Es una versión extendida de la edición anterior, a la que añade las aplicaciones InfoPath, Communicator, SharePoint Workspace y las aplicaciones Web de Office.

Tal como podrá ver, todas las ediciones de Microsoft Office 2010 integran la hoja de cálculo Excel 2010 que es la aplicación que a nosotros nos interesa, incluso la edición Starter que es gratuita. No importa, por lo tanto, qué edición sea la que tenga disponible si tan sólo quiere instalar y utilizar Excel.

Además de la edición de Office 2010, que afecta principalmente a las aplicaciones que incorpora el paquete, también ha de tener en cuenta que existen versiones de 32 y de 64 bits.

Salvo que tenga que trabajar con hojas de cálculo inmensas, y en general con documentos tan grandes que 4 gigabytes de memoria resulten insuficientes, lo recomendable es elegir la versión de 32 bits.

La de 64 bits permite, siempre que el equipo en el que se instale tenga suficiente memoria y una versión de 64 bits de Windows, editar documentos que precisen más memoria. Esto es usual cuando se editan imágenes de muy alta resolución, pero raramente al trabajar con hojas de cálculo.

1.1.2. Requerimientos de Office 2010

Para poder usar Excel en su ordenador éste deberá contar con unos determinados recursos, memoria y espacio en disco, además de contar con una versión reciente de Windows.

El espacio en disco necesario dependerá, como es lógico, de la edición de Office 2010 con que cuente y las aplicaciones que desee instalar. En cualquier caso, la instalación de lo que podría llamarse el núcleo de Office, preciso para ejecutar cualquiera de las aplicaciones que integran este paquete, necesita unos 1.5 gigabytes en disco, si bien tras la instalación este espacio se reduce sensiblemente.

> **Nota:** *El espacio real que necesitará también será dependiente de las opciones de Excel que finalmente decida instalar ya que, como verá en un punto posterior, puede especificar qué elementos de la aplicación quiere tener disponibles.*

En cuanto a memoria se refiere, Excel funciona con un mínimo de 256 Mb. Esta cantidad no ha de suponer problema alguno, ya que hace mucho tiempo que la mayoría de los sistemas incorporan memorias de ese tamaño y superiores.

Además de los requisitos de nuestro ordenador, también hay que tener en cuenta, a la hora de instalar Office, si el sistema operativo con que contamos está preparado para ejecutar este producto. El paquete original de Office 2010, disponible desde la primavera de 2010, puede instalarse directamente sobre Windows XP SP3, Windows Vista SP1 y Windows 7.

Aunque las imágenes de este libro corresponden a Excel ejecutándose sobre Windows 7, no tendrá ningún tipo de problema en instalarlo sobre las otras dos versiones del sistema indicadas.

1.2. Instalación de Excel 2010

Asumiendo que su equipo cuenta con los requerimientos que son necesarios y que, lógicamente, dispone del CD/DVD de Microsoft Office 2010, en los puntos siguientes se describirá, paso a paso, todo el proceso de instalación. En dicho proceso se ha usado la edición *Professional Plus* de Office 2010 pero, independientemente de ello, los pasos de instalación de Excel serán prácticamente los mismos en la edición de que disponga.

1.2.1. Inicio de la instalación

Las actuales versiones de Windows por defecto comprueban, cada vez que se inserta un CD/DVD, si éste es autoejecutable, caso en el cual inician automáticamente el programa apropiado. Bastará, por lo tanto, con insertar el CD/DVD de Office 2010 para iniciar el programa de instalación, así de simple. Lo habitual es que Windows, al detectar el disco con el producto, nos pregunte si queremos proceder a su ejecución o bien examinar el contenido.

En caso de que en su sistema esté desactivada la opción de autoejecución, o bien no disponga del producto en CD/DVD sino en una unidad de red o similar, puede seguir varios caminos distintos para iniciar el programa de instalación. Si conoce la letra asociada a su lector de CD/DVD o unidad de red, puede hacer clic en el botón **Inicio** de Windows y seleccionar la opción Ejecutar, en Windows 7 la encontrará en Todos los programas>Accesorios. También puede usar el atajo de teclado **Win-R** para acceder a ella. En la ventana que aparece, similar a la mostrada en la figura 1.1, introduzca la letra de la unidad, dos puntos, una barra invertida y la palabra Setup. Pulse la tecla **Intro** o haga clic en **Aceptar**, poniendo en marcha la instalación.

Figura 1.1. Iniciamos la instalación con la opción Ejecutar.

Un método alternativo al anterior, más apropiado si no recuerda la letra de la unidad en que está el producto, consiste en usar el Explorador de Windows. Seleccione en el panel izquierdo su unidad de CD/DVD o unidad de red, a continuación busque en el panel derecho el programa Setup y haga doble clic sobre él. El resultado será el mismo: la instalación se pondrá en marcha.

Los tres métodos expuestos, autoejecución, ejecución desde el menú Inicio y desde el Explorador, siempre asumen que se dispone del CD/DVD del producto o bien éste se encuentra en una unidad de red conectada a su equipo. No obstante, es posible que éste se encuentre en una unidad de red no visible o un servidor Web desde el que se centralizan las instalaciones. Consulte a su gestor de red o informática para saber cómo puede iniciar la instalación de Office 2010.

> **Nota:** *En caso de que tenga en su ordenador una versión de evaluación de Office 2010, porque ya viniese instalada o bien la haya descargado para probarla, también puede optar por adquirir la edición que necesite directamente, en cuyo caso recibirá únicamente una tarjeta con una clave que le permitirá activar el software que ya está usando, sin necesidad de realizar la instalación.*

1.2.2. Pasos previos

Indistintamente del método usado para iniciar la instalación, acto seguido aparecerá momentáneamente una ventana indicando que están copiándose al sistema los archivos necesarios para efectuar la instalación (véase la figura 1.2), seguida de otra en la que se avisa que el proceso de instalación está preparándose.

Figura 1.2. Aviso de preparación para el proceso de instalación.

Mientras estas ventanas, que típicamente sólo permanecerán unos segundos en pantalla, están visibles, el programa de instalación recuperará todos los datos que precisa para poder realizar su trabajo. Para ello inspeccionará nuestro sistema, detectando la configuración actual de Office si es que existiese.

Al cerrarse las ventanas anteriores aparecerá otra, como la de la figura 1.3, solicitando la clave de 25 caracteres necesaria para iniciar la instalación del producto. Facilítela y haga clic en **Continuar** para ir al paso siguiente.

Por último, en esta fase previa a la instalación propiamente dicha, aparecerá una ventana similar a la de la figura 1.4. En ella se muestra el acuerdo o licencia de uso de la aplicación. Está obligado a leer este contrato. Seleccione la opción Acepto los términos del contrato sólo en el caso de que comprenda y acepte su totalidad.

El botón **Continuar** de esta última ventana se activará si acepta la licencia de uso, en caso contrario tan sólo podrá interrumpir la instalación.

Figura 1.3. Introducimos la clave del producto.

1.2.3. Actualización de versiones previas

Al hacer clic sobre el botón **Continuar** de la ventana anterior, que mostraba la licencia de uso, podemos encontrarnos con dos escenarios diferentes: que en nuestro equipo no haya ninguna versión previa de Microsoft Office, caso en el cual se saltaría al punto 1.2.4, o bien que sí exista, caso éste en que caben dos posibilidades de instalación.

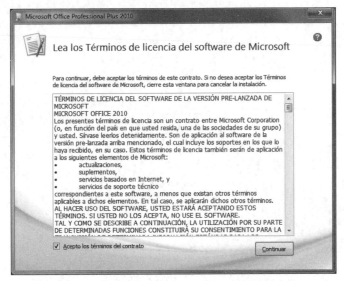

Figura 1.4. Debemos aceptar el contrato de uso para poder completar la instalación.

Si la utilidad de instalación detecta que tenemos en el sistema alguna versión de Office, en lugar de proceder directamente con la instalación mostrará una ventana, como la de la figura 1.5, en la que hay dos opciones: actualizar la versión previa o bien personalizar la instalación.

Si elegimos el método de actualización, la utilidad de instalación eliminará la versión previa de Office e instalará Office 2010 en la misma carpeta, manteniendo las mismas opciones y, siempre que sea posible, las personalizaciones que pudiesen existir en cada aplicación.

El botón **Personalizar**, que aparece debajo, hará que no sea la utilidad de instalación sino nosotros mismos los que decidamos la carpeta de instalación y las opciones a instalar. Si elegimos para instalar la misma carpeta en la que se encontraba la anterior versión de Office, el programa de instalación sobrescribirá dicha versión con Office 2010. En el caso de que seleccionemos una carpeta diferente, podremos optar por eliminar la antigua versión o mantenerla. Para ello bastará, como puede verse en la figura 1.6, con desmarcar las opciones correspondientes a la eliminación de las aplicaciones que no deseamos quitar.

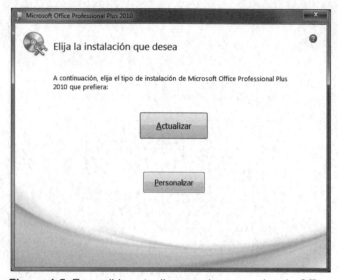

Figura 1.5. Es posible actualizar versiones previas de Office.

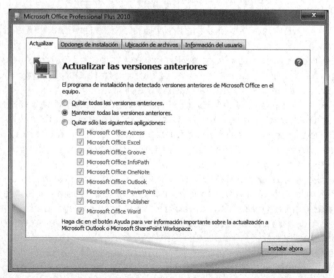

Figura 1.6. Si se desea, es posible mantener versiones antiguas.

En caso de que en el equipo no exista una versión previa de Office, en lugar de la ventana de la figura 1.5 nos encontraremos con la que aparece en la figura 1.7. Las opciones posibles son también dos: proceder directamente a instalar Office 2010 con sus opciones por defecto o bien personalizar la instalación.

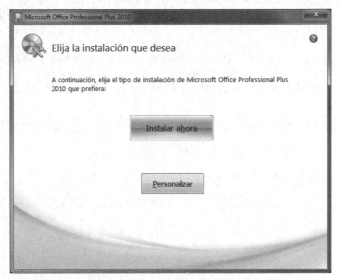

Figura 1.7. Podemos instalar directamente o personalizar las opciones de instalación.

1.2.4. Selección de la carpeta de destino

La actualización de una versión previa de Office, o bien del propio sistema, son acciones que se llevarán a cabo o no dependiendo de nuestra configuración. El siguiente paso en la instalación, que existirá independientemente de dicha configuración, será la selección de la carpeta en la que se instalarán las aplicaciones.

Si no hay ninguna versión previa de Office en el sistema, la utilidad de instalación seleccionará una carpeta por defecto. Ésta suele encontrarse en la carpeta Archivos de programa y tiene el nombre Microsoft Office. En caso de que haya una versión anterior de Office en el equipo, la instalación seleccionará como carpeta de instalación la misma que esté en uso por esa versión.

Siempre tendremos opción, no obstante, a seleccionar cualquier otra unidad y carpeta. Para ello en la pestaña Ubicación de archivos de la ventana de instalación, que se muestra en la figura 1.8, aparece un botón llamado **Examinar**. Es posible introducir manualmente un nuevo camino, así como hacer clic en el mencionado botón para movernos por el sistema y elegir de forma visual el destino de la instalación.

En la parte inferior de esta pestaña aparecerá el espacio necesario para la instalación según las opciones que se hayan seleccionado. Debe escoger para la instalación una unidad que cuente con algo de espacio sobrante para realizar la instalación, así como tener en cuenta que siempre necesitará espacio en la unidad donde se encuentre instalado el sistema operativo.

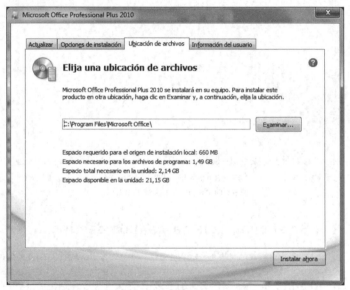

Figura 1.8. Seleccionamos la carpeta en la que se realizará la instalación.

1.2.5. Opciones de instalación

Como ha podido observar, hasta ahora se han introducido datos y seleccionado opciones, pero en ningún momento se ha indicado qué partes de Microsoft Office 2010 quieren instalarse en el sistema. Es ésta la tarea, precisamente, que tendrá que realizar en la pestaña Opciones de instalación.

Si está instalando Office 2010 sobre una versión previa de Office y ha elegido la opción **Actualizar** mostrada en la figura 1.5, no tendrá que elegir los elementos a instalar ya que la utilidad de instalación los seleccionará automáticamente observando su configuración actual.

En caso de que en la misma figura mencionada eligiese la opción **Personalizar**, o bien fuese una nueva instalación y seleccionase la misma opción de la figura 1.7, podrá acceder a la pestaña **Opciones de instalación**. En ella nos encontraremos con una ventana como la de la figura 1.9, en la que aparecen todas las aplicaciones que forman nuestra edición de Office 2010. Puede marcar las que desee instalar observando al tiempo el espacio que necesitará.

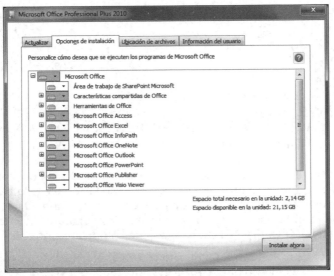

Figura 1.9. Seleccionamos los elementos de Office que nos interesa instalar.

En esta pestaña se muestra una lista jerárquica de los componentes que es posible instalar. El elemento principal o raíz es Microsoft Office, del cual se despliega un nodo o rama que corresponde a cada una de las aplicaciones.

En la figura 1.10 aparece abierta la rama de opciones correspondiente a **Microsoft Office Excel**. Observe que hay varios nodos o elementos, algunos de los cuales, a su vez, cuenta con otra lista de opciones. De esta forma es posible personalizar la instalación de manera muy detallada, especificando cada uno de los elementos, o de forma genérica, seleccionando directamente la aplicación completa.

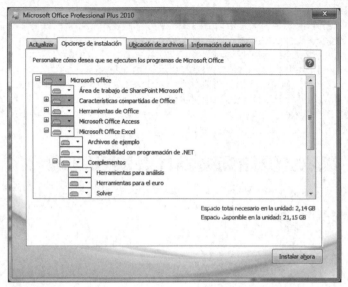

Figura 1.10. Indicamos las opciones de instalación.

Fíjese en que cada nodo cuenta a su izquierda con un icono rectangular. Éste indica la opción de instalación elegida para ese elemento. Usando el ratón puede hacer clic sobre la flecha que apunta hacia abajo de ese icono, desplegando un menú como el de la figura 1.11. Existen cuatro opciones posibles:

- **Ejecutar desde mi PC**: Instala en el sistema la aplicación o elemento que se haya elegido, de tal forma que es posible disponer de ella en cualquier momento sin necesidad de recurrir al CD/DVD de Office.
- **Ejecutar todo desde mi PC**: Es similar a la anterior, pero en este caso afectando a todos los elementos asociados a la rama elegida.
- **Instalar al utilizar por primera vez**: Esta interesante opción nos permite no instalar una determinada aplicación o parte de una aplicación en este momento, dejando la puerta abierta a su instalación la primera vez que se precise. En la aplicación el elemento aparece como disponible, aunque realmente no se encuentre instalado en

nuestro sistema. En caso de que se necesite, Office buscará el CD/DVD y realizará la instalación sin ninguna intervención por parte del usuario.

- **No disponible:** La última opción desactiva la instalación del elemento seleccionado, de tal forma que éste no se encuentre disponible en forma alguna.

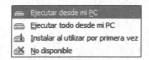

Figura 1.11. El menú contextual con las opciones de tipos de instalación.

A medida que se vayan estableciendo las opciones de instalación, en la parte inferior de la ventana podrá ir viendo el espacio que es preciso, así como el disponible en la carpeta que seleccionó previamente.

Ya que la aplicación que nos interesa en este momento es Excel, seleccione este elemento e indique el tipo de instalación que desea realizar. Lo habitual es que despliegue el menú de Microsoft Excel y luego seleccione la opción Ejecutar desde mi PC.

El resto de aplicaciones de Office 2010 puede instalarlas o no dependiendo de sus necesidades y los recursos de que disponga en el equipo. En cualquier caso, no las precisará para seguir esta guía hasta llegar al último capítulo, en el que podrá realizar algunas prácticas de integración entre Excel, Word, PowerPoint y Access.

Finalmente, en lo que respecta a esta ventana de personalización de instalación, nos encontramos con la pestaña Información del usuario (véase la figura 1.12), en la que puede introducir su nombre, iniciales y empresa, datos que serán utilizados por algunas de las aplicaciones para identificar los documentos que cree en su ordenador.

1.2.6. Proceso de instalación

Establecidas todas las opciones de instalación, y tras hacer clic en **Instalar ahora**, la utilidad de instalación inspeccionará de nuevo el sistema. Si comprueba que hay en funcionamiento alguna aplicación que, de alguna forma, puede dificultar la instalación, mostrará una ventana indicándolo.

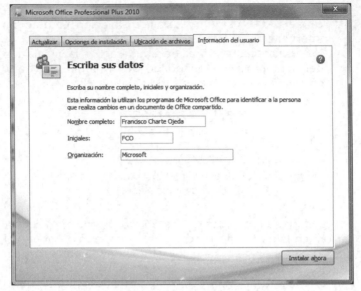

Figura 1.12. Asociamos nuestros datos
a la instalación del producto.

Acto seguido comenzará el proceso de instalación propiamente dicho. En él se transferirán archivos desde el CD/DVD o bien la unidad de red al disco de nuestro equipo (véase la figura 1.13), según las opciones seleccionadas, y también se configurará el sistema de acuerdo con esas mismas opciones.

Al finalizar la instalación aparecerá una ventana confirmándolo y ofreciéndonos, además, estas dos opciones: Seguir conectado y Cerrar (véase la figura 1.14). La primera abrirá su navegador y le llevará al sitio Web de Microsoft Office, mientras que la segunda, como es fácil deducir, cierra la ventana y termina.

Es posible que para completar la instalación sea necesario reiniciar el equipo. En este caso aparecerá una ventana indicándolo y, haciendo clic en un botón, el equipo se reiniciará, tras lo cual la instalación podrá concluir. A partir de este momento ya puede usar Microsoft Excel 2010.

Si hace clic sobre el botón **Seguir conectado** accederá a una página similar a la mostrada en la figura 1.15, desde la que puede examinar las novedades de la versión 2010 de Office, así como acceder a las *Office Web Apps*, la versión Web de algunas de las aplicaciones de Office, entre ellas Excel, que pueden ser utilizadas desde cualquier sitio con un simple navegador, sin necesidad de instalar el producto.

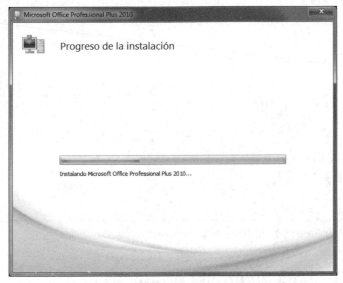

Figura 1.13. Proceso de instalación del producto.

Figura 1.14. Instalación finalizada.

Figura 1.15. Página con información sobre Office 2010.

1.3. Activación del producto

La primera vez que inicie Excel 2010, o cualquier otra de las aplicaciones de Office 2010, aparecerá el Asistente para la activación de Microsoft Office 2010.

La activación es un requisito indispensable y, de no efectuarse, la mayor parte de las opciones dejarán de estar disponibles pasado un tiempo.

El proceso de activación es muy sencillo, especialmente si elige la primera opción del asistente: activación a través de Internet. Para usarla debe contar con una conexión a Internet, de no ser así elija la segunda opción y siga los pasos indicados para la activación telefónica.

Tras la activación podrá también registrar el producto, un paso opcional con el que conseguirá que Microsoft le facilite información periódicamente sobre Office.

> **Nota:** *La activación no es necesaria en caso de que se utilice ciertas ediciones de Office 2010 que se adquieren con una licencia que facilita despliegue de la aplicación en grandes organizaciones, lo cual evita la necesidad de dar este paso en cientos o miles de puestos.*

1.4. Mantenimiento de la instalación

El proceso que acaba de completar, instalando Excel 2010 y cualquier otro elemento de Office que pueda interesarle, no deja la aplicación en un estado estático, inamovible. Por el contrario, la propia utilidad de instalación puede ser usada en cualquier momento para realizar tareas de mantenimiento.

Si ejecuta el programa Setup, por cualquiera de los procedimientos explicados en el punto 1.2.1, una vez finalizada la instalación, verá aparecer una ventana como la mostrada en la figura 1.16. Observe que puede realizar cuatro tareas: añadir o eliminar funciones, usando la misma ventana explicada en el punto 1.2.5; reparar la instalación, en caso de que ésta haya sufrido algún daño; eliminar el producto, efectuando el proceso de desinstalación, o bien cambiar la clave de producto.

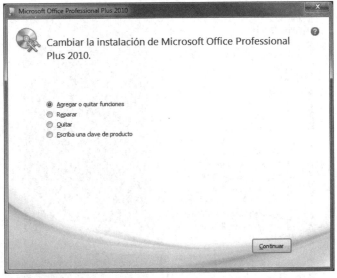

Figura 1.16. Opciones de mantenimiento de la instalación.

Las opciones de agregado/eliminación de funciones y la de desinstalación son claras, ya sabemos para qué sirven. La segunda opción, Reparar, se utiliza para devolver la instalación a su estado original, es decir, dejando cada una de las aplicaciones con la configuración que se estableció durante el proceso de instalación. Esta opción es adecuada si alguna de las aplicaciones deja de funcionar o presenta un comportamiento anormal, generalmente porque se haya producido una corrupción de los archivos de programas o relacionados.

1.5. Inicio de Excel 2010

Finalizado el proceso de instalación, puede comprobar si realmente Office, y por lo tanto Excel, están disponibles de una manera muy sencilla: haga clic en el botón **Inicio**, para abrir el correspondiente menú, y busque la entrada Microsoft Office en la carpeta Programas o Todos los programas, dependiendo de su versión de Windows. Si todo el proceso ha sido satisfactorio, en la mencionada carpeta encontrará los accesos directos necesarios para iniciar las aplicaciones instaladas.

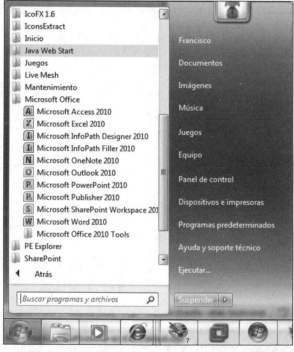

Figura 1.17. Accesos directos a las aplicaciones de Office 2010.

Primera toma de contacto

2.1. Introducción

Ya tiene instalado en su sistema Microsoft Excel y, seguramente, estará deseoso de comenzar a utilizarlo. Al abrir la aplicación se encontrará con una serie de elementos que, seguramente, desconocerá. Una multitud de opciones y botones, una cuadrícula y muchos conceptos extraños.

Este segundo capítulo le servirá para conocer algunos de esos conceptos, de tal forma que pueda comprender lo que se explica en capítulos posteriores. Gran parte de este capítulo se dedicará al estudio del entorno, algo fundamental para saber cómo desenvolverse en él. También aprenderá en este capítulo cómo es posible crear un nuevo documento, cómo guardarlo, abrir uno existente, etc.

2.2. Conceptos generales

Habitualmente cada profesión o entorno tiene su propio lenguaje o *argot* característico y que, por regla general, tan sólo es comprendido por aquellas personas que están relacionadas con él. Un mecánico usa términos que un panadero difícilmente comprenderá y viceversa, ya que ambos se dedican a temas distintos. Con la informática ocurre algo parecido pero de manera más profunda, ya que el argot usado por un diseñador gráfico tiene poco que ver con el que utiliza un programador. Los usuarios de hojas de cálculo, entre los cuales empezamos a contarnos, también disponemos de nuestra propia colección de términos y conceptos.

En los capítulos de este libro, a partir de éste mismo, usaremos muchos de esos términos para hacer referencia a diferentes elementos de Excel o de la información con la que se está trabajando. Es imprescindible, por lo tanto, que conozca estos conceptos para poder entender el texto que va a leer.

2.2.1. Documentos, libros y hojas

Excel es una aplicación, una herramienta de ordenador que sirve para desempeñar un cierto trabajo. Una llave inglesa es una herramienta muy útil, pero no nos servirá de nada si no tenemos una tuerca que aflojar o apretar. Habitualmente no cogemos la llave inglesa y vamos buscando tuercas para así poder usarla. Al contrario, nos acordamos de esa herramienta cuando tenemos la necesidad de utilizarla.

De forma análoga, Excel es una herramienta que no tiene utilidad por sí misma. Lo que nos interesa no es usar Excel en sí, sino utilizar esta aplicación como herramienta para construir documentos. Estos documentos, completando la analogía, serían las tuercas sobre las que trabajaría Excel.

Un documento es un archivo en el que se almacena información. Como sabrá, estos archivos se guardan en las unidades de almacenamiento con que cuenta su sistema, unidades que se pueden abrir e inspeccionar mediante el **Explorador de Windows** o cualquier utilidad similar.

Los documentos sobre los que trabaja Excel contienen libros, un libro por cada documento. Se denomina libro al conjunto de varias hojas de cálculo, cada una de las cuales sería una página de ese libro. Con Excel, por lo tanto, es posible trabajar simultáneamente con varias hojas de cálculo, almacenándolas todas ellas en un mismo libro.

> **Nota:** *La posibilidad de utilizar libros con varias hojas de cálculo es muy útil y permite realizar operaciones interesantes. Podrá verlo en un capítulo posterior, dedicado monográficamente al uso de libros con varias hojas.*

2.2.2. Estructura de una hoja

Un libro cuenta con varias hojas, de las cuales sólo una de ellas estará visible en un instante concreto. Después podrá ver que es posible cambiar de una hoja a otra sencillamente haciendo clic sobre una pestaña.

Toda hoja de cálculo se divide en filas y columnas, dando lugar a una cuadrícula en la que cada cruce de una columna con una fila da lugar a una celdilla. Si alguna vez ha jugado a los "barquitos", le será bastante fácil comprender la estructura de una hoja.

Una fila es una sucesión horizontal de celdillas. Las filas se identifican mediante números consecutivos, siendo el 1 el número de la primera fila de la hoja.

Una columna es una sucesión vertical de celdillas. Las columnas se identifican mediante letras mayúsculas, siendo la A la que hace referencia a la primera columna de la hoja. Puesto que, a diferencia de los números, la sucesión de letras posibles es finita, cuando se llega a la Z se usan dos letras y a continuación tres letras, de forma similar a como ocurre con las matrículas de los vehículos. La Ñ, como es habitual en informática, no es una letra válida y, por ello, no se utiliza para identificar a ninguna columna.

El cruce de cada columna con cada fila es una celdilla. Ésta se identifica uniendo la letra o letras de la columna con el número de fila. En la figura 2.1 se indican gráficamente los conceptos de columna, fila y celdilla. Observe que la celdilla marcada se llama A6, ya que pertenece a la columna A y a la fila 6.

Las letras de las columnas, los números de las filas y su combinación, en el caso de las celdillas, sirven para crear referencias. Mediante una referencia es posible desde una celdilla hacer alusión a datos que están en otras. Profundizaremos sobre esto en un capítulo posterior.

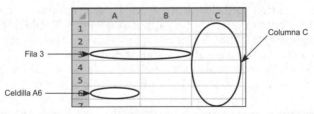

Figura 2.1. Una hoja se estructura en columnas, filas y celdillas.

2.2.3. Elementos de entrada

Para desenvolverse en una hoja de cálculo, ya sea introduciendo datos o seleccionándolos para realizar cualquier operación, necesitará utilizar algunos elementos de entrada de información. De éstos seguramente ya conocerá alguno, como el puntero del ratón, mientras que puede desconocer otros, como el indicador de foco de entrada.

En la figura 2.2 puede ver un fragmento de hoja de cálculo, como en la figura 2.1, sobre la que se han dispuesto los tres elementos fundamentales para trabajar sobre ella. Estos elementos son: el puntero, el foco de entrada y el cursor.

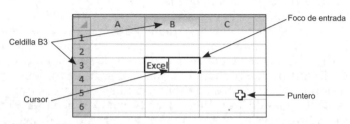

Figura 2.2. Elementos de entrada en una hoja de cálculo.

El puntero del ratón es un elemento habitual que está acostumbrado a utilizar, por lo que no hay mucho que decir acerca de él. Al trabajar con Excel el puntero adopta la imagen de una cruz, como puede apreciar en la figura 2.2. Posicionando el puntero sobre una celdilla y haciendo clic con el botón principal del ratón, habitualmente el izquierdo, moverá el foco de entrada a esa celdilla.

Mediante el foco de entrada sabrá en todo momento qué celdilla de la hoja es la que está seleccionada. Este indicador, el foco de entrada, aparece como un recuadro grueso alrededor de la celdilla. Es posible mover el foco a cualquier otro punto usando varios métodos, uno de los cuales consiste, como se ha dicho antes, en utilizar el puntero del ratón. También el teclado, concretamente las teclas de desplazamiento, le servirán para mover el foco de entrada a donde le interese.

La celdilla que tiene el foco de entrada es la que recibirá, como puede suponer, cualquier entrada de datos que se realice. Si usa el teclado para introducir un texto, por ejemplo, éste aparecerá en la celdilla que tenía el foco. También ciertas operaciones, como las relacionadas con el portapapeles, hacen uso del foco de entrada, para saber qué celdilla es la que hay que copiar, pegar o cortar.

Observe, en la figura 2.2, que la letra de columna y el número de fila correspondientes a la celdilla que tiene el foco de entrada aparecen resaltados. Esto permite localizar más rápidamente el foco.

Por último tenemos el cursor, que aparece tan sólo cuando se está editando el contenido de una celdilla. En ese momento, y con la apariencia de una línea vertical que tiene el alto de la fila, el cursor irá indicando la posición dentro de la celdilla. De esta forma es posible, por ejemplo, desplazarse por un texto para corregirlo.

2.2.4. Otros conceptos

Cada una de las celdillas de una hoja de cálculo es capaz de contener un dato. Éste puede ser, básicamente, un número, un texto o una fórmula. También es posible incluir en la hoja otros elementos, por ejemplo imágenes o gráficos generados a partir de los datos.

Los números pueden clasificarse genéricamente en dos grupos: enteros y fraccionarios. Los primeros son aquellos que no tienen una parte decimal, por lo que se les llama números enteros. Son, simplemente, una sucesión de dígitos numéricos que, opcionalmente, puede estar precedida de un signo.

Los números fraccionarios, como su propio nombre indica, cuentan con una parte no entera, lo que habitualmente se llama un número con decimales. Ésta irá separada de la parte entera mediante una coma, que es la notación usada generalmente por nosotros, en lugar de por un punto.

> **Nota:** El uso de la coma o el punto como separadores decimales dependerán de la configuración regional de su sistema. Si está trabajando con una versión en inglés de Windows, por ejemplo, utilizaría el punto en lugar de la coma. En cualquier caso, Excel le indicará cualquier uso inadecuado mediante un mensaje de error y le sugerirá una posibilidad de corrección.

Además de números, que suelen ser datos que, posteriormente, servirán para obtener unos resultados, en una hoja también es posible introducir textos. Una cadena de texto, o simplemente un texto, puede utilizarse como título de una columna o de una fila. Si no se incluyesen textos, y en la hoja tan sólo existiesen números, el contenido sería difícilmente comprensible por personas ajenas a los datos.

Por último, en una celdilla también es posible escribir una fórmula. Mediante una fórmula, que puede ser tan simple como una expresión matemática básica, es posible realizar operaciones y obtener resultados. En una formula, como se verá en un capítulo posterior, es posible hacer referencia a datos almacenados en otras celdillas, operando sobre ellos. También se pueden usar funciones ofrecidas por Excel que efectúan cálculos de mayor complejidad.

2.3. El entorno de Excel

Si entramos en un museo que no conocemos, sin información de ningún tipo y, además, sin un guía que pueda informarnos, lo más que podemos hacer es vagar por él, ir mirando lo que hay haciendo suposiciones y, presumiblemente, tomando notas. Emplearemos más tiempo en la visita y, además, al terminar no tendremos un conocimiento tan exhaustivo de lo que hemos visto.

Lo que está a punto de iniciar, en los puntos siguientes, es una visita guiada por el entorno de Microsoft Excel. En ella podrá conocer unas magníficas paletas de herramientas, los históricos menús con una funcionalidad remozada y algunos elementos de lo que podríamos llamar arte moderno.

Al finalizar esta parte tendrá un conocimiento bastante completo de lo que hay en Excel y su utilidad, aunque el uso concreto se irá introduciendo en los próximos capítulos.

2.3.1. Creación de un nuevo documento

Como se comentaba anteriormente, usar Excel implica trabajar con un documento. Éste deberá ser creado o, si ya existe, abierto. Para crear un nuevo documento, puesto que hasta ahora no disponemos de ninguno, bastará con abrir Excel. Esta acción creará un documento vacío, un libro en blanco con tres hojas sin ningún contenido inicial.

Aunque en este momento no nos interesa especialmente, también puede crear un nuevo libro a partir de una plantilla recurriendo a la sección **Nuevo** de la opción **Archivo**.

La citada opción abrirá una ventana similar a la mostrada en la figura 2.3. Como apreciará, existen múltiples secciones o categorías representadas por iconos que dan paso a otras tantas páginas. Si lo que desea es abrir un nuevo libro en blanco, que es lo que nos interesa en este momento, bastará con hacer doble clic sobre el elemento **Libro en blanco** que hay en la página inicial.

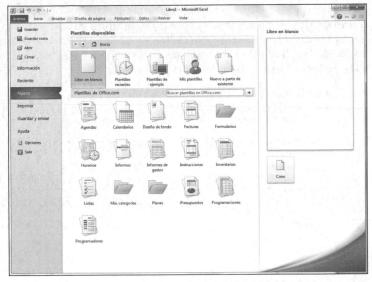

Figura 2.3. Creamos un nuevo libro en blanco.

Además de las plantillas disponibles localmente, generadas durante la instalación de Excel 2010, desde esta ventana también es posible acceder a plantilla del servicio Office.com siempre que se cuente con una conexión a Internet.

> **Nota:** *Para crear un nuevo libro en blanco estando en Excel también es posible, en lugar de recurrir a la ventana de la figura 2.3, sencillamente usar el atajo de teclado* **Control-U**.

2.3.2. Primera impresión

Independientemente del método utilizado para crear el nuevo documento vacío, Excel se abrirá y creará un nuevo libro en blanco. El entorno con el que se encontrará será parecido al que puede ver en la figura 2.4. En dicha figura puede ver indicados los nombres de los elementos más importantes. Son elementos que van a analizarse con mayor detalle en los puntos siguientes. En caso de que Excel no esté recién instalado, es posible que el aspecto que vea en su pantalla sea distinto al mostrado en la figura 2.4. Como podrá comprobar en el último capítulo, Excel ofrece un alto grado de personalización al usuario, que puede optar por modificar las barras de herramientas de acceso rápido y las cintas de opciones. También puede cambiar su disposición, adaptándola a su propia comodidad. Todo esto puede hacer que el aspecto del entorno de Excel cambie de un usuario a otro, ya que cada uno habrá efectuado sus propias personalizaciones.

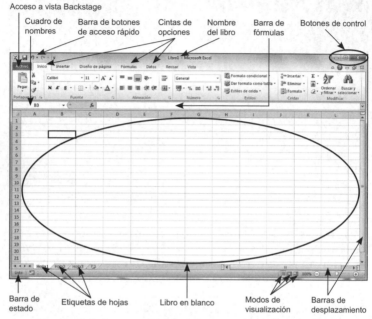

Figura 2.4. Aspecto inicial al crear un nuevo documento.

Excel utiliza una típica ventana de Windows, similar a la de cualquier otra aplicación. En esta ventana existe una barra de título, en la parte superior, que suele contener el título o nombre de la aplicación. Excel usa este espacio para mostrar también el nombre del libro sobre el que se está trabajando.

Como puede ver en la figura 2.4, al crear un nuevo documento Excel le asigna al libro un nombre por defecto. Éste siempre es la palabra Libro seguida de un número consecutivo. En este caso nuestro libro se llama Libro1.

> **Nota:** *Posteriormente, en este mismo capítulo, aprenderá a guardar su documento. Ése será el momento de asignar el nombre que le convenga que, lógicamente, no tiene por qué ser* Libro1.

2.3.3. La Cinta de opciones de Excel

Excel cuenta con un extenso número de opciones, tantas que difícilmente pueden mostrarse en forma de botones. Incluso el menú de opciones, que es un recurso usado típicamente por todas las aplicaciones, también se queda pequeño.

Hace tiempo que las opciones de un menú pueden tener asociado un submenú, que a su vez pueden tener otros, dando lugar a listas casi interminables de posibilidades.

En Excel 2010 los menús tradicionales, con la típica barra de opciones ocupando la parte superior de la ventana, han desaparecido y han dado paso a la conocida como Cinta de opciones. Ésta ocupa la parte superior de la ventana, componiéndose de varias fichas a las que se da paso mediante una serie de pestañas. Cada ficha contiene los comandos de una cierta categoría, agrupados en subcategorías lo que les hace fácilmente localizables. El resultado es una distribución más racional de las funciones de una aplicación tan potente como Excel, requiriéndose menos pasos, respecto a versiones previas, para efectuar las mismas tareas.

Cada ficha de la Cinta de opciones puede contener botones, grupos de botones, listas desplegables y menús de opciones, entre otras herramientas. Basta con situar el puntero del ratón sobre cualquier elemento para obtener, en una ventana emergente, una indicación sobre su finalidad y el correspondiente atajo de teclado si es que lo tiene asociado. En el detalle de la figura 2.5 puede ver cómo en la ficha Inicio existen distintos grupos: Portapapeles, Fuente, Alineación, etc., contando cada uno de ellos con distintas herramientas. En Fuente, por ejemplo, podemos alterar el color usado al editar celdillas.

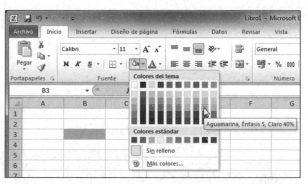

Figura 2.5. Detalle de parte de la Cinta de opciones.

Para cambiar de una ficha a otra basta con hacer clic en las pestañas que contienen en el título, en la parte superior de la Cinta de opciones. En la figura 2.6 se aprecia que la ficha activa es Insertar y el puntero está situado sobre Diseño de página. El cambio de una ficha a otra también se producirá de forma automática, según el contexto actual de trabajo en la hoja de cálculo, como podrá comprobar a medida que vayamos avanzando. Esto hace que casi siempre que necesitemos una cierta herramienta ésta se encuentre ya disponible en la parte superior de la interfaz, lo que nos ahorrará muchos pasos.

Figura 2.6. Cambiamos la ficha activa en la Cinta de opciones.

Determinados grupos de cada ficha muestran, en su parte inferior derecha, un icono en forma de flecha que da paso a un cuadro de diálogo con más opciones, obviamente relacionadas con la tarea de ese grupo, o bien abren paneles de tareas que se acoplan a uno de los márgenes de la hoja. Colocando el puntero del ratón sobre dicho icono, tal y como se ha hecho en la figura 2.7, Excel nos informará de lo que ocurrirá si hacemos clic sobre él.

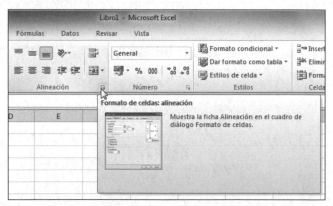

Figura 2.7. Determinadas fichas dan paso a cuadros de diálogo y paneles de tareas.

Dependiendo de la ficha en la que nos encontremos dentro de la **Cinta de opciones**, normalmente el icono o el título de cada herramienta nos será más que suficiente para saber cuál es su finalidad.

No obstante, basta con situar el puntero del ratón sobre cualquier elemento para obtener una descripción, tal como se aprecia en la figura 2.8. Fíjese también en cómo se indica, entre paréntesis, el atajo de teclado que habría que utilizar para llevar a cabo esa misma acción sin necesidad de recurrir al ratón.

Figura 2.8. Cada herramienta de la Cinta de opciones tiene asociada una descripción.

2.3.4. La vista Backstage

La **Cinta de opciones** no es la única novedad de Excel 2010. Si nos fijamos en la parte superior izquierda de la interfaz observaremos que la primera pestaña, con el título **Archivo**, tiene un fondo diferente al resto. Esto es así porque no da paso a una ficha más de la **Cinta de opciones**, sino que abre la denominada vista del **Backstage**, una página que ocupará toda la ventana de Excel y en el que se encuentran todas las opciones relacionadas con la administración de archivos: guardar en diversos formatos, enviar, imprimir, obtener información sobre ellos, etc.

> **Nota:** El término backstage *hace referencia a la parte trasera (oculta) existente en ciertas actividades, como puede ser el teatro, y suele ser traducido como* entre bastidores *o* entre bambalinas. *No obstante Microsoft ha mantenido para esa vista trasera, en la que se administran los documentos, la denominación* backstage *y por eso en este libro se utiliza tal cual.*

Al acceder a la vista **Backstage** nos encontraremos con una ventana como la de la figura 2.9, en la que se ofrece información sobre el documento actual y un amplio conjunto de opciones. El área central informa (y permite cambiar) sobre los permisos de acceso al libro, las propiedades que incorpora y las versiones que existen. En el margen derecho se amplía la información relativa a las propiedades del documento: título, fecha y hora en que se creó, persona que lo creó, etc.

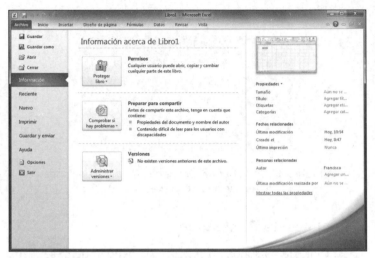

Figura 2.9. La vista Backstage de Excel 2010.

Desde esta vista podremos acceder a las funciones que afectan al documento en general, no a una cierta parte de la información que contiene como ocurre con las herramientas de la **Cinta de opciones**. Entre esas funciones están la creación de nuevos libros, la apertura de otros existentes, guardar el actual, imprimirlo, enviarlo por correo, publicarlo en un sitio Web, etc. El panel situado a la izquierda contiene opciones salen de la vista **Backstage** y abre cuadros de diálogo, son las que tienen un icono a su izquierda, con el objetivo de guardar y abrir documentos o bien acceder a la configuración de Excel. Las demás opciones, sin icono, dan paso a otras páginas de la vista **Backstage** con funciones más específicas, como las que permiten guardar el documento en diferentes formatos o enviarlo por medios electrónicos, que es la que aparece en la figura 2.10.

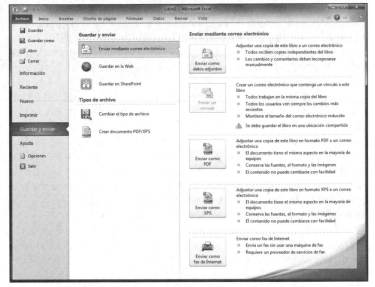

Figura 2.10. Algunas de las opciones
de la página Guardar y enviar.

2.3.5. La barra de herramientas de acceso rápido

Independientemente del sistema que se utilice para mostrar las distintas funciones de la aplicación, lo cierto es que el número de opciones disponible es muy grande.

Esto hace que, para realizar una cierta tarea sea preciso abrir una cierta ficha y seleccionar la herramienta apropiada, en el mejor de los casos, o quizá abrir un cuadro de diálogo o panel de tareas, en otros casos.

La Barra de herramientas de acceso rápido, que inicialmente aparece justo encima de la Cinta de opciones, sirve precisamente para agilizar las tareas que son más repetitivas, aquellas que utilizamos con mayor frecuencia. Guardar el libro sobre el que se está trabajando, deshacer la última acción o rehacer la última que se deshizo, por ejemplo, son acciones que pueden efectuarse simplemente haciendo clic en el botón adecuado.

Lo más interesante es que la Barra de herramientas de acceso rápido es muy fácil de personalizar. Para añadirle cualquier función, porque vayamos a hacer un uso intensivo de la misma, basta con hacer clic con el botón secundario del ratón sobre la herramienta que corresponda y elegir la opción **Agregar a la barra de herramientas de acceso rápido**, como se aprecia en la figura 2.11. El menú contextual que aparece en primer plano corresponde al botón desplegable que cambia el color de fondo.

A partir de este momento podrá acceder a la función elegida yendo directamente a la **Barra de herramientas de acceso rápido**, sin importar cuál sea la ficha abierta en la **Cinta de opciones**. La propia **Barra de herramientas de acceso rápido** cuenta con un menú, que abriremos con el botón que aparece en el extremo derecho, que permite añadir algunas opciones habituales como la apertura de documentos, comprobación de ortografía, etc. Posteriormente, en el último capítulo de la guía, aprenderá más sobre la personalización del entorno.

Además de a través de la **Cinta de opciones** y la **Barra de herramientas de acceso rápido**, muchas de las acciones más habituales que es posible realizar en Excel están accesibles mediante atajos de teclado. Estos atajos se muestran, siempre que existan, junto a la descripción de la función que aparece al colocar el puntero del ratón sobre ellas. Para guardar el libro sobre el que está trabajando, por ejemplo, no necesita acceder a la vista **Backstage** y seleccionar la opción **Guardar**, ni siquiera tiene que mover el puntero al botón **Guardar** de la **Barra de herramientas de acceso rápido** y hacer clic sobre él, bastará con que utilice la combinación **Control-G**.

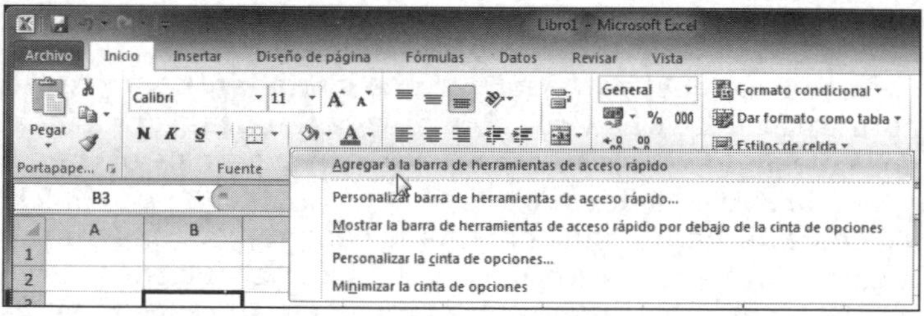

Figura 2.11. Añadimos una función a la barra de herramientas de acceso rápido.

2.3.6. Nombres y fórmulas

Justo debajo de la **Cinta de opciones**, o encima de la cuadrícula que representa a la hoja de cálculo, puede ver dos apartados que, como indica la figura 2.4, se denominan **Cuadro de**

nombres y **Barra de fórmulas**. A medida que desplace el foco de entrada por las celdillas, podrá ver que en el **Cuadro de nombres** aparece el nombre de la celdilla seleccionada, mientras que en la **Barra de fórmulas** aparece su contenido.

No parecen ser elementos de mucha utilidad ¿verdad? No obstante, tanto el **Cuadro de nombres** como la **Barra de fórmulas** no son simples visores informativos sino que, al contrario, pueden ser utilizados para varias tareas.

El **Cuadro de nombres** se usa para asignar nombres a las celdillas o conjuntos de celdillas, así como para seleccionarlas. Por defecto el nombre de las celdillas es, como ya sabe, una combinación de la letra de columna y número de fila. Es posible, sin embargo, asignarles un nombre más lógico.

Para realizar una prueba sencilla dé los siguientes pasos:

- Seleccione la celdilla A1, si es que desplazó el foco de entrada a otro punto de la hoja de cálculo.
- Mueva el puntero del ratón hasta situarlo sobre el **Cuadro de nombres** y haga clic en él.
- Introduzca un nombre para la celdilla, como puede ver en la figura 2.12, y pulse **Intro**.
- Mueva el foco de entrada por la hoja, podrá ver que al ponerlo en la celdilla A1 el **Cuadro de nombres** muestra el nombre introducido.
- Desplace el foco a cualquier punto de la hoja y, a continuación, despliegue la lista adjunta al **Cuadro de nombres**, como se ve en la figura 2.13. Elija el nombre para desplazarse directamente a la celdilla A1.

Figura 2.12. Asignamos un nombre a la celdilla seleccionada.

Asignar un nombre a las celdillas es una posibilidad que, tal como se verá en un capítulo posterior, puede simplificar ciertas tareas. Por ahora ya sabe para qué sirve el **Cuadro de nombres**, un elemento importante de la interfaz de Excel.

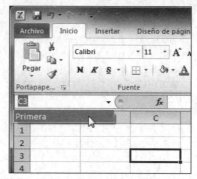

Figura 2.13. Nos movemos a la celdilla que tiene el nombre elegido.

La **Barra de fórmulas**, mostrada a la derecha del **Cuadro de nombres**, muestra el contenido de la celdilla seleccionada. Si dicha celdilla contiene un número, en la **Barra de fórmulas** aparece ese número. Con los textos ocurre lo mismo. Si la celdilla contiene una fórmula, sin embargo, en la celdilla propiamente dicha lo que aparece es el resultado, mientras que en la **Barra de fórmulas** sí que aparece la fórmula.

Si teniendo seleccionada una celdilla iniciamos la introducción de un dato o su modificación, para lo cual bastaría la pulsación de la tecla **F2**, la **Barra de fórmulas** tomará el aspecto de la figura 2.14. El contenido de la celdilla, en este caso la fórmula, se mostrará en la barra propiamente dicha. A su izquierda aparecerán tres botones y más a la izquierda una lista desplegable de funciones.

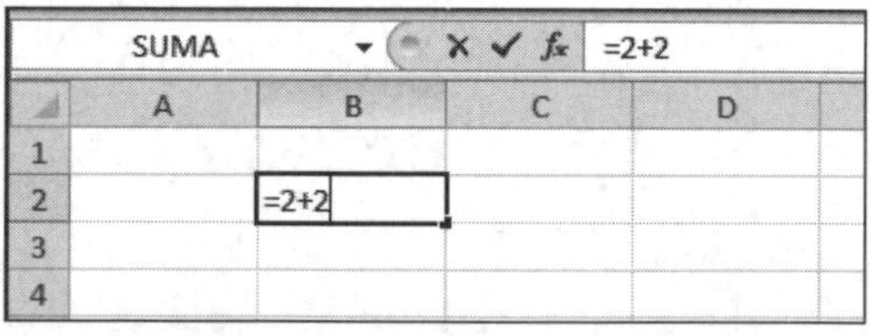

Figura 2.14. Elementos de la Barra de fórmulas.

Los dos primeros botones que han aparecido a la izquierda, yendo de izquierda a derecha, son equivalentes a la pulsación de las teclas **Esc** e **Intro**, respectivamente. El primero anula las modificaciones efectuadas, mientras que el segundo las introduce. El tercero, justo a la izquierda de donde aparece el contenido de la celdilla, abre una ventana de ayuda para la inserción de funciones. La lista desplegable que hay más a la izquierda sirve para insertar en la fórmula funciones predefinidas de Excel.

Por regla general, los valores y fórmulas se introducen directamente en la celdilla que interese. La Barra de fórmulas, por el contrario, es útil principalmente cuando quiere editarse una fórmula previamente introducida.

2.3.7. Moverse por la hoja

La mayor parte de la interfaz de Excel, mostrada anteriormente en la figura 2.4, está ocupada por la hoja activa del libro recién creado. Realmente, lo que está viendo es una pequeña porción de esa hoja, ya que ésta puede ser mucho más extensa que el espacio disponible en su pantalla.

Una hoja de Excel puede tener hasta 16384 columnas y algo más de un millón de filas, lo que hace un total de más de dieciséis mil millones de celdillas disponibles. Lógicamente todas no pueden estar visibles, porque el espacio en pantalla no es suficiente, siendo preciso desplazarse por esa área visible.

También es fácil deducir que el número de celdillas con contenido, y la extensión de éste, estarán limitados por la memoria disponible más que por un límite físico en el número de columnas o filas. Si se usa la versión de 64 bits de Excel 2010 en un ordenador con suficiente memoria será posible trabajar con hojas de cálculo mucho más grandes, al no existir el límite de 4 gigabytes que se aplica a la versión de 32 bits.

Como seguramente supondrá, el método instintivo para moverse de un punto a otro de un documento, que consiste en utilizar las teclas de desplazamiento del cursor, también es válido en este caso. Mediante dichas teclas no sólo desplazaremos el foco de entrada sino que, además, también podremos, llegados a un límite de la hoja visible, mover la hoja completa en la dirección que interese.

Además de las cuatro teclas que permiten moverse arriba, a la derecha, abajo y a la izquierda, también puede usar teclas como **Inicio**, **Fin**, **RePág** y **AvPág**, consiguiendo un movimiento más rápido. La combinación de la tecla **Control** con las teclas de desplazamiento del cursor llevará la selección directamente a la primera o última celdilla en sentido horizontal o vertical, según el caso.

En la citada figura 2.4 puede observar que hay dos elementos, llamados barras de desplazamiento, que, como su propio nombre indica, sirven también para moverse. En este caso, sin embargo, el foco de entrada no se mueve. Lo que se consigue, por el contrario, es desplazar directamente el área visible de la hoja.

> **Nota:** *Si activa la tecla* **Bloq Despl**, *podrá usar las teclas de desplazamiento del cursor para mover la hoja sin mover el foco de entrada, como se hace con las barras de desplazamiento usando el ratón.*

Si el punto al que deseamos desplazarnos requiere muchas pulsaciones de tecla, porque la hoja de cálculo sea amplia y tengamos que movernos de un extremo a otro, seguramente la forma más eficiente de hacerlo será utilizando la opción Ir a. Puede ejecutarla directamente mediante el atajo de teclado **F5**.

La opción Ir a muestra una ventana, como la que ve en la figura 2.15, en la que aparece una lista con todas las referencias de celdillas con contenido, así como aquellas que tienen un nombre. Es posible seleccionar cualquiera de los elementos de la lista, haciendo doble clic sobre él, y desplazarnos directamente. También, como alternativa, puede escribirse una referencia justo debajo de la lista, en caso de que se desee mover a un punto concreto que no aparece en ella.

Figura 2.15. Con el comando Ir a se puede mover rápidamente a cualquier punto de la hoja.

Las primeras filas y columnas de una hoja de cálculo, en la parte superior y a la izquierda, suelen utilizarse para colocar rótulos y títulos. Al desplazar el foco de entrada fuera del área visible, ya sea por la parte derecha o inferior, esos títulos desaparecen.

Para evitarlo, permitiendo así que los títulos estén siempre visibles y podamos guiarnos por ellos, sitúe el foco de entrada en una celdilla que esté justo debajo y a la derecha de los títulos, seleccionando a continuación la opción Inmovilizar paneles de la ficha Vista, en la Cinta de opciones. Cuando desee desbloquearlos, use la opción Movilizar paneles.

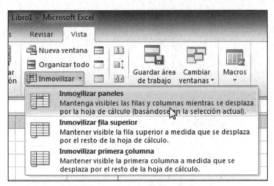

Figura 2.16. Opciones para mantener títulos fijos, en la ficha Vista de la cinta de opciones.

2.3.8. La barra de estado

La parte inferior de la ventana de Excel, debajo de la hoja de cálculo, está ocupada por una franja conocida como línea o barra de estado. En esa línea aparecen mensajes e indicaciones según el estado de ciertos elementos y el contexto en el que nos encontremos.

La parte izquierda de la línea de estado muestra mensajes conforme trabajamos con Excel. Cuando no está introduciéndose ningún dato, generalmente esa sección indica que Excel está "Listo" para trabajar. Si se está introduciendo un dato la palabra "Listo" cambiará a "Introducir", indicando el nuevo estado. De igual modo, se indicarán los procesos de recálculo de fórmulas o registro de macros, por dar dos ejemplos.

En la mitad derecha de la barra de estado existen varias secciones, siendo la de mayor tamaño una que no está visible inicialmente, situada a la izquierda de los tres botones que determinan la vista actual. En dicha sección se mostrará un cálculo rápido que afectará a los datos seleccionados en cada momento, al marcar un conjunto de celdillas podrá ver el valor medio que contienen, el número de valores y su suma, como se aprecia en la figura 2.17.

> **Nota:** *Los conjuntos de celdillas se denominan normalmente* rangos. *No se preocupe en este momento por tareas como la selección de rangos, es algo que ya aprenderá en un próximo capítulo.*

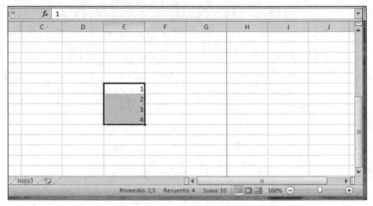

Figura 2.17. Detalle de parte de la barra de estado.

Los tres botones que hay a la derecha de los cálculos alternan entre la vista normal, de diseño de página y de salto de página. Usará estas vistas posteriormente. Por último, la barra de deslizamiento que hay en la parte derecha del área de estado nos permite cambiar el tamaño del área de datos, lo que se conoce habitualmente como *zoom*, de forma que podamos ver más celdillas aunque con dimensiones más reducidas o, por el contrario, menos celdillas con un tamaño mayor.

2.3.9. Excel es MDI

Como usuario habitual de Windows, sabrá que la mayoría de las ventanas de este entorno cuentan, en su extremo superior derecho, con unos botones que permiten efectuar tres operaciones: minimizar la ventana, maximizarla y cerrarla. Si observa de nuevo la figura 2.4, podrá apreciar que inicialmente en Excel existen dos grupos de esos botones.

El grupo de botones que está en la barra de título de Excel, con el color de fondo propio de estas barras, es el que corresponde a la aplicación. Si hacemos clic en el botón de cierre de este grupo, por ejemplo, estaremos saliendo de Excel. El grupo que hay justo debajo, con un aspecto plano en lugar de tridimensional, está asociado al documento que se está editando, es decir, al único libro que existe en este momento.

Haga clic en el botón **Restaurar** del documento, podrá ver que éste ya no ocupa toda la ventana de Excel, sino sólo una parte. Los botones de control, además, ya no aparecen justo debajo de los de la aplicación. Seguramente se preguntará qué sentido tiene que el documento no ocupe todo el espacio disponible, ¿para qué sirve el espacio libre?

Excel, al igual que otras aplicaciones Windows, utiliza un sistema, conocido como MDI (*Múltiple Document Interface*, Interfaz de documento múltiple), que le permite trabajar simultáneamente con varios documentos. Es decir, podemos tener varios libros abiertos en la misma ventana de Excel. Cada uno de estos libros puede ocupar todo el espacio disponible, caso en el cual solapará a los demás, o bien es posible distribuir el espacio según nos interese.

Si se pulsa la combinación de teclas **Control-U**, podrá ver cómo Excel crea un nuevo libro y lo abre en la misma ventana. Este nuevo documento, como puede ver en la figura 2.18, inicialmente solapa en parte al que teníamos abierto anteriormente. Podemos mover y redimensionar cada documento de forma independiente, repartiendo el espacio según nuestras preferencias.

Para cambiar de un documento a otro puede utilizar varios sistemas diferentes. Si ambos documentos están visibles, un simple clic con el botón principal del ratón puede activar uno u otro. También es posible desplegar el menú Cambiar ventanas de la ficha Vista y seleccionar directamente el libro por su nombre. Un método alternativo consiste en utilizar los botones de la barra de tareas de Windows. Existirá un botón por cada libro abierto, a pesar de que todos ellos están contenidos en la misma ventana de Excel.

Poder trabajar con varios libros simultáneamente puede ser útil en muy diversos casos. Es posible transferir información directamente de un libro a otro, con técnicas que conoceremos en los capítulos siguientes. En el caso de que los libros abiertos sean muchos, puede utilizar la opción Organizar todo de la ficha **Vista** para abrir la ventana mostrada en la figura 2.19. Con sus opciones es posible distribuir los diversos libros de forma automática, ya sea disponiéndolos unos sobre otros o adaptándolos de tal forma que todos queden visibles. Esta distribución se mantendrá incluso aunque cambiemos las dimensiones de la ventana principal de Excel.

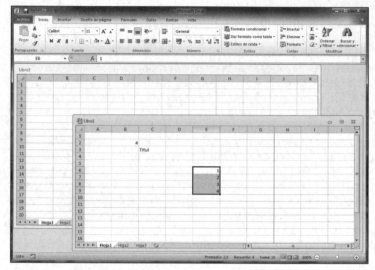

Figura 2.18. Excel con varios libros abiertos.

Figura 2.19. Seleccionamos el método de distribución de los libros.

2.3.10. Obtención de ayuda

La finalidad principal de la ventana **Ayuda de Excel**, que podemos abrir mediante **F1** o bien el icono redondo con una interrogación que existe en la parte superior derecha de la aplicación, es la de ofrecernos opciones de asistencia y otros recursos relacionados.

Puede recurrir a esta ventana en cualquier momento en que tenga una duda, introduciendo una consulta o tema sobre el que desee obtener información.

Suponga que quiere modificar una fórmula que ha introducido en una celdilla y no sabe cómo hacerlo. Abra la citada ventana e introduzca, como puede verse en la figura 2.20, la frase "Modificar una fórmula". Al pulsar **Intro**, o hacer clic en el botón **Buscar**, se realizará una búsqueda que nos ofrecerá algunas respuestas, de las cuales podemos elegir la más apropiada. Al elegir cualquiera de ellas, el asistente mostrará una ayuda con procedimientos paso a paso, ejemplos y vínculos a otros temas relacionados. De forma similar puede consultar cualquier otra cuestión que pudiera planteársele en su trabajo diario con Excel.

Excel 2010 usará, en caso de que cuente con una conexión a Internet, el servicio conocido como *Office.com*. Al efectuar una búsqueda en la ventana de ayuda, por ejemplo, además de buscar en los archivos de ayuda locales también se recurrirá a Office.com para obtener una información más actualizada o temas adicionales de ayuda.

Figura 2.20. Enlaces a distintos temas relacionados con la consulta introducida.

En la vista **Backstage**, concretamente en la sección **Ayuda**, también podemos encontrar diversos enlaces que nos llevarán a la ayuda, una introducción al uso del producto, una función de acceso al soporte del producto y la búsqueda de actualizaciones (véase la figura 2.21).

Figura 2.21. Sección de ayuda en el Backstage.

Ciertos contenidos, como la introducción a la que se accede desde la vista **Backstage**, se abren en una ventana del navegador ya que están alojados en Office.com. Desde este servicio también puede acceder a otras secciones. En la figura 2.22, por ejemplo, puede ver la lista de categorías de plantillas existentes. Puede buscar la plantilla que necesite, descargarla y usarla en Excel de manera inmediata.

2.3.11. Otros elementos

Prácticamente ya conoce todos los elementos que puede ver en el entorno inicial de Excel, reconociendo cada uno de ellos por su nombre, según se indica en la figura 2.4.

En la parte inferior de dicha figura, justo encima de la barra de estado, aparecen unas flechas y unas pestañas de selección, según puede ver en el detalle que se muestra en la figura 2.23.

Todos estos elementos son útiles cuando se trabaja con libros que tienen varias hojas, tan sólo en ese caso.

Figura 2.22. En Office.com también encontrará plantillas y cursos sobre Excel.

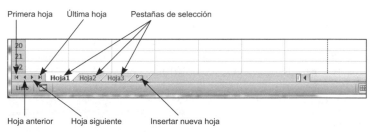

Figura 2.23. Elementos para trabajar con libros de múltiples hojas.

Las cuatro flechas son en realidad botones. Mediante ellos es posible desplazarse de una página a otra, según las indicaciones que puede ver en la figura 2.23. Las pestañas de selección permiten abrir directamente una página determinada. Éstas aparecen inicialmente con un nombre por defecto, al igual que los libros.

Como puede apreciar en la figura 2.4, las celdillas que forman la hoja de cálculo tienen en su parte superior unas etiquetas de columna, y en la izquierda unas etiquetas de fila.

Estos elementos nos permiten tener una indicación del punto en el que se encuentra el foco de entrada pero, además, también pueden ser usados para seleccionar filas y columnas de datos completas.

2.4. Guardar y abrir documentos

Lógicamente, la información introducida en un libro de Excel no será de utilidad por mucho tiempo si no sabemos cómo conservarlo y, posteriormente, recuperarlo cuando sea necesario. Excel es capaz de almacenar y recuperar documentos no sólo en las unidades locales de nuestro sistema, sino que también sabe cómo acceder a un servidor Web y utilizarlo como sistema de almacenamiento.

2.4.1. Almacenar un libro de Excel

Para guardar el libro que tiene abierto puede proceder de varias maneras diferentes, entre ellas: hacer clic en el botón **Guardar** de la Barra de herramientas de acceso rápido, seleccionar la opción Guardar de la vista Backstage o utilizar la combinación de teclas **Control-G**. En cualquiera de los casos, puesto que el documento no se había guardado previamente, aparecerá un cuadro de diálogo como el de la figura 2.24. El panel izquierdo representa, mediante una serie de iconos, las carpetas usadas más habitualmente para almacenar los documentos. Puede hacer clic sobre uno de estos iconos para seleccionar directamente la carpeta correspondiente.

En la parte superior del cuadro de diálogo existe una lista desplegable que, en principio, muestra el nombre de la carpeta seleccionada con los botones que hay en el panel izquierdo. Puede desplegar esa lista para seleccionar cualquier otro destino, ya sea local, en su propio equipo; de red, en un equipo conectado al suyo en una red local o corporativa, o de Internet, con un acceso mediante FTP.

Con los botones que aparecen bajo la lista anterior puede, por ejemplo, modificar el modo de visualización o, en caso de que la carpeta donde quiere almacenar el documento aún no exista, puede crearla sin necesidad de recurrir al Explorador de Windows.

Desde este cuadro de diálogo también puede guardar documentos en un servidor Web o bien FTP, en caso de que su organización cuente con ellos. Es posible que antes, como se aprecia en la figura 2.25, deba identificarse apropiadamente para iniciar sesión en el servidor.

Una vez que el documento ha sido guardado, ejecuciones posteriores de la opción Guardar, usando cualquiera de los tres métodos citados al principio de este punto, tendrán como resultado el almacenamiento directo del libro. No será preciso preguntar el nombre, mostrando el cuadro de diálogo de la figura 2.24, ya que el nombre ya se asignó previamente.

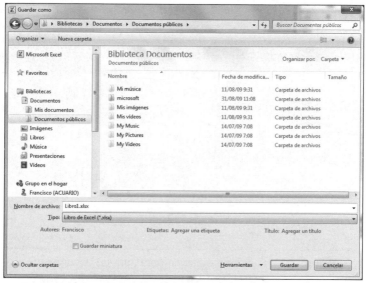

Figura 2.24. Cuadro de diálogo para guardar un documento.

Figura 2.25. Identificación para almacenar el libro en un servidor FTP.

En caso de que desee guardar el libro con un nombre diferente al que tenía originalmente, no tiene más que usar la opción Guardar como de la vista Backstage.

2.4.2. Abrir un documento existente

Para abrir un documento existente puede hacer doble clic directamente sobre él, o un acceso directo a él, o bien usar la opción Abrir de la vista Backstage. Dicha opción es equivalente a la combinación de teclas **Control-A**.

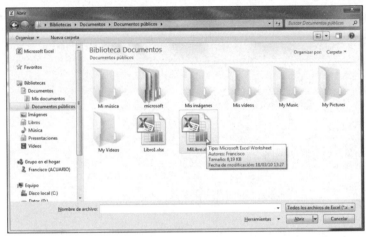

Figura 2.26. Cuadro de diálogo para abrir un documento.

El funcionamiento de este cuadro de diálogo es prácticamente idéntico al descrito en el punto anterior. Generalmente, lo primero será seleccionar la carpeta donde está el documento, ya sea haciendo clic en uno de los botones del panel izquierdo o usando la lista desplegable que hay en la parte superior. Hecho esto, bastará un doble clic sobre el documento para abrirlo.

Si no sabe en qué carpeta está el documento que necesita abrir, o incluso si ha olvidado o desconoce su nombre, puede usar la opción Buscar que hay en la parte superior derecha del cuadro de diálogo. Primero seleccione dónde quiere realizar la búsqueda, por ejemplo haciendo clic en el icono **Equipo** que aparece en el panel de la izquierda si quiere buscar en todo el equipo, y después introduzca en el recuadro Buscar parte del nombre del archivo o su extensión. Al pulsar **Intro** se iniciará la búsqueda e irán apareciendo los diferentes resultados que se encuentren.

En caso de que no encuentre el archivo por su nombre, pero recuerde algo sobre el contenido que tenía, haga clic en el enlace Buscar en el contenido del archivo que aparece en la mitad inferior de la ventana de búsqueda y Excel repetirá la búsqueda examinando el contenido de archivos, mostrándole una lista de aquellos que contienen el texto buscado.

Suponiendo que quiera abrir un libro con el que ha trabajado recientemente, puede recurrir a la sección Reciente de la vista Backstage. En ella aparecen, como puede verse en la figura 2.27, una lista de libros recientes en la parte central y también, en el panel derecho, una lista de las carpetas a las que se ha accedido de manera reciente.

En Windows 7 también puede acceder a los últimos documentos que haya abierto con Excel mediante las *Jump List*, la lista desplegable asociada al programa que aparece tanto en el menú del botón **Inicio** (véase la figura 2.28) como en el menú contextual que se abre al hacer clic con el botón secundario sobre el icono del programa en la barra de tareas (véase la figura 2.29). Es quizá la forma más inmediata de iniciar Excel y, al mismo tiempo, abrir el libro en el que se pretende trabajar.

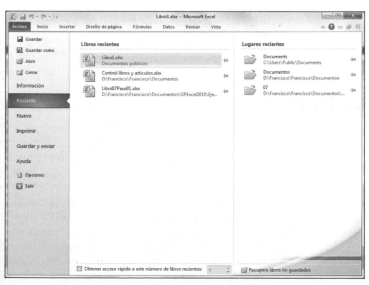

Figura 2.27. Panel Reciente de la vista Backstage.

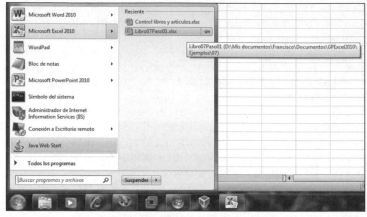

Figura 2.28. Lista de archivos asociados a Excel en el menú Inicio.

Figura 2.29. Lista de opciones en el botón de Excel
en la barra de tareas de Windows 7.

2.4.3. Salir de Excel

El procedimiento para salir de Excel es idéntico al que utilizaría con cualquier otra aplicación. Basta con hacer clic en el botón [×] que hay en la parte superior derecha de la ventana. En caso de que existiesen documentos modificados sin guardar, antes de salir el asistente le dará opción a almacenarlos.

Como métodos alternativos a éste, puede usar la opción **Salir** de la vista **Backstage** o bien pulsar la combinación de teclas **Alt-F4**. El resultado será exactamente el mismo, el cierre de Excel previa comprobación del estado de los documentos.

Puede cerrar un libro de Excel, sin cerrar la aplicación, haciendo clic sobre el botón [×] correspondiente o utilizando la combinación de teclas **Control-F4**.

Tareas básicas al trabajar con datos

3.1. Introducción

Tras leer el capítulo anterior, ya tiene un conocimiento general sobre el entorno de Excel y, presumiblemente, sabe cómo realizar algunas operaciones. Por ejemplo, sabe cómo moverse e introducir algún dato. En el capítulo previo se describió el uso de la **Barra de fórmulas** con esa finalidad.

La edición de datos en una hoja de cálculo, sin embargo, es mucho más que lo visto hasta ahora. Los datos se introducirán generalmente de forma manual, pero también es posible hacerlo automáticamente en algunos casos. Una vez se encuentran en la hoja de cálculo, es posible seleccionarlos, copiarlos, moverlos, pegarlos, etc.

Los datos, a pesar de que vayan acompañados de los títulos correspondientes, en ocasiones pueden precisar explicaciones o comentarios, que también aprenderemos a utilizar. Excel tiene opciones para revisar la ortografía y gramática de toda la información introducida, asegurando así su corrección.

Todas esas posibilidades, y algunas más, son las que aprenderá a usar en este capítulo.

3.2. Es tiempo de elecciones

Suponga por un momento que es responsable del control informático de la oficina de estadística para las próximas elecciones que tendrán lugar en su país. Cada colegio electoral se ocupará, como es habitual, de realizar el recuento de sus papeletas, recuento que transmitirá a un operador de la oficina de estadística. Lógicamente habrá varios operadores, concretamente uno por cada diez colegios electorales.

Su tarea, como responsable de este proceso, es facilitar a los operadores la herramienta necesaria para poder registrar todos los datos. Si deja que cada operador utilice el método que crea más conveniente, posteriormente, a la hora de totalizar toda esa información para obtener los resultados globales, su trabajo será mucho más difícil.

Para no encontrarse con ese problema ha decidido preparar una hoja de cálculo en Excel. En principio esta hoja será genérica, es decir, servirá para cualquier operador. Posteriormente creará versiones específicas para cada operador, por ejemplo personalizando los colegios de cada uno. Gracias a esta hoja de cálculo los operadores introducirán los datos siguiendo exactamente el mismo patrón. Cuando usted reciba los resultados de cada operador, correspondientes a diez colegios electorales, su trabajo será mucho más sencillo.

3.2.1. Planificación de la estructura para la hoja de cálculo

Lo primero que tendrá que hacer será crear un nuevo documento de Excel, usando para ello cualquiera de los métodos indicados en el capítulo previo. Antes de iniciar la introducción de datos, no obstante, no está de más planificar mentalmente, o en un papel, cuál será su estructura. Lógicamente también puede ir planificando a medida que construye la hoja.

En estas elecciones se presentan cuatro formaciones políticas: Progresista, Conservador, Ecologista e Independentista. Cada colegio, por lo tanto, deberá facilitar datos acerca de los votos obtenidos por cada una de estas formaciones. Dado que un mismo operador controlará diez colegios, en la hoja debe tenerse en cuenta este aspecto.

Además de los votos de cada formación, generalmente también suelen aparecer votos nulos. A todos los efectos, para el operador el número de votos nulos será un número más, como el de votos obtenidos por cualquier partido.

La hoja estará estructurada de tal forma que existirán cinco columnas, una por cada formación política más la de votos nulos. Cada columna tendrá datos en diez filas, una por cada colegio. De esta forma se dispondrá de una cuadrícula de cincuenta celdillas, cada una de las cuales contendrá un número determinado de votos.

3.2.2. Títulos para las columnas

Cree un nuevo libro de Excel, si es que no lo ha hecho ya, y empiece la introducción de los títulos que identificarán a las columnas. Dichos títulos serán los nombres de los partidos o la palabra "Nulos". Puede empezar a introducir datos desde el punto actual en el que se encuentra el foco, en la celdilla A1.

Para comenzar a introducir un dato, por ejemplo las siglas que actuarán como título de la primera columna, no tiene más que escribir directamente.

A medida que vaya introduciendo caracteres éstos irán apareciendo, según se ve en la figura 3.1, tanto en la celdilla que tiene el foco como en la Barra de fórmulas. Observe que el cursor aparece en el interior de la celdilla.

Finalizada la introducción del dato puede pulsar la tecla **Intro**, caso en el cual el foco se moverá a la celdilla que está más abajo, o bien usar directamente la tecla de desplazamiento a la derecha, de tal forma que el foco pase a la celdilla donde va a introducirse el dato siguiente.

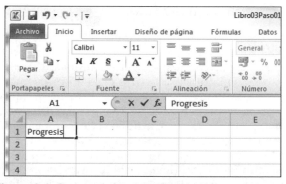

Figura 3.1. Se introduce el título de la primera columna.

Nota: Puede utilizar cualquiera de las teclas de desplazamiento del cursor durante la introducción de un dato, finalizando la edición y desplazándose a la celdilla que corresponda. Si quiere que dichas teclas le permitan moverse en el interior de la celdilla, por ejemplo para corregir el dato introducido, pulse la tecla F2. A partir de ese momento las teclas de desplazamiento actúan dentro de la celdilla y no salen de ella. Pulsando de nuevo F2, o la tecla Intro, puede volver al modo de funcionamiento anterior.

Siguiendo exactamente el mismo método, introduzca los títulos para el resto de las columnas. Al terminar, el aspecto de la hoja de cálculo debe ser como el mostrado en la figura 3.2. Tenemos cinco columnas, de la A a la E, cada una con un título.

Figura 3.2. Los títulos de columnas una vez introducidos.

3.2.3. Títulos para las filas

Cada una de las columnas contendrá, justo debajo de los títulos ya introducidos, los datos correspondientes a los números de votos de cada colegio. Los títulos de las filas, por lo tanto, deberían quedar a la izquierda. El problema es que, como puede apreciarse en la figura 3.2, la primera columna ya está ocupada. Deberíamos haber iniciado la introducción de los títulos de columna a partir de la columna B y no de la A.

Las filas y columnas de una hoja de cálculo pueden insertarse y eliminarse. En este caso concreto, nos interesaría insertar una columna nueva delante de la primera, de tal forma que pudiésemos introducir los títulos de las filas. Haga clic con el botón secundario del ratón sobre cualquier celdilla de la columna A y seleccione la opción Insertar. En la ventana que aparece, idéntica a la de la figura 3.3, elija la opción Insertar toda una columna y haga clic en **Aceptar**.

Nota: *También puede insertar columnas usando la opción* Insertar celdas *del botón* **Insertar** *que hay en la ficha* Inicio *de la* Cinta de opciones.

Ejecutada la opción anterior, podrá ver que la columna que hasta entonces era la A pasa a ser la B, que la B pasa a ser la C y así sucesivamente. El resultado, como se ve en la figura 3.4, es que los datos se han desplazado una columna a la derecha y, por lo tanto, tenemos una nueva columna a la izquierda en la que poder introducir los títulos de las filas.

Ésta es una operación que afecta a la hoja completa, otra posibilidad habría sido mover el contenido de las celdillas de la posición en que se encontraban a la nueva, una operación que aprenderá a realizar más adelante.

Figura 3.3. Insertamos una nueva columna delante de la primera.

Figura 3.4. La hoja de cálculo tras insertar la nueva columna.

Ya tenemos el espacio necesario para introducir los títulos de las filas. Puesto que la primera celdilla en la que podrá introducirse un dato será la B2, el primer título lo colocaremos en la fila 2, concretamente en la celdilla A2. Los títulos, puesto que estamos creando una hoja de uso genérico, no serán los nombres de los colegios, sino la palabra Colegio seguida de un número entre 1 y 10.

Introduzca en la celdilla A2 el primer título: Colegio 1. Pulsando **Intro** el foco pasará automáticamente a la celdilla de más abajo. El título a introducir es Colegio 2. Al introducir el primer carácter fíjese en lo que ocurre. Excel muestra automáticamente el mismo texto que hay en la celdilla anterior (véase la figura 3.5), ya que al comenzar por el mismo carácter asume que vamos a introducir el mismo dato.

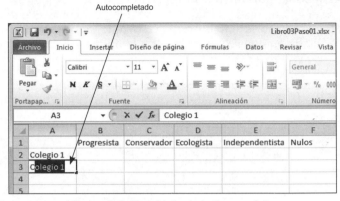

Figura 3.5. Excel intenta autocompletar el dato que va a introducirse.

Esta característica de Excel, conocida como autocompletado, nos permite seguir introduciendo caracteres de este nuevo título. Si van coincidiendo se sigue mostrando el valor propuesto, de tal forma que bastaría con pulsar **Intro** para aceptarlo e introducirlo directamente. En el momento en que se encuentre la primera diferencia, el autocompletado se desactivará a menos, claro está, que se encuentre una coincidencia con otro dato facilitado con anterioridad.

Puede aceptar el autocompletado de Excel, introduciendo de nuevo el título Colegio 1, y modificarlo después. En este caso, no obstante, el ahorro de trabajo no resultará muy significativo.

> **Novedad:** *Excel 2010 es capaz de reconocer la escritura manual cuando se ejecuta en un dispositivo con esta capacidad, como puede ser un Tablet PC. Es otra alternativa para la introducción de datos.*

3.2.4. Editar el contenido de una celdilla

Supóngase que ha aceptado el autocompletado que hace Excel, de tal forma que en la celdilla A3, correspondiente al título de la segunda fila de datos, el texto que hay ahora es

`Colegio 1`. El que debería haber, sin embargo, es `Colegio 2`. Puede modificar el contenido de esta celdilla básicamente de dos maneras diferentes.

El primer método consiste en editar el título en la propia celdilla. Para ello no tiene más que seleccionar la celdilla, poniendo el foco de entrada sobre ella, y a continuación hacer doble clic con el botón principal del ratón. Verá que aparece el cursor, siendo posible editar el contenido. Puede conseguir exactamente lo mismo pulsando **F2** en lugar de hacer doble clic con el ratón. Un método alternativo es editar el contenido de la celdilla en la **Barra de fórmulas**. Al seleccionar la celdilla verá que su contenido aparece en dicha barra. Tan sólo tiene que hacer clic sobre ella y podrá modificar el título igual que haría en la celdilla.

3.2.5. Autollenado de celdillas

Los títulos de las filas siguientes serán prácticamente idénticos, tan sólo cambiará el número que sigue a la palabra `Colegio`. Con la característica de autocompletado, que acaba de conocer, podría rápidamente introducir el valor `Colegio 1` en todas las celdillas y, posteriormente, editar su contenido para establecer los títulos definitivos. Existen, no obstante, métodos más eficientes para realizar este trabajo.

Fíjese un momento en el foco de entrada de la celdilla que tenga seleccionada. Si es observador, percibirá que en la esquina inferior derecha del recuadro, tal y como se muestra en el detalle de la figura 3.6, existe un pequeño bloque cuadrado. Éste recibe el nombre de *controlador de relleno*. Sitúe el puntero del ratón sobre él, verá cómo cambia de forma.

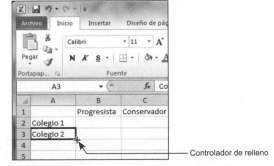

Figura 3.6. El foco de entrada tiene un controlador de relleno.

El controlador de relleno se utiliza, como su propio nombre indica, para gestionar una operación de relleno de celdillas. Esta operación puede consistir en copiar el valor de una celdilla, la que está seleccionada en ese momento, a otras celdillas delimitadas mediante una operación de arrastrar y soltar.

Lo más interesante, sin embargo, es que la operación de relleno es capaz de identificar y repetir secuencias. Este concepto, que va a comprender en un instante, resulta de suma utilidad a la hora de realizar trabajos como el que tenemos pendiente en este momento.

Teniendo seleccionada la celdilla A3, que contiene el segundo título, sitúe el puntero del ratón sobre el controlador de relleno. Cuando esté en el punto adecuado el puntero cambiará de forma, en ese momento haga clic con el botón principal del ratón y no lo suelte, ya que va a efectuar una operación de arrastrar y soltar.

Manteniendo el botón pulsado, desplace el puntero hacia abajo tal y como puede verse en la figura 3.7. Fíjese en cómo se traza un borde alrededor del área delimitada, al tiempo que aparece una etiqueta indicando el texto que se introduciría en la última celdilla seleccionada en ese momento.

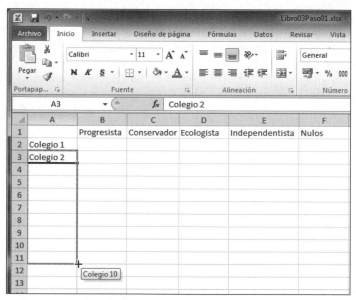

Figura 3.7. Usamos el controlador de relleno para autorellenar los títulos de filas.

Una vez que en la etiqueta flotante aparezca el título `Colegio 10`, puede liberar el botón principal del botón. Verá que Excel rellena todas las celdillas seleccionadas con los títulos que, en un principio, nos disponíamos a introducir de forma manual.

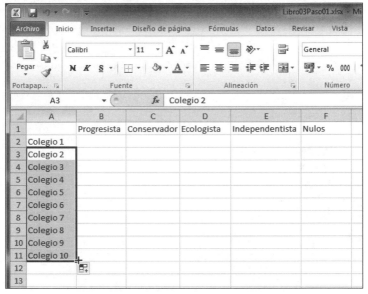

Figura 3.8. Secuencia de valores generados por la operación de autorelleno.

> *Nota: La posibilidad de autorelleno podría haberse usado directamente tras introducir el primer título, dejando que Excel generase los demás. Esto es posible porque detrás de la palabra* `Colegio` *hay un número, elemento que Excel identifica como capaz de generar una secuencia. Se pueden generar secuencias con otros elementos, por ejemplo con los nombres de los días o los meses, fechas completas, etc.*

3.2.6. Etiquetas inteligentes

Al finalizar la operación anterior, obteniendo la secuencia que deseábamos, habrá observado que junto a la parte inferior del recuadro que delimita los datos ha aparecido un pequeño icono.

Es lo que se conoce como una *etiqueta inteligente* o una *smart tag*. Sitúe el puntero del ratón sobre esa etiqueta y haga clic sobre ella. Verá, como en la figura 3.9, que se despliega una lista de opciones.

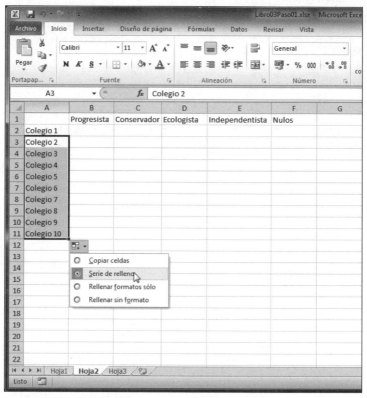

Figura 3.9. Opciones que nos ofrece la etiqueta inteligente.

En este caso Excel ha generado, a partir de nuestra acción, una secuencia de valores. Suponga, no obstante, que no era esto lo que deseábamos, sino que tan sólo queríamos copiar el mismo valor en todas las celdillas seleccionadas. Gracias a las opciones de la etiqueta inteligente podríamos corregir ese comportamiento por defecto.

Las etiquetas inteligentes le asistirán en muchas otras situaciones como tendrá ocasión de comprobar. Es habitual que aparezcan, por ejemplo, al pegar una información desde el portapapeles o introducir una fórmula incorrecta.

3.2.7. Nuestra primera hoja terminada

Puesto que ya tenemos introducidos los títulos de colum-nas y filas, indicando los datos que han de introducirse y las celdillas en las que deben almacenarse, en principio ya tene-mos terminada nuestra hoja de cálculo. Pulse **Control-G**, se-leccione la opción Guardar de la vista Backstage o haga clic en el botón **Guardar** para almacenarla.

El aspecto actual de la hoja de cálculo debería ser el mos-trado en la figura 3.10. Si ha obtenido de la Web de Anaya Multimedia el paquete de ejemplos, encontrará esta hoja en la carpeta Ejemplos\03 con el nombre Libro03Paso01. Los ejemplos que vayan proponiéndose posteriormente siguen una nomenclatura similar, por lo que podrá rápidamente identifi-carlos y abrirlos.

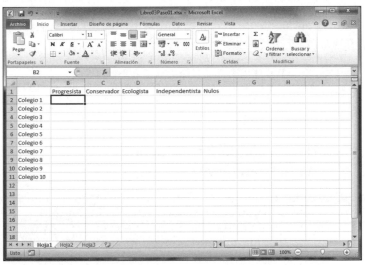

Figura 3.10. Aspecto de la hoja de cálculo con los títulos.

3.3. Mejorando la introducción de datos

Antes de poner la hoja de cálculo a disposición de los ope-radores que deberán introducir los datos, supongamos que decide comprobar por sí mismo qué proceso sería el seguido para efectuar esa tarea. Abre la hoja de cálculo, se coloca en la celdilla B2, correspondiente a los datos del primer partido en el primer colegio, e inicia la introducción de datos.

Lo primero que observa, nada más comenzar, es que cada vez que se pulsa **Intro** la selección pasa a la celdilla de más abajo. Lógicamente podría pulsar directamente el cursor a la derecha, pero normalmente los operadores usan el área numérica del teclado para introducir los datos de forma muy rápida e, indudablemente, lo más cómodo sería poder pulsar **Intro** tras cada dato.

> **Nota:** *Por supuesto, cualquier parecido entre los datos introducidos como ejemplo en estos ejercicios y una hipotética realidad en la que existiesen estos partidos será una graciosa coincidencia.*

Independientemente del sentido del desplazamiento, al llegar a la última celdilla de un colegio el foco debe pasar a la primera del siguiente. La única forma de conseguir esto, ahora mismo, es moviéndolo manualmente.

Otro aspecto a tener en cuenta es que los colegios están identificados por números, pero cada operador debería saber el colegio o centro de voto sobre el que está trabajando. También sería apropiado controlar la entrada de datos, de tal forma que no pudiesen "colarse" errores.

3.3.1. Desplazamiento automático de la selección

Que cada vez que al pulsar la tecla **Intro** el foco de entrada se desplace a otro punto es un aspecto de Excel, como otros muchos, totalmente configurable. Es posible tanto desactivar esta característica como cambiar la dirección del movimiento.

Muchas opciones de personalización se encuentran en la ventana Opciones de Excel, que puede abrir mediante la opción Opciones del panel izquierdo de la vista Backstage (recuerde que es la página que aparece al hacer clic en la pestaña Archivo de la Cinta de opciones). En la página Avanzadas, mostrada en la figura 3.11, existe un importante conjunto de opciones relacionadas con la edición y modificación de datos bajo el título Opciones de edición.

La opción Después de presionar Entrar, mover selección, inicialmente activada, es la que provoca que, al pulsar la tecla **Intro**, el foco de entrada se desplace. Desactivando esta opción, la pulsación de la tecla **Intro** simplemente finalizará la introducción del dato, sin desplazar el foco.

Desplegando la lista Dirección, en caso de que la anterior opción esté activada, podrá seleccionar la dirección en la que se moverá el foco de entrada. En este caso, para la hoja de cálculo que tiene recién diseñada, le interesa elegir la opción Derecha, tal y como se ve en la figura 3.11.

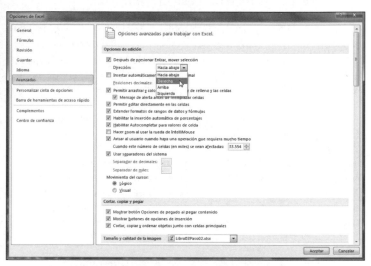

Figura 3.11. Opciones de modificación de Excel.

> **Nota:** *Tenga en cuenta que las opciones de entorno no afectan a una hoja de cálculo en particular, sino a toda la aplicación, es decir, a Excel. En el supuesto que está siguiéndose, sería preciso seleccionar la opción apropiada en cada uno de los puestos de operador, ya que cada uno de ellos contaría con su propia licencia de Excel.*

3.3.2. Introducción de valores en rangos de celdillas

Tras establecer la dirección de movimiento del foco, a medida que se pulsa la tecla **Intro** introduciendo datos puede ver que ahora la tarea es algo más fácil. Se coloca en la celdilla B2 e inicia la introducción de los datos del primer colegio. Introduce el primer número y pulsa **Intro**, hace lo mismo con el segundo y va avanzando hasta la última columna de la fila. En ese momento, al pulsar de nuevo **Intro**, la selección pasa a una columna en la que, presumiblemente, no habría datos.

Los valores que el operador va a introducir se almacenarán en un rango de celdillas, un recuadro que comienza en la celdilla B2 y finaliza en la F11. Conseguir que el foco de entrada se mueva sólo en el interior de ese rango, facilitando aún más el trabajo, es una tarea bastante sencilla.

El primer paso es colocarse en la primera celdilla del rango, en este caso la B2. A continuación, manteniendo pulsada la tecla **Mayús**, utilice las teclas de desplazamiento para moverse hasta la última celdilla, la F11. A medida que va desplazándose, podrá ver que el rango seleccionado aparece con un color de fondo distinto. En la figura 3.12 puede ver la hoja con el rango seleccionado.

Además del método descrito, con la tecla **Mayús** y las teclas de desplazamiento del cursor, existen otros para marcar un rango. El más intuitivo seguramente es usar el ratón, desplazando el puntero hasta la primera celdilla, haciendo clic con el botón principal y arrastrando hasta la última celdilla. Otra posibilidad, también utilizando el teclado, es moverse a la primera celdilla, pulsar la tecla **F8** y, a continuación, moverse a la última. Es equivalente a la primera, pero sin necesidad de mantener pulsada la tecla **Mayús**.

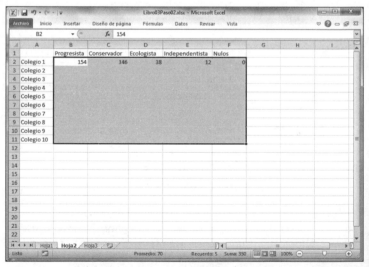

Figura 3.12. Seleccionamos el rango de introducción de datos.

En cualquier caso, en este momento ya tiene seleccionado el rango de celdillas en el que deberán introducirse los datos. Ahora no tiene más que ir escribiendo números y pulsando **Intro**. Podrá ver, al llegar a la última columna de una fila, que el foco de entrada salta automáticamente de una fila a otra. Al llegar a la última celdilla de la última fila, el foco de entrada pasa de nuevo a la primera, tal y como puede apreciarse en la figura 3.13.

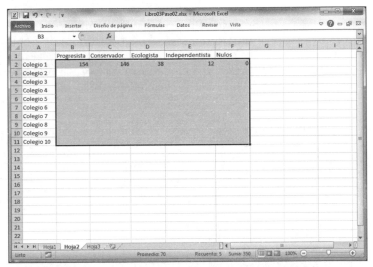

Figura 3.13. El movimiento del foco en el rango es circular.

> *Nota: Observe que en algunas de las imágenes de este ejercicio, en las últimas dos figuras, la* **Cinta de opciones** *ha desaparecido y parece haber sido sustituida por un menú de opciones. En realidad lo que ocurre es que la* **Cinta de opciones** *se ha ocultado temporalmente para tener más espacio en pantalla. Puede hacer doble clic sobre la pestaña activa para pasar a ese modo de ocultación, sirviendo la misma acción para volver al estado inicial.*

3.3.3. Rangos con nombre

Aunque nosotros sepamos manejar Excel, o al menos estemos en ello, los operadores que van a introducir los datos posiblemente no tengan nuestros mismos conocimientos.

Explicarles que tienen que seleccionar el rango de datos antes de comenzar a introducirlos, con cualquiera de los métodos anteriores, no es una tarea demasiado compleja. Es posible, no obstante, encontrar caminos más simples aún.

En el capítulo anterior, dedicado al entorno de Excel, vio que existe un elemento, llamado **Cuadro de nombres**, que puede ser utilizado para asignar un nombre a las celdillas. En ese momento asignó un nombre a una celdilla, pero el mismo método es válido si lo que se quiere es asociar un nombre a un rango.

Teniendo seleccionado el rango marcado en el punto anterior, desplace el puntero del ratón hasta el **Cuadro de nombres** y haga clic sobre él.

A continuación introduzca el nombre Datos, como puede verse en la figura 3.14. Pulse **Intro** para finalizar, asignando el nombre al rango.

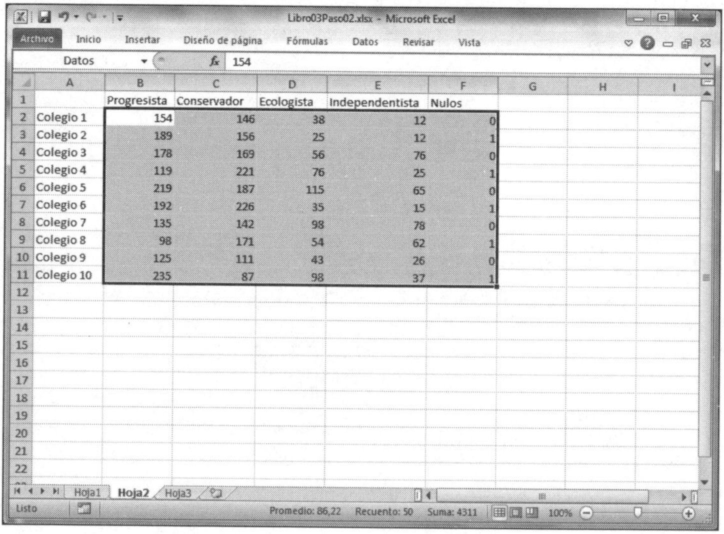

Figura 3.14. Asignamos un nombre al rango de datos.

Efectuado este cambio, cuando el operador abra la hoja de cálculo tan sólo tiene que dar un paso: desplegar la lista del **Cuadro de nombres** y seleccionar el único elemento existente, que es Datos.

En ese momento, y de manera automática, se activará el rango y podrá iniciarse la introducción de datos.

3.3.4. Validación de datos

Con todos los pasos anteriores ha conseguido un objetivo importante: simplificar la tarea del operador que tendrá que introducir los datos. Otro objetivo, no menos importante, debe ser asegurar la validez de los datos. El operador no debería poder introducir datos erróneos, escribir encima de los títulos o fuera del área de datos.

En este momento vamos a centrarnos solamente en un aspecto concreto: la validación de los datos. En el capítulo siguiente, dedicado a la mejora en la presentación y gestión de los datos, verá cómo es posible proteger zonas de la hoja para evitar su edición.

Puesto que en la hoja de cálculo no hay información acerca de los electores que tiene un cierto colegio, con el fin de impedir la introducción de más votos de los posibles, lo único que podemos controlar ahora mismo es que dicho número no sea negativo. El proceso, no obstante, será útil para establecer cualquier otra regla de validación.

Establecer la regla de validación

Lo primero que debe hacer es seleccionar el rango de celdillas a las que se va a aplicar la misma regla de validación. En este caso el rango es el que contiene los números de votos, rango que puede marcar simplemente seleccionando el elemento Datos del **Cuadro de nombres**.

Acto seguido haga clic sobre el botón **Validación de datos** que hay en el grupo Herramientas de datos de la ficha Datos, en la Cinta de opciones, haciendo aparecer una ventana como la mostrada en la figura 3.15. En ella hay tres páginas, mediante las cuales es posible establecer la regla de validación, el mensaje de entrada y el de error.

Nota: Tenga en cuenta que los elementos que aparecen en la Cinta de opciones *están limitados por el ancho disponible en la ventana de Excel. Si no encuentra alguna de las opciones indicadas, maximice la ventana para que ocupe toda la pantalla. La* Cinta de opciones *está pensada para utilizarse con una resolución mínima de 1024 por 768.*

La primera lista desplegable que hay en la página Configuración, titulada **Permitir**, sirve para indicar el tipo de dato que es posible introducir en la celdilla o rango marcado.

Seleccionando el elemento **Número entero**, que es el que nos interesa, evitaremos que el operador introduzca un texto o un número con parte decimal. De forma análoga, sería posible permitir tan sólo la entrada de una fecha, un valor de una lista, etc.

Figura 3.15. Ventana para configurar la validación de datos.

En la lista desplegable **Datos** hay una serie de opciones que permiten limitar aún más los valores que es posible introducir. En el caso de los números enteros podemos establecer unos valores límite, un rango de valores excluyentes, un máximo, etc. Puesto que lo único que tenemos claro es que el número de votos no puede ser negativo, seleccionaremos la regla **mayor o igual que**, introduciendo el valor 0 en el recuadro Mínimo que aparece debajo.

Mensajes de entrada y error

A partir de este momento, con las opciones elegidas, en el rango de celdillas de datos tan sólo podrían introducirse números enteros y no negativos.

Para completar esta regla lo mejor es indicar al operador, mediante mensajes, el dato que debe introducir y, en caso necesario, el error en que está incurriendo.

Abra la página **Mensaje de entrada** de la ventana de Validación de datos. En esta página hay una opción, activada por defecto, que hace posible la visualización de un mensaje en el momento en que el foco se sitúa sobre la celdilla a la que se aplica la regla.

Lo único que hay que hacer es facilitar un título y un mensaje indicativo, como se ha hecho en la figura 3.16.

Figura 3.16. Los mensajes indicativos pueden ayudar.

Por último, para terminar el establecimiento de las opciones de validación, vamos a asociar un mensaje de error. Éste aparecerá si el dato introducido por el operador, en este caso el número de votos, no cumple la regla de validación previamente preparada. Fíjese en la figura 3.17. Además del título y mensaje de error, también puede elegir un icono de aviso entre varios posibles. Tan sólo tiene que desplegar la lista Estilo para elegir el icono que desee.

Figura 3.17. Establecemos un mensaje
de error asociado a la validación.

Introducción de los datos

Tras cerrar la ventana de validación vuelva otra vez a introducir datos de prueba en la hoja de cálculo. Lo primero que advertirá, en el mismo momento en que el foco se encuentre en una celdilla del rango de datos, es que aparece una ventana flotante con el mensaje indicativo. Como se observa en la figura 3.18, este mensaje fue el introducido por nosotros en la página Mensaje de entrada de la ventana de validación.

Si el dato que se introduce no cumple con la regla de validación impuesta, como ocurre en la figura 3.19, aparecerá una ventana con el icono y el mensaje de error. Hay tres opciones posibles: cancelar la introducción del dato, reintentarlo otra vez u obtener ayuda.

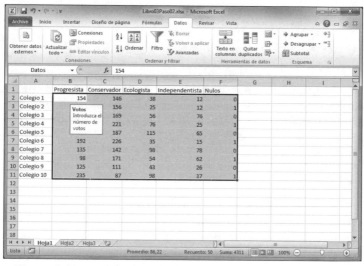

Figura 3.18. La ventana flotante muestra el mensaje indicativo.

3.3.5. Comentarios a los datos

Las celdillas que contienen datos no son autoexplicativas, por eso se usan elementos como los títulos de columnas y títulos de filas. Estos títulos, sin embargo, pueden no ser suficientes en algunas ocasiones. Entonces es cuando hay que usar los comentarios. En Excel los comentarios se asocian a las celdillas, de tal forma que cada una de ellas puede contar con un comentario.

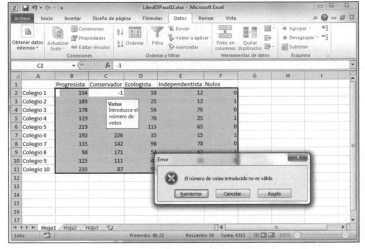

Figura 3.19. Ante un dato inválido, Excel ofrece tres opciones.

La opción para insertar un comentario la encontrará, una vez más, en el menú contextual. Por lo tanto, bastará con hacer clic con el botón secundario del ratón sobre una celdilla y elegir Insertar comentario. Al elegir la opción indicada, aparecerá cerca de la celdilla una ventana flotante, en forma de *post-it*, en la que podrá introducirse el comentario deseado. En nuestro caso, como se refleja en la figura 3.20, facilitaremos el nombre del colegio que corresponda.

Una vez que se ha introducido el comentario, al seleccionar cualquier otra celdilla la ventana flotante desaparece. Observe, no obstante, que en la esquina superior derecha de la celdilla ha quedado una marca. Ésta indica que hay un comentario asociado. Si sitúa el puntero del ratón sobre cualquiera de las celdillas, según puede ver en la figura 3.21, el comentario aparece de nuevo. De esta forma, el operador puede, al comenzar los datos de cada colegio, situar el puntero en el número y comprobar si el nombre coincide.

La forma en que se muestran los comentarios es otro de los aspectos personalizables de Excel. En principio lo que aparece en la celdilla es una marca, pero esto puede cambiarse. De nuevo, seleccione la opción Opciones de la vista Backstage, abriendo la página Avanzadas de la ventana que aparece. Localice la sección Mostrar de esta página y, dentro de ella, el apartado Para las celdas con comentarios, mostrar (véase la figura 3.22) que configura la forma de mostrar los comentarios.

Como se puede ver, es posible no indicar la existencia del comentario, indicarlo mediante la marca que ya conoce o, por último, mostrar siempre el comentario abierto.

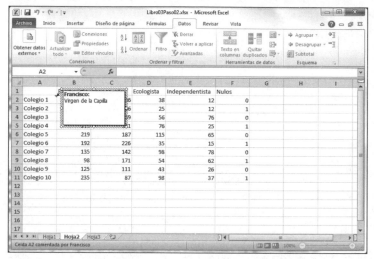

Figura 3.20. Introducimos como comentario el nombre de los colegios.

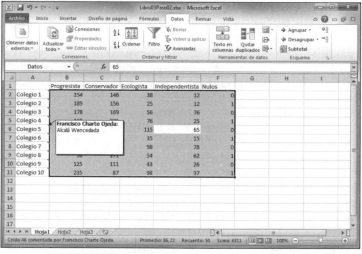

Figura 3.21. El comentario aparece al situar el puntero del ratón sobre la celdilla.

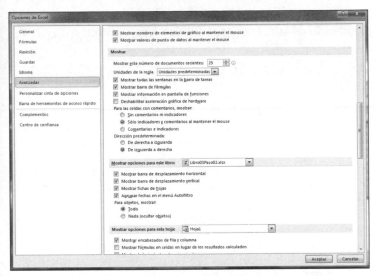

Figura 3.22. Opciones de visualización de comentarios.

Mostrar todos los comentarios abiertos, seleccionando la tercera opción de las disponibles, tiene sentido cuando los comentarios existentes no son muchos y, además, están dispersos por la hoja de cálculo. En nuestro caso, con todos los comentarios en celdillas adyacentes, si activamos esa opción veremos cómo las ventanas flotantes se superponen unas a otras.

3.4. Insertar, eliminar y mover

La estructura que se da inicialmente a los datos de una hoja no es algo estático, que deba quedar siempre igual durante la vida de la hoja de cálculo. En un punto anterior, por ejemplo, se insertó una nueva columna para dar cabida a los títulos de las filas, para los cuales en principio no se había previsto un espacio.

Además de columnas, también es posible insertar filas o celdillas individuales. Igualmente, también pueden eliminarse columnas, filas y celdillas. Los datos contenidos en esas celdillas, lógicamente, se verán afectados por la operación que se efectúe.

En lugar de actuar directamente sobre las columnas, filas y celdillas, existe la posibilidad de operar directamente sobre sus contenidos. De esta forma podrá, por ejemplo, mover todo el contenido de un rango de celdillas a otra posición diferente.

3.4.1. Inserción de columnas, filas y celdillas

El método para insertar cualquiera de estos elementos es prácticamente el mismo, aunque existe alguna alternativa que también podrá conocer. Si hace clic con el botón secundario del ratón sobre cualquier celdilla, para hacer aparecer el menú contextual, y elige la opción Insertar, de inmediato aparecerá la ventana mostrada previamente en la figura 3.3. En ella existen cuatro opciones diferentes, una para cada operación de inserción posible.

Las dos primeras opciones insertan solamente una celda, en el punto actual donde se encuentre en el foco de entrada, desplazando todas las que hay hacia la derecha o hacia abajo. Las otras dos insertan una fila o una columna completa, respectivamente. Veamos con algún ejemplo cómo utilizar estas opciones.

> **Nota:** *Para insertar directamente una fila o una columna, puede abrir el menú* Insertar *del grupo* Celdas, *en la ficha* Inicio *de la* Cinta de opciones, *y luego seleccionar las opciones* Insertar filas de hoja *o* Insertar columnas de hoja, *respectivamente.*

Nuestra hoja de cálculo, en su estado actual, contiene datos de unas elecciones, pero no existe ningún título ni indicación concreta de a qué pertenecen. Lo lógico, posiblemente, sería disponer un título en la parte superior de la hoja, justo antes de los títulos de columna.

Mueva el foco de entrada a la primera fila, pulse la tecla **Mayús** y, sin soltarla, muévase una fila más abajo. En este momento tiene seleccionadas dos celdillas cualesquiera en dos filas contiguas. Abra el menú contextual y seleccione la opción Insertar, eligiendo, de la ventana que aparece, la opción Insertar toda una fila. Al pulsar **Intro**, o hacer clic en **Aceptar**, podrá ver que se han abierto dos filas vacías encima de las que había.

El número de filas insertadas corresponde con el número de filas que había seleccionadas en ese momento. Se han insertado delante de la primera fila, desplazando todas las demás hacia abajo. Ahora puede situarse en la parte superior, por ejemplo en la celdilla A1, e introducir el título general para la hoja de cálculo. Esto es lo que se ha hecho en la figura 3.23.

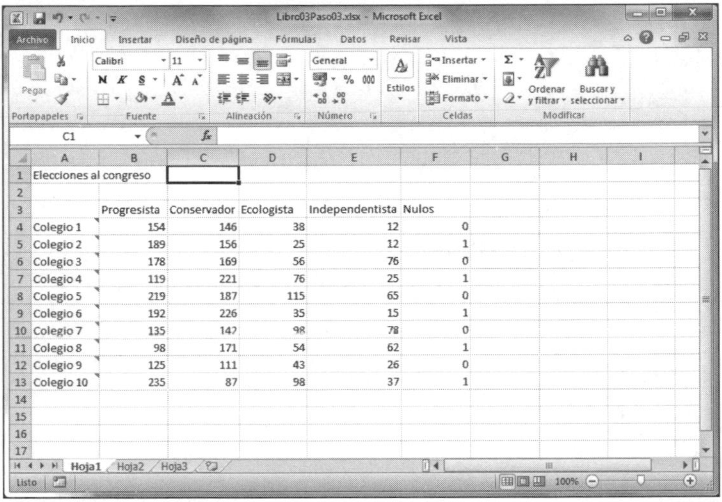

Figura 3.23. Se añade el título global para la hoja.

> *Nota: No se preocupe si al introducir el título éste excede en longitud del espacio disponible en la celdilla, Excel se ocupará de distribuirlo adecuadamente a las celdillas que hay a la derecha.*

Ahora se ha dado cuenta de que quiere introducir, justo delante del título que acaba de insertar, la fecha en que se recogen los datos. Podría escribir directamente la fecha, eliminado el texto y escribiéndolo de nuevo más a la derecha, o bien optar por insertar una nueva celdilla. En este caso, la opción que habría que elegir de la ventana sería Desplazar las celdas hacia la derecha. Ya que la única celdilla existente es la que contiene el título, éste se desplaza a la columna siguiente. Puede introducir la fecha y dejar la hoja como se aprecia en la figura 3.24.

Un atajo para cuando se quiere insertar una columna o una fila consiste en recurrir a la opción Insertar del menú contextual asociado al título de la columna o de la fila, respectivamente. Pruebe a hacer clic con el botón secundario del ratón no sobre una celdilla, sino sobre la letra de la columna o el número de la fila, y a ejecutar el comando Insertar. Comprobará que la inserción se efectúa de inmediato, sin necesidad de pasar por cuadro de diálogo alguno.

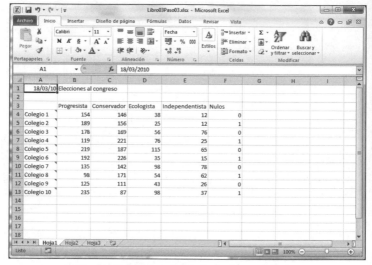

Figura 3.24. Detalle de la fecha y el título.

3.4.2. Eliminar columnas, filas y celdillas

El método para eliminar una columna, una fila o una celdilla es muy similar al usado para la inserción. El primer paso, como es habitual, consiste en disponer la selección en el punto adecuado. A continuación abra el menú contextual y después seleccione la opción Eliminar, o bien elija esta misma opción en la Cinta de opciones, en Inicio>Celdas>Eliminar (véase la figura 3.25). Aparecerá una ventana como la de la figura 3.26, con cuatro opciones parecidas a las de inserción.

Las dos primeras opciones eliminan la celdilla o celdillas seleccionadas, pudiendo elegir entre desplazar hacia arriba las que están justo debajo o hacer lo equivalente con las que están a la derecha. Las otras opciones permiten eliminar una columna o una fila completa.

Siempre que quiere eliminar una cierta columna o fila, o un conjunto de ellas, lo más fácil es seleccionarlas completas primero. Para seleccionar una columna haga clic sobre la letra que la identifica. Si quiere elegir una fila haga lo mismo, haga clic sobre el número. Podrá ver que automáticamente aparecen seleccionadas todas las celdillas de esa fila o columna. Al hacer aparecer el menú contextual, con el botón secundario del ratón, podrá ver que la opción Eliminar no tiene los puntos suspensivos detrás. Esto indica que no aparecerá la ventana mostrada en la figura 3.26, sino que directamente se eliminará la selección efectuada.

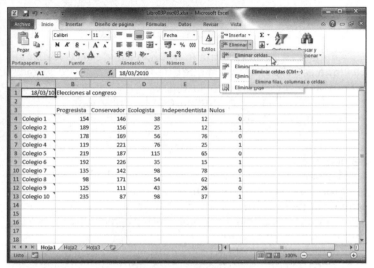

Figura 3.25. Localización de la opción Eliminar celdas en la Cinta de opciones.

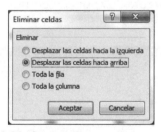

Figura 3.26. Opciones para eliminar celdillas.

3.4.3. Eliminar el contenido de las celdillas

Al eliminar una columna, una fila o una celdilla, su contenido, lógicamente, también se pierde. La eliminación de una columna, por ejemplo, no implica tan sólo la pérdida de la información que hay en ella sino que, además, se elimina la columna propiamente dicha.

Eso causa que las que están a su derecha se desplacen una posición a la izquierda.

> **Nota:** *Cada vez que elimina una columna o una fila, Excel cambia las letras y números que identifican a las que había a la derecha o debajo. Por esto los identificadores siempre son consecutivos.*

También es posible eliminar el contenido de las celdillas sin afectar a éstas, de tal forma que quedarían vacías. Lo primero que debe hacer, como es habitual, es seleccionar la celdilla o rango de celdillas cuyo contenido quiere eliminar.

A continuación tiene varias opciones: pulsar la tecla **Supr**, abrir el menú contextual y seleccionar la opción Borrar contenido o utilizar la opción Inicio>Modificar>Borrar de la Cinta de opciones.

Si quiere dejar vacía toda la hoja de cálculo, haga clic sobre el botón que hay en su esquina superior izquierda, justo a la izquierda de la columna A y encima de la fila 1. Verá que se selecciona toda la hoja. Basta con pulsar la tecla **Supr** para eliminar todo el contenido.

La opción Borrar contenido elimina, como su propio nombre indica, el contenido de la celdilla, pero no afecta al formato que ésta pudiese tener.

Con las opciones del menú desplegable Inicio>Modificar> Borrar (véase la figura 3.27) puede borrar sólo el contenido, sólo el formato o borrarlo todo.

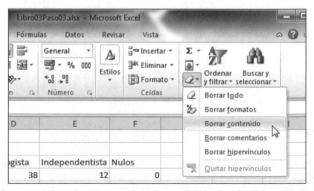

Figura 3.27. Opciones de borrado en la Cinta de opciones.

3.4.4. Mover el contenido de las celdillas

Otra posibilidad útil es la de poder mover el contenido de las celdillas, una o bien un rango, desde su posición actual a cualquier punto de la hoja. Para ello basta con utilizar la técnica de arrastrar y soltar, como en otras muchas ocasiones en Windows.

En principio seleccione la celdilla o el rango a mover. A continuación desplace el puntero del ratón hasta la parte superior del recuadro o foco de entrada, momento en que el puntero cambiará y tomará el aspecto de una flecha. En ese momento puede arrastrar la selección a otro punto, como se muestra en la figura 3.28. Al soltar el botón, todos los datos pasarán a su nueva posición.

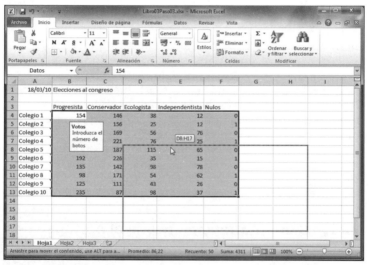

Figura 3.28. Movemos el rango de datos a otro punto de la hoja.

3.5. Copiar y pegar

Como probablemente sabrá, Windows cuenta con un espacio común de intercambio de datos conocido como portapapeles. Usando el portapapeles es posible copiar una información, desde Excel u otra aplicación cualquiera, y después pegarla en otro punto, tanto en Excel como en otra aplicación.

Utilizar el portapapeles en el interior de Excel le permitirá copiar información que ya tiene en una hoja en otra parte de esa misma hoja, en otra hoja o en otro libro. Usarlo conjuntamente con otras aplicaciones aporta más posibilidades, ya que podría, por ejemplo, pegar en una hoja de cálculo una imagen retocada con Microsoft Office Picture Manager, o incluir en un documento de Microsoft Word un rango de celdillas de datos de Excel.

3.5.1. Copiar una información en el portapapeles

Como siempre, lo primero que hay que hacer es seleccionar la información que quiere copiarse, ya sea en Excel o en otra aplicación.

En el caso de Excel, que es el que nos interesa, seleccione la celdilla a copiar o el rango, si es que quiere varias celdillas contiguas.

Para copiar al portapapeles la información elegida puede: hacer clic en el botón 🔳, utilizar la combinación de teclas **Control-C** o abrir el menú contextual y luego elegir la opción Copiar. El resultado, en cualquier caso, será siempre el mismo: la información seleccionada se duplicará, estando ahora en su lugar original y en el portapapeles.

Si lo prefiere, puede eliminar la información seleccionada en el mismo momento en que se copia al portapapeles. Para ello en lugar de la opción Copiar se utiliza la opción Cortar, que tiene asociada la combinación **Control-X** y el botón 🔳.

3.5.2. Pegar información desde el portapapeles

Recuperar una información almacenada en el portapapeles, almacenándola a partir de la celdilla que tiene el foco de entrada, es una operación igualmente simple. Lo único que hay que hacer es pulsar la combinación **Control-V**, usar la opción Pegar del menú contextual o hacer clic sobre el botón 🔳.

Si el contenido del portapapeles es un solo dato, por ejemplo un número o un título, éste aparecerá en la celdilla que tengamos seleccionada en ese momento. Si lo que se almacenó fue un rango, éste se pegará a partir de la posición actual. En cualquier caso, lo que se obtiene es una nueva copia de lo que hay en el portapapeles, de tal forma que es posible copiar una sola vez y pegar tantas veces como se necesite.

En Excel es posible copiar el contenido del portapapeles repitiéndolo en un cierto rango de celdillas. Para ello primero se selecciona el rango y, a continuación, se pega usando cualquiera de los métodos anteriores.

Suponga que tiene en la columna F, correspondiente a los votos nulos, un cero en la primera fila y un uno en la segunda, y que esa secuencia se repite en todas las filas siguientes. Usando el método de autorelleno, descrito anteriormente, se crearía una secuencia, no una copia. En este caso lo que tiene que hacer es lo siguiente:

- Seleccione los datos de las dos filas y pulse **Control-C**. Advertirá que el rango copiado queda con una marca alrededor.
- Desplace el foco de entrada a la celdilla de más abajo, la primera vacía, y extienda la selección hasta la última que ha de rellenarse, como en la figura 3.29.

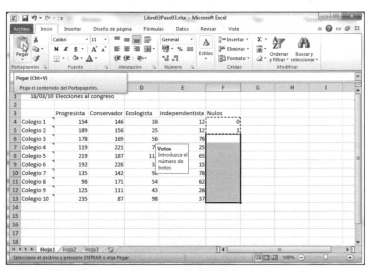

Figura 3.29. Llenamos un rango de celdillas con la información copiada al portapapeles.

- Pulse **Control-V** para extraer los datos del portapapeles y pegarlos en la selección. Comprobará que se repiten para llenar todo el rango elegido.

Una vez efectuada la copia también verá aparecer una etiqueta inteligente, en la parte inferior derecha, con opciones relativas a la operación de pegado. Al desplegarla podrá acceder a una serie de opciones (véase la figura 3.30) con las que se modifica el pegado por defecto, por ejemplo conservando el formato de origen, copiando valores en lugar de fórmulas, trasponiendo las celdillas copiadas, etc. Muchas de estas opciones las irá conociendo con posterioridad, a medida que se vaya familiarizando con Excel.

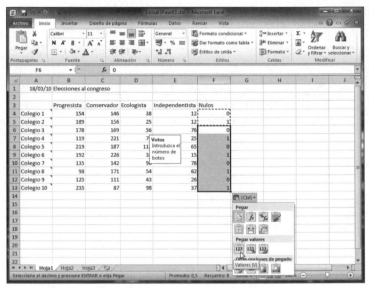

Figura 3.30. Lista de opciones asociada a la etiqueta inteligente de la operación de pegado.

3.5.3. El portapapeles mejorado de Office

Microsoft Office 2010, y por tanto Excel 2010, cuentan con un portapapeles extendido capaz de almacenar hasta veinticuatro elementos diferentes. El portapapeles tradicional tan sólo podía contener una información por tipo. Si utiliza las combinaciones u opciones indicadas antes, siempre estará pegando la última información que se copió, por lo que no estará aprovechando las características del nuevo portapapeles.

El grupo Portapapeles de la ficha Inicio tiene en su parte inferior derecha un pequeño icono que, en lugar de mostrar un cuadro de diálogo, hace aparecer un panel como el de la figura 3.31. Es lo que se conoce como un Panel de tareas.

Figura 3.31. El portapapeles mejorado con varios elementos.

Cada uno de los elementos contenidos en el portapapeles se muestra con una representación, ya sea textual o bien una imagen en miniatura.

Situando el puntero del ratón sobre ellos, verá aparecer una lista desplegable con las opciones necesarias para pegar el elemento o eliminarlo del portapapeles.

En la parte superior de esa ventana existe un botón, llamado **Pegar todo**, que, como podrá suponer, sirve para pegar todos los elementos contenidos, en lugar de sólo uno. De esta forma podemos ir copiando diversos datos, ya sean de Excel u otras aplicaciones, y después pegarlos todos en nuestra hoja de cálculo.

> *Nota: Obsérvese que en la barra de tareas de Windows, en la zona donde se encuentran los iconos de notificación y la hora, aparece un icono que representa al nuevo portapapeles de Office. Puede utilizarlo para transferir datos entre las aplicaciones.*

3.6. Deshacer y rehacer

No cabe duda, después de todas las posibilidades que ha aprendido a utilizar desde el principio de este capítulo, de que una hoja de cálculo como Excel es bastante más eficiente que una hoja de papel. Puede ser, sin embargo, que eche de menos una goma de borrar que le permita deshacer algo que, aunque ha hecho hace un momento, realmente no quería hacer. No se preocupe, Excel también es capaz de deshacer lo hecho y rehacer lo deshecho.

Si quiere deshacer la última acción que ha efectuado, independientemente de lo que haya sido, lo más inmediato es pulsar la combinación de teclas **Control-Z**. Como alternativa, también puede hacer clic en el botón 🔄 que aparece en la Barra de herramientas de acceso rápido.

Observe que el botón 🔄 consta de dos partes: el botón propiamente dicho, que deshace la última acción, y una lista desplegable adjunta. Esta lista, tal como puede verse en la figura 3.32, muestra las últimas acciones ejecutadas, permitiendo deshacer un grupo de ellas.

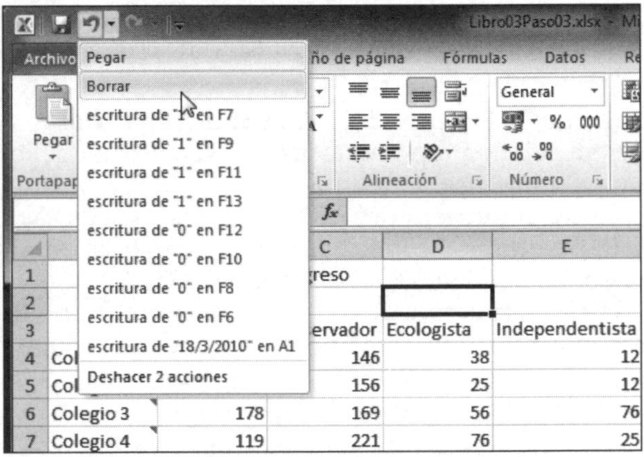

Figura 3.32. Es posible deshacer varias acciones previas.

Si somos algo indecisos, o no lo tenemos muy claro, puede ser también que, tras deshacer una acción, deseemos rehacer lo deshecho. No hay problema, Excel también lo tiene en cuenta. Rehacer la última acción deshecha es algo tan simple como pulsar la combinación **Control-Y** o hacer clic en el botón 🔄.

Este botón también tiene adjunta una lista desplegable, de tal forma que es posible rehacer varias acciones deshechas.

3.7. Revisión ortográfica

Aunque la hoja de cálculo cuyo diseño hemos terminado, al menos en este capítulo, no contiene demasiado texto, nunca está de más asegurarse de la ausencia de errores. Ésta es otra tarea en la que puede ayudarnos Excel, ya que tiene disponible un diccionario y es capaz de examinar el contenido de toda la hoja indicando los posibles errores.

Para iniciar la corrección ortográfica tiene tres posibilidades: pulsar la tecla **F7**, hacer clic sobre el botón 🗹 que puede agregar a la **Barra de herramientas de acceso rápido** o seleccionar la opción **Revisar>Revisión>Ortografía** de la **Cinta de opciones**. La ventana de trabajo del corrector ortográfico es la mostrada en la figura 3.33. Cada vez que se encuentra un posible error, Excel selecciona el dato en la hoja y a continuación, en el interior de la ventana **Ortografía**, ofrece alternativas y sugerencias. Es posible omitir una cierta indicación, cambiar el fallo por una de las sugerencias propuestas o, incluso, agregar lo que Excel interpreta como un error a un diccionario personalizado.

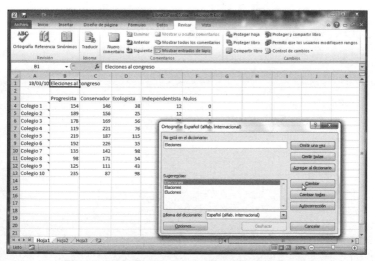

Figura 3.33. El corrector ortográfico de Excel.

Observe que existe un botón llamado **Autocorrección**. Si ante un determinado error, que decide subsanar, hace clic en este botón, a partir de entonces Excel corregirá directamente el error cada vez que se produzca, incluso al introducir nuevos datos y sin necesidad de activar el corrector.

Finalizada la corrección, su hoja de cálculo ya está casi preparada para que los operadores la utilicen con el fin de introducir datos. Faltan algunos detalles que veremos en el próximo capítulo. En este momento, por ejemplo, el operador podría eliminar los títulos o escribir en cualquier punto de la hoja, lo cual no parece muy lógico. Además la apariencia del contenido de la hoja puede mejorarse considerablemente, un aspecto que influirá también a la hora de utilizarla.

Formatos básicos
y condicionales

4.1. Introducción

A pesar de las facilidades descritas en el capítulo anterior para la edición de datos, lo cierto es que en este momento nuestra hoja de cálculo, como quedó al final de dicho capítulo, es poco más que una página en blanco con algunos títulos. Sin embargo, Excel nos permite dar formato al texto, estableciendo tipos de letra, atributos y colores. Las celdillas también pueden contar con un color, o incluso una imagen, como fondo. El formato de los datos no afecta tan sólo a su aspecto, sino también a la presentación. Un número, por ejemplo, puede aparecer con separadores de miles, o bien seguido del símbolo de moneda que nos interese. Las propias celdillas de la hoja de cálculo también pueden intervenir en el aspecto final. Inicialmente todas las columnas tienen el mismo ancho y las filas el mismo alto, pero esto es algo completamente adaptable.

Este capítulo le servirá, principalmente, para mejorar la presentación de su hoja de cálculo, estableciendo formato para textos y datos. Algunas de las opciones que va a conocer también tienen una utilidad adicional, por ejemplo proteger las celdillas de la hoja para impedir que su contenido sea modificado.

4.2. Presentación de los datos

En este momento los datos introducidos en la hoja aparecen con un formato por defecto y, por ello, no se diferencian del resto de la información, como los títulos de filas y columnas o el título general que hay en la parte superior. Para comenzar, lo primero que necesitamos es que el rango de datos contenga algunos números. En la figura 4.1 puede ver la hoja de cálculo según está almacenada en el documento Libro04Paso01. Puede abrir directamente ese ejemplo o bien introducir algunos datos personalmente.

Observe que, a pesar de no haberlo indicado de manera explícita, por defecto los títulos aparecen ajustados a la izquierda en el interior de las celdillas, mientras que los números lo hacen a la derecha. Al introducir un nuevo dato Excel lo interpreta como un texto, un número o una fórmula guiándose por el primer carácter. Si éste es un dígito numérico, entonces el dato se interpreta como un número, a menos que algún carácter posterior no sea un número.

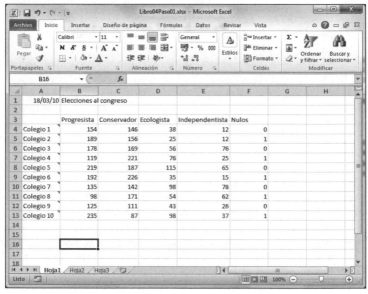

Figura 4.1. La hoja de cálculo tras introducir algunos datos numéricos.

4.2.1. Formato de los números

Para mejorar el aspecto de los datos numéricos, comenzaremos por cambiar el formato en que aparecen en las celdillas. Con este fin nos serviremos de la ventana **Formato de celdas**, a la que puede acceder por tres vías: pulsando la combinación de teclas **Control-1**, abriendo el menú contextual y seleccionando la opción **Formato de celdas** o bien haciendo clic en el icono de la esquina inferior derecha de los grupos **Fuente**, **Alineación** o **Número** de la ficha **Inicio** de la **Cinta de opciones**.

La ventana **Formato de celdas**, que puede observar en la figura 4.2, cuenta con media docena de páginas, cada una de las cuales aloja un número importante de opciones o posibilidades. La primera página, llamada **Número**, es la que nos interesa en este momento. Con sus opciones es posible seleccionar el formato en que han de presentarse los números.

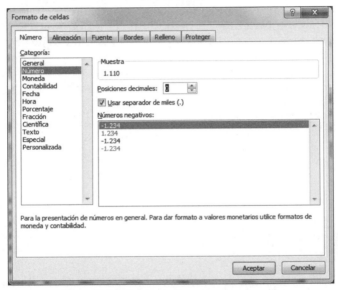

Figura 4.2. Página de formato de números.

Inicialmente, el formato seleccionado para mostrar los números es el llamado **General**. Este formato simplemente dispone los números ajustados a la derecha, nada más. En la lista **Categoría** existen múltiples opciones, cada una de las cuales aplicaría un formato específico al dato numérico. El formato **Moneda**, por ejemplo, acompaña el número de un símbolo monetario, como Pta (pesetas) o € (euros).

Seleccione la opción **Número** de la lista **Categoría**. Aparecerán los elementos visibles en la figura 4.2. En la parte superior puede observarse una muestra de cómo quedará el dato según el formato elegido. Justo debajo hay un apartado en el que puede especificarse el número de decimales con el que se mostrarán los números.

En nuestro caso, lógicamente, no es aplicable, ya que los números de votos no tienen decimales.

La opción Usar separador de miles está inicialmente desactivada. Haga clic sobre ella con el puntero del ratón, activándola. Por último, en la lista que hay debajo, debe seleccionarse el formato en el que se presentarán los números negativos. Ya que los números de votos no pueden ser negativos, tampoco es ésta una opción aplicable.

Tras hacer clic sobre el botón **Aceptar**, podrá ver que los datos previamente introducidos ahora tienen la apariencia mostrada en la figura 4.3. Las cantidades numéricas son más fáciles de leer, gracias a los separadores de miles que se han añadido al formato.

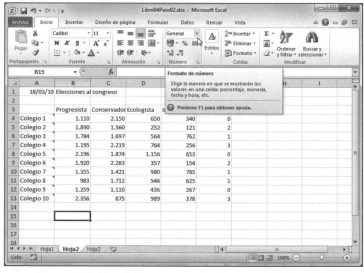

Figura 4.3. Los datos tras añadir el separador de miles.

Nota: Por defecto Excel utiliza la configuración internacional que se haya establecido globalmente en Windows. Dicha configuración determinará cuál es el separador de miles y cuál el de decimales. Puede acceder a la ventana Opciones de Excel, *concretamente a la página* Avanzadas, *si desea*

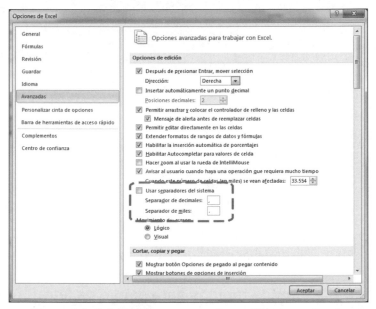

Figura 4.4. Establecemos una configuración personalizada para los separadores decimal y de miles.

Si abre el menú desplegable asociado a la opción Formato de número, en la sección Inicio>Número de la Cinta de opciones, encontrará una serie de formatos predefinidos que puede aplicarse con un simple clic, sin necesidad de abrir el anterior cuadro de diálogo. En la figura 4.5, por ejemplo, se elige el formato numérico Moneda suponiendo que las cantidades almacenadas en las celdillas hacen referencia a datos económicos. Mediante la opción Más formatos de número que aparece en la parte inferior se abriría la página Número del cuadro de diálogo Formato de celdas.

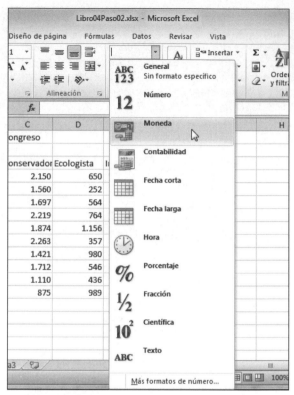

Figura 4.5. Formatos de número predefinidos.

4.2.2. Atributos rápidos para el tipo de letra

Es habitual que para distinguir unos datos de otros dentro de una misma hoja, o bien para destacar algo concreto, se utilicen atributos que afectan al tipo (fuente/familia) de letra. Estos atributos pueden afectar al estilo, el tamaño, el color, etc. Aunque las posibilidades son muchas, y conoceremos algunas de ellas en este capítulo, lo que nos interesa ahora es una forma rápida de diferenciar el rango de datos del resto de la hoja.

En la sección Inicio>Fuente de la Cinta de opciones, visible por defecto al iniciar Excel, existen tres botones representados por los iconos N, K, S. Estos botones sirven para fijar tres atributos: negrita, cursiva y subrayada. Haciendo clic en cualquiera de los botones aplicaremos o eliminaremos el correspondiente atributo en el contenido de las celdillas seleccionadas.

> **Nota:** *Puede combinar múltiples atributos de forma simultánea. Es posible, por ejemplo, aplicar a un mismo dato los atributos negrita y cursiva, o cursiva y subrayada o, incluso, los tres atributos.*

Como puede apreciar en los botones indicados, cada atributo está representado por una letra: **N**, *K* y S. Pulsando la tecla correspondiente a dicha letra junto con la tecla **Control** se conseguirá el mismo efecto que haciendo clic en el botón. Los propios botones, por lo tanto, indican los atajos de teclado.

Seleccione el rango de datos, desplegando la lista del **Cuadro de nombres** y eligiendo el único elemento existente, y pulse a continuación la combinación **Control-K**. Podrá ver que todos los datos aparecen ahora en cursiva, lo cual les distingue ligeramente del resto del texto.

Otro atributo que también contribuye a diferenciar y destacar partes de un documento es el color, ya sea el de fondo de las celdillas o el del propio texto. En la misma sección de la **Cinta de opciones** en la que están los tres botones anteriores, encontrará también el botón 🎨▾ y el botón 🅰▾.

El primero de ellos se utiliza para establecer el color de fondo o relleno de las celdillas. Por defecto, éstas no cuentan con un relleno. Haciendo clic en el botón indicado se aplicará el color mostrado en el propio botón. Si quiere utilizarse cualquier otro, no hay más que usar la flecha que hay adjunta para desplegar una paleta como la mostrada en la figura 4.6. A medida que mueva el puntero del ratón sobre los colores, en segundo plano podrá ir viendo cómo afectaría esta selección al área que tenga seleccionada, cuyo color de fondo irá cambiando dinámicamente. Ese cambio, no obstante, no se confirmará hasta que no haga clic sobre el color deseado. También podrá elegir entre eliminar el relleno o acceder a una paleta de colores más amplia.

El botón 🅰▾ establece el color para los datos que, por defecto, suele ser negro. Al igual que ocurre con el botón anterior, al hacer clic en éste se aplica directamente el color que aparece en la parte inferior del propio botón. Suponga que deseamos mostrar nuestros datos con color azul. Lo único que habría que hacer sería desplegar la lista adjunta al botón y seleccionarlo en la paleta, como se hace en la figura 4.7. A partir de este momento nuestros datos están en color azul y en cursiva.

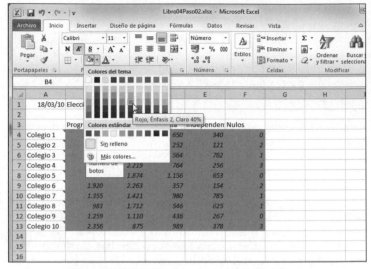

Figura 4.6. Paleta de colores para el relleno.

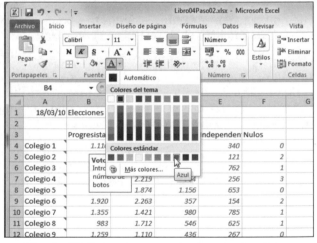

Figura 4.7. Seleccionamos el color para los datos.

4.2.3. Líneas y recuadros

La hoja de cálculo sobre la que está trabajando está dividida en filas y columnas, estando separadas unas de otras mediante una línea horizontal o vertical. Esto provoca que la hoja aparezca como una rejilla o cuadrícula. Esas líneas, sin embargo, son elementos que aparecen únicamente como ayuda a la edición. A la hora de imprimir los datos, o publicarlos en la Web, la rejilla no aparece.

La existencia de líneas, sobre todo cuando los datos a mostrar son muchos, puede ayudar en la lectura. Una línea horizontal, por ejemplo, sirve como guía para saber a qué fila pertenece una cierta celdilla, mientras que una línea vertical hace lo propio con las columnas. Con Excel podemos trazar líneas y recuadros alrededor o en el interior de las celdillas que seleccionemos, siendo posible elegir el grosor de las líneas, el color o la trama, si es que no son líneas continuas.

Suponga que desea trazar un recuadro alrededor de la zona de datos y, además, contar también con unas líneas en el interior de ese recuadro, de tal forma que cada celdilla quede separada de las adyacentes. Como es habitual, comience por seleccionar el rango al que va a aplicarse el formato. Acto seguido despliegue el botón ⊞▾, que aparece justo a la izquierda de ▨▾. Aparecerá una paleta como la de la figura 4.8, en la que puede seleccionar las líneas que desea añadir al rango.

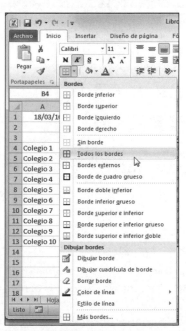

Figura 4.8. Paleta de selección de borde.

Eligiendo el elemento que se ve destacado en la figura 4.8, Excel trazará un borde alrededor de todo el rango de celdillas y unas líneas cruzadas en su interior. No obstante, como puede verse en dicha figura, es posible trazar sólo un borde, más o menos grueso, tan sólo una línea lateral o eliminar las líneas que pudieran existir.

El método que acaba de describirse es el más rápido, pero no el único. Si quiere obtener un mayor control sobre los atributos del recuadro que va a dibujarse, tendrá que abrir de nuevo la ventana de Formato de celdas. Concretamente la página Bordes, mostrada en la figura 4.9.

> **Nota:** *Recuerde que para abrir la ventana de* **Formato de celdas** *basta con pulsar la combinación de teclas* **Control-1***. También puede elegir la opción* **Más bordes** *que hay al final de la paleta que acaba de describirse.*

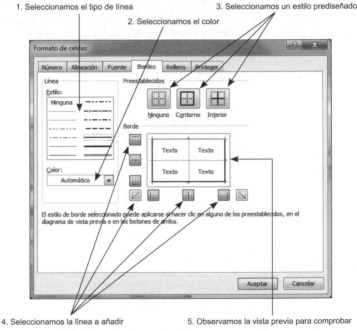

Figura 4.9. Personalización de los bordes a dibujar.

Para usar esta ventana, normalmente el orden de los pasos ha de ser el indicado en la propia figura 4.9. Primero se elige el tipo o trazo de la línea, a continuación se selecciona el color y, por último, se pulsa uno de los botones de **Borde** para añadir a la muestra el elemento deseado. Hay tres estilos predefinidos, en la parte superior, que permiten eliminar todas las líneas, añadir un contorno o unas líneas interiores.

Usando esta ventana es posible diseñar una cuadrícula como la que aparece en la muestra de la figura 4.9. El contorno es grueso excepto en la parte superior, que se utiliza un borde fino para separar los datos de sus títulos. Las líneas interiores no son continuas, sino a guiones. El resultado, una vez aplicado el formato al rango de datos, es el que puede verse en la figura 4.10.

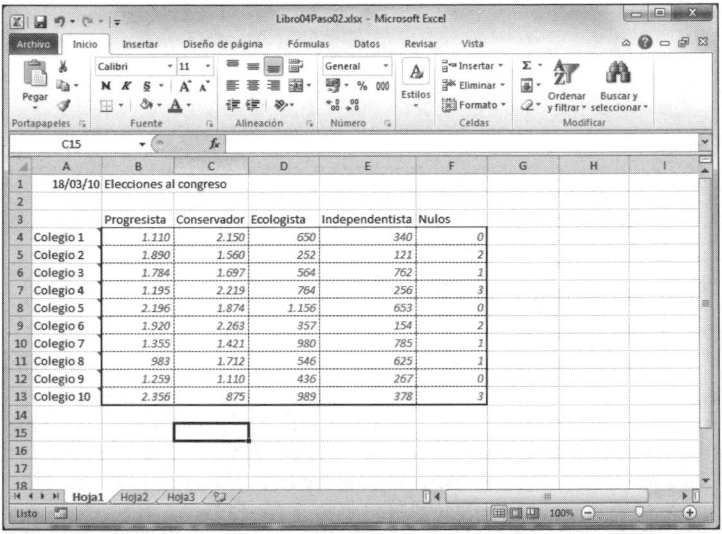

Figura 4.10. Bordes en el área de datos de la hoja de cálculo.

La visualización de los bordes en el interior de la propia hoja de cálculo puede ser no muy clara, ya que se superponen las propias líneas de separación de columnas y filas. Al imprimir o publicar la hoja sin embargo, el aspecto será mucho más limpio. Si quiere tener una idea de cómo quedaría la hoja, no tiene más que pulsar la combinación **Control-F2** o bien seleccionar la opción Imprimir de la vista Backstage. En el panel de la derecha aparece una previsualización como la de la figura 4.11. Éste sería el aspecto de la hoja impresa en papel. Para cerrar esta ventana sin llegar a imprimir, y volver a la hoja de cálculo, no tiene más que hacer clic sobre cualquier otra pestaña de la **Cinta de opciones** o bien pulsar la tecla **Esc**.

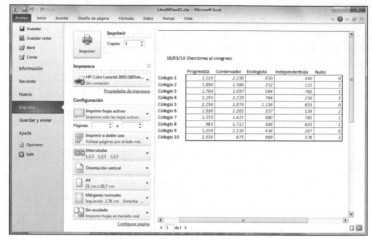

Figura 4.11. Vista preliminar de la hoja de cálculo.

4.3. Unos títulos más vistosos

Los datos de nuestra hoja de cálculo ya se diferencian del resto de elementos, principalmente de los títulos de filas y columnas, contribuyendo a la claridad global del documento. Éste, no obstante, aún puede ser mejorado. Los citados títulos, por ejemplo, también pueden tener diversos atributos.

Además, el título global de la hoja, que ocupa la parte superior, debería mejorarse. Este título podría aparecer destacado, con un tipo de letra más grande y fondo más vistoso.

4.3.1. Unir y separar varias celdillas

El título general para la hoja de cálculo que dispusimos en la parte superior, concretamente en la celdilla B1, tiene una longitud que le hace ocupar varias celdillas. Realmente el título está contenido en la primera celdilla, lo que ocurre es que, como las adyacentes están vacías, se extiende hacia la derecha. Si introdujésemos un dato en la celdilla C1 o D1, por ejemplo, veríamos que el título queda cortado.

Puesto que el mencionado título es general para todos los datos, lo lógico sería que ocupase las cinco columnas que tiene el rango de datos. Con este fin pueden utilizarse varios métodos, desde insertar espacios al inicio del título hasta intentar dividirlo entre varias celdillas.

Como es habitual, Excel siempre cuenta con opciones que hacen más fácil tareas como éstas. La solución, en este caso, consiste en combinar las cinco celdillas, desde la B1 hasta la F1, de tal forma que se conviertan en sólo una. Para ello, lógicamente, lo primero es seleccionarlas. Acto seguido hay, como también es habitual, varias alternativas.

Si tan sólo quisiéramos combinar las celdas, sin afectar a la alineación del texto que hay en el interior, deberíamos abrir la ventana de **Formato de celdas**. En la página **Alineación** (véase la figura 4.12) existe una opción, en la parte inferior, llamada **Combinar celdas**. Simplemente activando esta opción y haciendo clic en **Aceptar**, las celdillas marcadas se unirían creando una nueva que ocuparía todo el espacio.

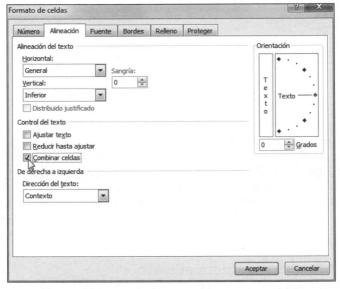

Figura 4.12. Opción para combinar varias celdas.

Unidas las celdillas, lo lógico sería que el título apareciese centrado respecto al espacio total. Esto haría que el texto estuviese centrado también respecto a la tabla de datos que hay justo debajo. Para cambiar la alineación hay disponibles tres botones en el grupo Inicio>Alineación de la Cinta de opciones. En este caso bastaría con hacer clic en el botón ▤ con el fin de centrar el texto.

La unión de las celdillas y centrado del texto, con los dos pasos anteriores, puede conseguirse de una forma mucho más sencilla: basta, una vez seleccionadas las celdillas, con hacer clic en el botón que aparece bajo el puntero del ratón en la figura 4.13. El resultado será exactamente el mismo.

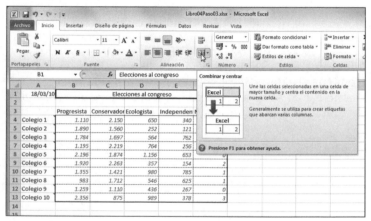

Figura 4.13. Combinamos las celdillas y centramos el contenido, todo en un mismo paso.

En cualquier momento es posible volver a separar en las celdillas originales una obtenida previamente como combinación. Para ello elija la citada celdilla, por ejemplo la que contiene el título general de la hoja de cálculo, y haga clic en el mismo botón señalado en la figura 4.13. Dicho botón tiene asociada una lista de opciones, de las que se ejecuta por defecto la primera que es Combinar y centrar.

4.3.2. Atributos para el texto

En un punto anterior vio cómo era posible asignar algunos atributos rápidos. Con simples combinaciones de teclas, como **Control-N** o **Control-K**, puede activar y desactivar los estilos negrita y cursiva, por ejemplo. También seleccionó un color para el texto.

La ficha Inicio de la Cinta de opciones dispone de otros elementos, como los indicados en la figura 4.14, mediante los cuales es posible, por ejemplo, seleccionar la familia o tipo de letra y su tamaño, además de los estilos que ya conocemos.

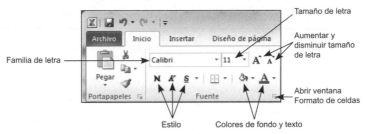

Figura 4.14. Herramientas de formato para el texto.

En la lista desplegable de familia de letra podrá encontrar todas las familias disponibles en el sistema. Cambiando la familia podrá ver que la forma en que se *escribe* el texto cambia notablemente. La lista desplegable que hay a la derecha se usa para seleccionar un tamaño preestablecido, aunque también es posible introducirlo directamente mediante el teclado o bien aumentar o reducir el tamaño con los dos botones que hay más a la derecha.

Si va a modificar múltiples atributos, como la familia de letra, su tamaño, color, estilo, etc., en lugar de utilizar individualmente cada una de las herramientas y botones, que es perfectamente válido, puede servirse una vez más de la ventana Formato de celdas, abriéndola con un clic sobre la esquina inferior derecha de la ficha Fuente como se indica en la misma figura 4.14. En este caso se abrirá directamente la página Fuente, mostrada en la figura 4.15. En esta página puede seleccionar todos los atributos e ir viendo una muestra de cómo quedará.

Para realizar una prueba haga lo siguiente: seleccione la celdilla que contiene el título general, a continuación abra la ventana anterior y establezca los mismos atributos que puede ver en la figura 4.15. Antes de cerrar la ventana active la página Relleno, en la cual seleccionará el color de fondo y trama de relleno para la celdilla en la que está el título. Esta página, que puede ver en la figura 4.16, cuenta con una paleta de color y una lista desplegable de la que es posible elegir una trama o patrón de relleno. De esta forma, el fondo de la celdilla no será de un color sólido, sino que seguirá el patrón dado.

Figura 4.15. Página para establecer los atributos del texto.

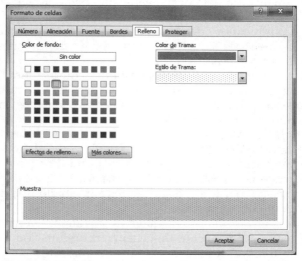

Figura 4.16. Seleccionamos el color y trama de relleno.

Aceptados todos los cambios, haciendo clic en **Aceptar** o pulsando la tecla **Intro**, el título quedará como se ve en la figura 4.17. Su apariencia es ahora mucho más llamativa y, lo fundamental, deja claro de qué son los datos que hay en la hoja de cálculo.

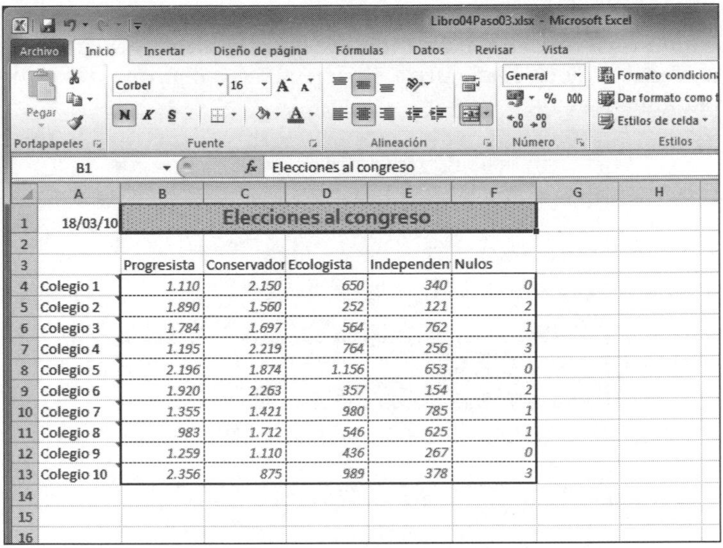

	A	B	C	D	E	F
1	18/03/10	Elecciones al congreso				
2						
3		Progresista	Conservador	Ecologista	Independen	Nulos
4	Colegio 1	1.110	2.150	650	340	0
5	Colegio 2	1.890	1.560	252	121	2
6	Colegio 3	1.784	1.697	564	762	1
7	Colegio 4	1.195	2.219	764	256	3
8	Colegio 5	2.196	1.874	1.156	653	0
9	Colegio 6	1.920	2.263	357	154	2
10	Colegio 7	1.355	1.421	980	785	1
11	Colegio 8	983	1.712	546	625	1
12	Colegio 9	1.259	1.110	436	267	0
13	Colegio 10	2.356	875	989	378	3

Figura 4.17. El título de la hoja con el nuevo formato.

4.3.3. Alineación del texto

Ya sabemos que Excel alinea los títulos a la izquierda y los números a la derecha. También hemos visto cómo, mediante tres botones de la ficha Inicio>Alineación, podemos cambiar esa alineación. En ambos casos estamos hablando de alineación horizontal.

Un dato o título se almacena en una celdilla, de tal forma que puede alinearse no sólo horizontalmente sino, también, verticalmente. Un título, por ejemplo, puede quedar en la parte inferior de la celdilla, en la superior o centrado. Esto es posible, claro está, siempre que la altura de la celdilla no esté ajustada al tamaño del texto, que es lo habitual.

En la ficha Inicio de la Cinta de opciones, concretamente en el grupo Alineación, encontrará en la parte superior tres botones mediante los cuales, con un simple clic, puede establecer la alineación vertical del contenido de las celdillas que tenga seleccionadas en ese momento. En la figura 4.18 puede verse que la alineación actual es la inferior, que aparece marcada, mientras que el puntero del ratón está resaltando la alineación superior.

A la derecha de esos tres botones existe otro (véase la figura 4.19) que sirve para establecer la orientación del texto.

Éste, normalmente, aparece distribuido horizontalmente de izquierda a derecha. Nada impide, sin embargo, que aparezca verticalmente hacia arriba, hacia abajo o con una determinada inclinación.

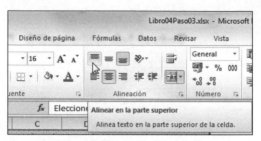

Figura 4.18. Botones para controlar la alineación vertical.

Figura 4.19. Opciones para cambiar la orientación del texto.

Seleccione la celdilla en la que está introducida la fecha. A continuación abra la lista de orientaciones posibles y elija la que aparece marcada en la figura 4.19. El resultado será similar al de la figura 4.20, en la que puede ver cómo el texto aparece inclinado. También se ha cambiado la alineación vertical del título que hay a la derecha de la fecha, a fin de que aparezca centrado en lugar de en la parte inferior.

4.3.4. Copiar formatos

En el capítulo previo aprendió a copiar datos mediante el portapapeles, una técnica muy útil y que permite, por ejemplo, compartir información entre varias aplicaciones. Excel, no obstante, nos permite también copiar y pegar otros elementos, como el formato dado a las celdillas.

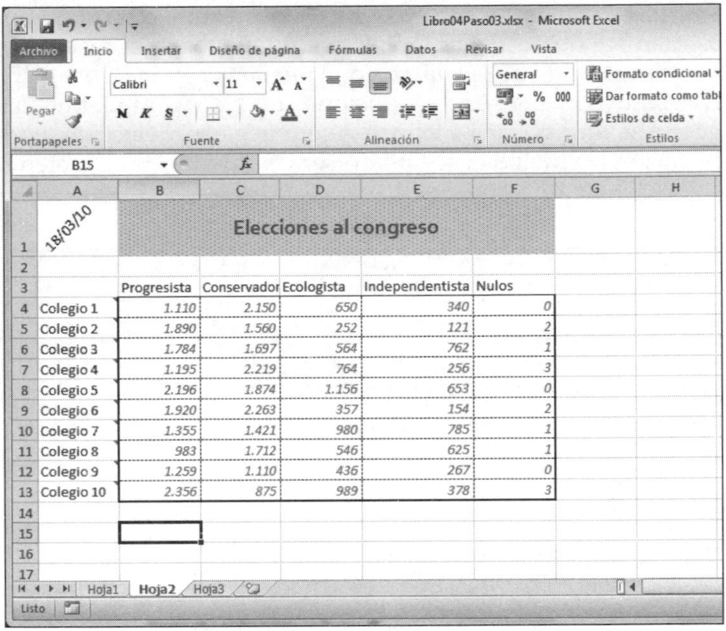

Figura 4.20. Cambiamos la orientación de la fecha y la alineación vertical del título.

Para copiar un formato al portapapeles lo único que hay que hacer es un clic en el botón 🖌, situado en el grupo **Portapapeles** de la ficha **Inicio**. Al hacerlo, Excel extraerá el formato de la celdilla o rango que estuviese seleccionado en ese momento, tras lo cual el puntero del ratón cambiará de forma y aparecerá como 🖓🖌. Esto indica que tan sólo hay que hacer clic sobre una celdilla, o seleccionar un rango, para aplicar ese formato que acaba de copiarse. Si tras efectuar una operación de copia normal, como las descritas en el capítulo previo, decidimos que no queríamos copiar los datos sino sólo el formato, siempre podemos recurrir a la etiqueta inteligente que aparece tras la operación de pegado. Gracias a ella podemos filtrar la información recuperada del portapapeles, indicando que deseamos sólo los datos, sin formato; sólo el formato, ambos elementos, etc. En la figura 4.21, por ejemplo, puede ver cómo elegimos obtener sólo el formato.

Un método alternativo al que acaba de describirse, útil si se ha copiado al portapapeles siguiendo el método habitual y no mediante el botón 🖌, consiste en seleccionar la opción

Pegado especial, ya sea en el menú contextual o en el menú asociado al botón **Pegar** de Inicio>Portapapeles. El resultado será la aparición de la ventana que puede ver en la figura 4.22. En ella existe una serie de opciones exclusivas mediante las cuales se indica qué es lo que quiere pegarse. Seleccionando la opción Formatos el resultado será el mismo que el obtenido con el método anterior.

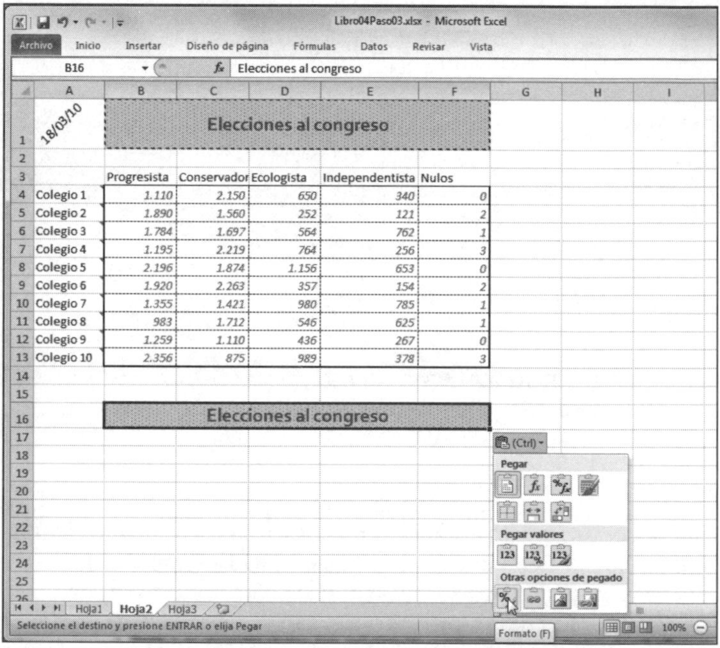

Figura 4.21. Gracias a las etiquetas inteligentes es posible seleccionar la información a pegar.

> *Nota: Las opciones de uso más habitual del cuadro de diálogo* Pegado especial *están disponibles directamente en el menú asociado al botón* **Pegar** *de la ficha* Inicio>Portapapeles. *Con ellas puede pegar solamente las fórmulas, los valores, etc., sin necesidad de abrir el cuadro de diálogo que acaba de describirse.*

Para hacer una prueba práctica de copiado de formato, comience por aplicar algunos atributos al título de la fila correspondiente al primer colegio. Puede elegir otro tipo de letra, ponerla en negrita y cursiva, por ejemplo. Acto seguido seleccione la celdilla y haga clic en el botón . Por último, seleccione el rango de celdillas a las que quiere aplicar el formato, tal y como se muestra en la figura 4.23. Ya tiene todos los títulos de fila con el mismo formato.

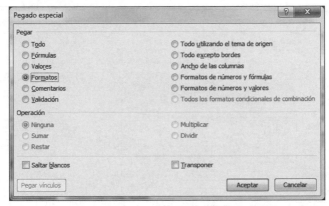

Figura 4.22. Ventana de pegado especial.

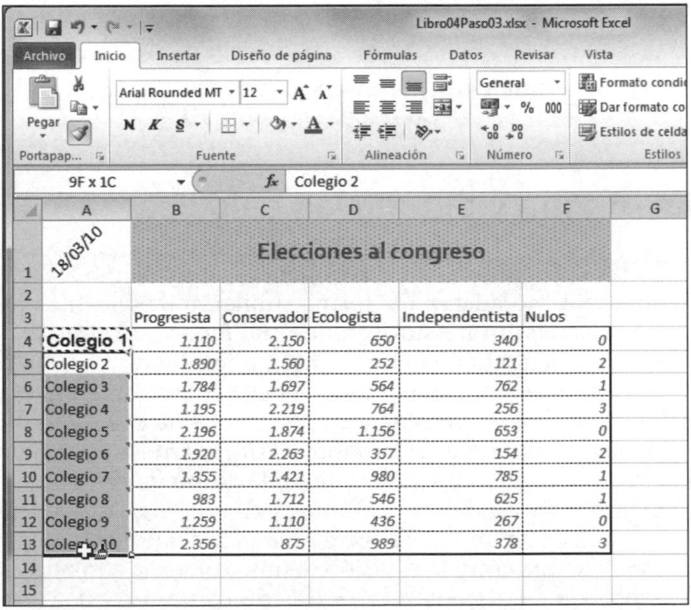

Figura 4.23. Copiamos el formato a todos los títulos de filas.

Para terminar con los atributos de la hoja, seleccione los títulos de columnas y céntrelos. También puede ponerlos en negrita. El aspecto final de la hoja de cálculo, llegados a este punto, sería el de la figura 4.24, que corresponde al documento Libro04Paso03.

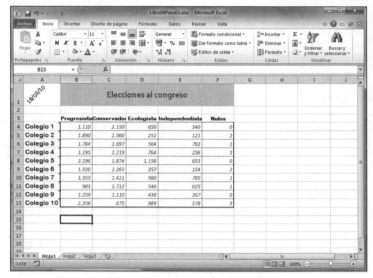

Figura 4.24. La hoja de cálculo una vez establecidos todos los atributos.

4.4. Ancho y alto de las celdillas

Todas las columnas de Excel tienen, en principio, exactamente el mismo ancho. De forma similar, todas las filas tienen la misma altura. Esto significa que todas las celdillas de la hoja de cálculo tienen las mismas dimensiones.

En ocasiones, como ha podido ver en el punto anterior, esas dimensiones pueden ajustarse automáticamente ante ciertas situaciones. Al aumentar el tamaño del título general, por ejemplo, automáticamente se incrementó la altura de esa fila.

El alto y ancho de las columnas y filas es algo que puede personalizarse, bien sea de forma manual o automática.

Observe que entre la división de una columna con otra, en la franja donde aparecen las letras de columna, existe una marca de división. Si coloca el puntero del ratón sobre dicha marca podrá ver que cambia de forma. En ese momento puede hacer clic con el botón principal del ratón y, mediante la habitual técnica de arrastrar y soltar, incrementar o disminuir el ancho de la columna. Esto mismo, lógicamente, también es aplicable a las filas.

Si necesita modificar el ancho de varias columnas, o el alto de varias filas, puede hacerlo de forma global seleccionándolas conjuntamente. Para ello existen las opciones Ancho de columna y Alto de fila en el menú Formato de Inicio>Celdas. Estas opciones nos muestran una ventana, como la de la figura 4.25, en la que aparece el ancho o alto actual debiendo introducir el nuevo valor.

También es posible ajustar automáticamente el ancho de la columna, o el alto de la fila, al necesario para mostrar los datos que contienen. Las columnas que contienen los datos en nuestra hoja de cálculo deberían ser más anchas inicialmente, puesto que los títulos exceden el ancho inicial. Para realizar un ajuste automático debe colocar el puntero del ratón en la división entre dos columnas, momento en que el puntero cambiará de forma. En ese momento, basta un doble clic para ejecutar el ajuste automático. También puede usar las opciones Autoajustar alto de fila y Autoajustar ancho de columna del mismo menú anterior.

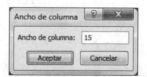

Figura 4.25. Ventana para establecer el ancho de columnas.

4.5. Un fondo más atractivo

Generalmente los formatos, según se ha visto en los puntos anteriores, afectan a las celdillas de la hoja de cálculo o a su contenido. Existen, no obstante, algunas opciones de formato que pueden aplicarse a una hoja completa. Entre éstas está la posibilidad de establecer una imagen de fondo.

Aunque el fondo actual de nuestra hoja de cálculo es blanco casi en su totalidad, ya sabe cómo podría modificar este aspecto fijando un color cualquiera, así como una trama de relleno. Éstas, sin embargo, son operaciones que afectarían tan sólo al rango seleccionado en ese momento, aunque también existe la posibilidad de seleccionar la hoja completa. Una imagen suele ser más atractiva, visualmente hablando, que un color liso o incluso una trama de relleno. Para establecer como fondo de la hoja una imagen, lo primero que tiene que hacer es seleccionar la opción Fondo de la ficha Diseño de página>Configurar página, como se hace en la figura 4.26. Acto seguido, en el cuadro de diálogo que aparece, habría que elegir el archivo que contiene la imagen. Observe, en la figura 4.27, que puede ver el contenido del archivo antes de decidirse.

Figura 4.26. Opción para establecer un fondo en la hoja.

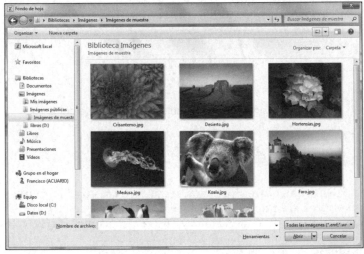

Figura 4.27. Seleccionamos el archivo que contiene la imagen.

Una vez aplicado el fondo, el aspecto de la hoja de cálculo quedaría como se muestra en la figura 4.28. Si se desplaza por la hoja, podrá ver que la imagen se repite rellenándola por completo.

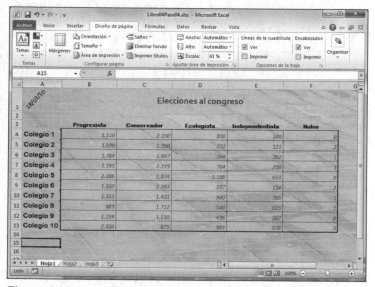

Figura 4.28. La hoja de cálculo tras establecer la imagen de fondo.

4.6. Formato condicional

Por regla general, el formato se aplica globalmente a conjuntos de datos con la finalidad de que éstos se presenten de manera homogénea. No obstante, en ocasiones vendría bien que ese formato cambiase ante ciertas situaciones. Tomemos como ejemplo nuestro rango de datos. Todos los números aparecen con separadores de miles, en cursiva y color azul. Sería útil, por ejemplo, que los datos que destacasen de los demás, porque el número fuese mayor que un cierto límite, apareciesen también destacados visualmente, por ejemplo con otro color. Imaginando que cada colegio electoral cuente con un número de votantes de entre cuatro y cinco mil, un dato llamativo podría ser que un cierto partido obtuviese más de 2.000 votos. Esta casuística podría representarse en la hoja de cálculo mediante un formato condicional.

Seleccione de nuevo el rango de valores y, a continuación, despliegue la opción Estilos>Formato condicional de la ficha

Inicio de la Cinta de opciones. Aparecerá un menú como el de la figura 4.29, con una extensa lista de reglas que pueden aplicarse a las celdillas seleccionadas. En nuestro caso elegiremos la opción **Resaltar reglas de celdas>Es mayor que**, abriendo una ventana en la que introduciremos el valor de referencia, 2.000 en este caso.

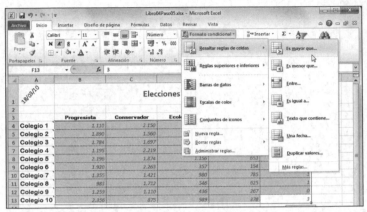

Figura 4.29. Existe una extensa lista de reglas predefinidas para la aplicación de formatos condicionales.

Introducido el valor de referencia y cerrado la ventana, veremos que en la hoja aparecerán en color rojo sobre fondo claro aquellos valores que cumplen la condición indicada. De esta forma es fácil identificar directamente los partidos que destacan sobre los demás.

El formato condicional puede ser múltiple, es decir, pueden existir varias condiciones con varios atributos asociados. No tiene más que volver a abrir el menú **Formato condicional** e ir agregando reglas. Puede, por ejemplo, elegir la opción **Barras de datos** para agregar al interior de cada celdilla una barra de color suave que represente gráficamente el valor de esa misma celdilla, tal como se ha hecho en la figura 4.30. Observe la hoja de cálculo a medida que se desplace por las opciones de **Barras de datos**, **Escalas de color** y **Conjuntos de iconos**, podrá ver una vista previa de cómo quedaría la hoja.

En lugar de rellenar el fondo de cada celdilla con un cierto color, puede optarse por disponer un icono indicativo del valor que almacenan. Para ello se recurriría a la rama **Conjuntos de iconos** del menú **Formato condicional** (véase la figura 4.31).

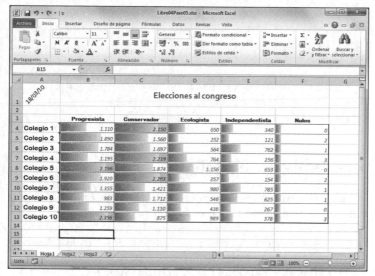

Figura 4.30. Aspecto de los datos tras aplicar los formatos condicionales.

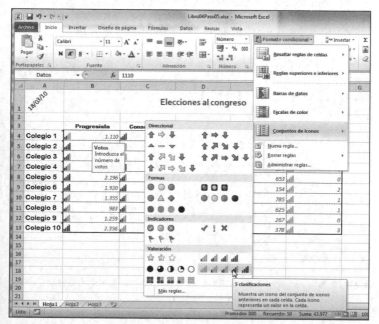

Figura 4.31. Puede introducirse un icono o gráfico en cada celdilla.

Con la configuración que se está eligiendo cada celdilla muestra en su extremo izquierdo un pequeño gráfico de barras, representativo del valor de cada celdilla respecto al máximo de todos los valores de la tabla.

> **Nota:** *Para eliminar cualquier formato condicional no hay más que abrir el menú* **Formato condicional** *y elegir la opción* **Borrar reglas** *indicando las reglas que quieren eliminarse.*

4.7. Estilos y temas

Seguramente pensará que es mucho el trabajo a llevar a cabo para mejorar el aspecto de la hoja, dando formato a los datos y a los títulos. Sin embargo, este trabajo, que hasta ahora hemos realizado manualmente paso a paso, puede ser realizado automáticamente, al menos en parte.

En el mismo grupo **Estilos** de la ficha **Inicio**, debajo de la opción **Formato condicional**, existe otra llamada **Estilos de celda**. Como su propio nombre indica, sirve para aplicar estilos automáticamente. Si elige esta opción se desplegará una ventana como la de la figura 4.32. Es una galería de posibles estilos para los datos seleccionados en ese momento en la hoja.

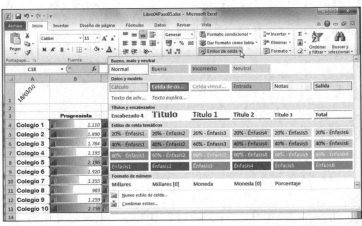

Figura 4.32. Galería de estilos para dar formato automáticamente.

A medida que vaya desplazando el puntero del ratón sobre los estilos podrá ver, como es habitual en Excel 2010, la apariencia con la que quedarían los datos al aplicar dicho estilo. Esta vista previa hace más fácil la elección, sin necesidad de escoger un estilo, cerrar la lista de opciones, deshacer lo hecho y volver a abrir esa lista.

Observe que en la parte inferior de la ventana **Estilos de celda** existe una opción, llamada **Nuevo estilo de celda**, que le permite definir sus propios estilos para posteriormente aplicarlos cuando le convenga. También puede combinar características de diferentes estilos.

Mediante la opción **Estilos de celda** se aplica formato a las celdillas seleccionadas en dicho momento, existiendo formatos adecuados para títulos, otros para datos numéricos, textos, etc. Otra forma de cambiar el diseño de la hoja, en este caso de forma global y no para un determinado rango de celdas, consiste en usar la opción **Temas** de la ficha **Diseño de página**, como se aprecia en la figura 4.33.

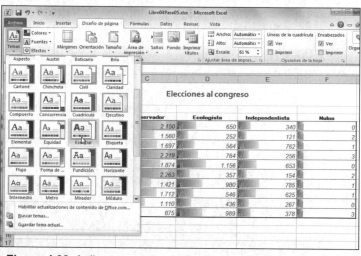

Figura 4.33. Aplicamos un tema visual a nuestra hoja de cálculo.

Existe una serie de temas predefinidos entre los cuales podemos elegir, estableciendo la gama de colores general de la hoja, los tipos de letra y efectos visuales. Estos temas podemos modificarlos mediante los botones que hay a la derecha de **Temas**, así como utilizando los recursos que ya conocemos: asignar imagen de fondo, elegir fuente de letra y atributos, bordes, etc. Mediante la opción **Guardar tema actual** toda esa información de estilo se almacenará en un tipo especial de archivo, como un tema más que a partir de dicho momento aparecerá en la lista junto con los predeterminados, pudiendo reutilizarlo siempre que lo necesitemos.

4.8. Proteger la hoja

Tan sólo falta un detalle para poder entregar la hoja para su uso final: protegerla. En este momento el hipotético operador podría introducir datos en cualquier parte, incluso podría eliminar títulos, alterarlos o modificar los formatos. Lógicamente, esto no es algo deseable y, como va a ver a continuación, impedirlo es bastante sencillo.

Por defecto todas las celdillas de la hoja de cálculo tienen un atributo que las bloquea. Lo que ocurre, no obstante, es que dicho atributo no entra en acción hasta en tanto no se proteja la hoja. Para hacer esto, seleccione la opción **Proteger hoja** de la ficha **Revisar>Cambios** de la **Cinta de opciones**. Aparecerá una ventana que permite seleccionar los elementos a proteger. Opcionalmente, como se aprecia en la figura 4.34, puede establecer una clave que impida la modificación.

Figura 4.34. Protección de la hoja.

Antes de dar el paso anterior, no obstante, es necesario eliminar el atributo de bloqueado en aquellas celdillas que sí puedan ser modificadas. Para ello haga clic en la opción **Permitir que los usuarios modifiquen rangos** que hay a la derecha de

Proteger hoja, abriendo la ventana de la figura 4.35. En ella puede definir múltiples rangos de edición, asignando, si lo desea, contraseñas que limiten lo que cada usuario puede hacer. Definido el rango, puede hacer clic en el botón **Proteger hoja** que hay en la parte inferior de esta misma ventana o bien hacer clic en **Aceptar** y volver a la opción Proteger hoja descrita anteriormente.

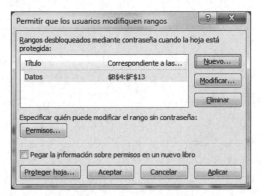

Figura 4.35. Desbloqueamos el rango en el que deben introducirse los datos.

Una vez protegida la hoja notará que no puede introducir ni modificar nada que esté fuera del rango de datos. Otra ventaja adicional, al proteger una hoja, es que la pulsación de la tecla **Tab** lleva el foco de entrada directamente a las celdillas que no están bloqueadas. De esta forma, el operador, al abrir la hoja, puede comenzar a introducir datos directamente, sin necesidad de seleccionar el rango ni nada parecido. Tan sólo hay que introducir un dato y pulsar la tecla **Tab**, repitiendo el proceso.

> **Nota:** *Si está en una hoja protegida, la opción* Proteger hoja *de* Revisar>Cambios *pasa a llamarse* Desproteger hoja, *permitiendo la desprotección siempre que se conozca la contraseña asignada al protegerla.*

Trabajar con fórmulas I:
Lo básico

5.1. Introducción

La hoja de cálculo cuyo diseño finalizó, en principio, en el capítulo anterior, se envió a los correspondientes operadores y éstos, al finalizar los escrutinios, las usaron para introducir los datos correspondientes. Acto seguido, las hojas de cálculo han vuelto de nuevo a usted, aunque en este caso con datos para archivar o analizar.

Si una hoja de cálculo se utilizase solamente para anotar algunos datos, como ha hecho hasta ahora, ciertamente no sería una aplicación muy diferente de un procesador de textos o un gestor de bases de datos.

Usar una hoja de cálculo, sin embargo, tiene muchas ventajas. Ahora que ha recibido los datos, podrá obtener rápidamente resultados con tan sólo introducir algunas fórmulas. En otra aplicación ese mismo objetivo requeriría más trabajo por su parte.

En este capítulo va a adquirir las bases para comenzar a usar fórmulas de Excel con el objetivo de obtener resultados a partir de los datos introducidos. En ocasiones los resultados se obtienen con un simple clic de ratón, en otras, por el contrario, será preciso introducir manualmente las fórmulas.

5.2. ¿Qué es una fórmula?

Hasta ahora ha conocido dos tipos de información que es posible introducir en una celdilla: los títulos y los datos propiamente dichos.

Estos valores los introduce y quedan inalterables, es decir, Excel no opera sobre ellos ni los modifica. El usuario, obviamente, sí que puede alterarlos según le convenga.

Una fórmula es, básicamente, una combinación de tres elementos: operandos, operadores y funciones. Esta combinación devuelve un resultado que puede ser de dos tipos: aritmético o relacional.

Los operandos de una fórmula son los datos que intervienen en el cálculo y pueden ser, principalmente, números y referencias a celdillas o bien rangos de celdillas. Los operadores indican qué operación se efectúa sobre los operandos, por ejemplo sumarlos o compararlos para ver cuál es mayor. Las funciones, por último, son similares a los operadores, aunque realizan cálculos más complejos sobre los operandos.

> **Novedad:** *Excel 2010 incorpora diversas mejoras, relativas a la precisión y el redondeo de resultados, que afectan a las funciones estadísticas. Este cambio puede provocar que un mismo cálculo, siempre que intervengan dichas funciones, puede generar resultados diferentes en Excel 2010 respecto a las versiones previas.*

5.2.1. Operaciones aritméticas

Las fórmulas aritméticas son aquellas en las cuales intervienen datos numéricos y operadores aritméticos. Estos operadores permiten realizar las operaciones enumeradas en la tabla 5.1. Cada operador actúa sobre dos operandos: uno dispuesto a su izquierda y otro a la derecha.

Tabla 5.1. Operadores aritméticos.

Operador	Operación realizada	Ejemplo	Resultado
+	Suma	2+5	7
-	Resta	2-5	-3
*	Multiplicación	2*5	10
/	División	2/5	0,4
^	Potenciación	2^5	32 (2*2*2*2*2)

Como puede apreciarse en la tabla 5.1, los números pueden tener un símbolo + o – justo delante, con el fin de indicar el signo. Un número negativo, por lo tanto, se expresa con la notación matemática habitual.

Los números con parte fraccionaria también se anotan de forma tradicional, usando la coma para separar la parte entera de la decimal.

5.2.2. Operaciones relacionales

Una fórmula relacional sirve para analizar, como su propio nombre indica, una cierta relación entre dos operandos.

Utilizando los operadores relacionales, enumerados en la tabla 5.2, es posible saber si un dato es igual a otro, mayor o menor que otro, etc. Este tipo de fórmulas siempre devuelve un resultado de dos posibles: VERDADERO, si la relación es cierta, o FALSO, en caso contrario.

Tabla 5.2. Operadores relacionales.

Operador	Relación	Ejemplo	Resultado
=	Igualdad	2=5	FALSO
>	Mayor que	2>5	FALSO
>=	Mayor o igual	2>=5	FALSO
<	Menor que	2<5	VERDADERO
<=	Menor o igual	2<=5	VERDADERO
<>	Distinto	2<>5	VERDADERO

Los resultados obtenidos por una fórmula relacional pueden ser usados, a su vez, en otra fórmula relacional o incluso en una de tipo aritmético. El valor FALSO equivale a 0, mientras que VERDADERO sería 1.

5.2.3. Prioridades y paréntesis

Las fórmulas no tienen por qué ser tan simples como se ha mostrado en los ejemplos de las tablas 5.1 y 5.2. En una misma expresión pueden aparecer múltiples operandos con sus respectivos operadores. En estos casos hay que tener en cuenta el orden en que se evalúan las operaciones, algo que depende directamente de la prioridad u orden de precedencia que tienen los operadores. Esta prioridad es la misma que se utiliza habitualmente en los cálculos matemáticos corrientes.

Si en una fórmula le interesa que las distintas operaciones se efectúen en orden diferente al establecido normalmente, puede utilizar tantos niveles de paréntesis como necesite. Las operaciones contenidas entre paréntesis siempre se efectúan antes que el resto.

Suponga que quiere componer una fórmula aritmética para calcular cuál es el resultado de sumar 5 y 3 y multiplicar la suma por 2. En principio podría usar la expresión `5+3*2`, parece lógico ¿verdad? El resultado, no obstante, no será el esperado, porque Excel primero multiplicará 3 por 2 y, después, sumará el resultado con 5. Para cambiar esto, la expresión debería ser: `(5+3)*2`.

5.3. Cálculos automáticos

Comenzaremos viendo cómo pueden realizarse algunos cálculos sin necesidad siquiera de escribir una fórmula, con tan sólo un clic de ratón. Partimos de una hoja de cálculo como la mostrada en la figura 5.1, con una serie de datos ya introducidos. Hay que tratar estos datos para obtener algunos resultados.

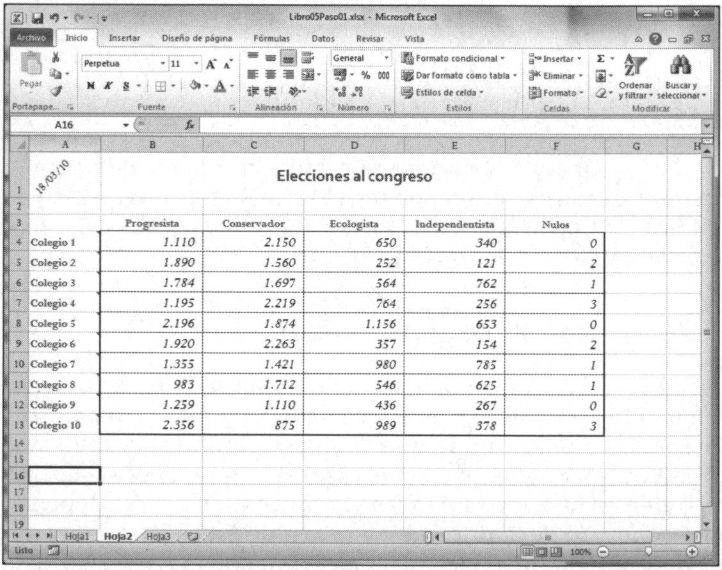

Elecciones al congreso

	Progresista	Conservador	Ecologista	Independentista	Nulos
Colegio 1	1.110	2.150	650	340	0
Colegio 2	1.890	1.560	252	121	2
Colegio 3	1.784	1.697	564	762	1
Colegio 4	1.195	2.219	764	256	3
Colegio 5	2.196	1.874	1.156	653	0
Colegio 6	1.920	2.263	357	154	2
Colegio 7	1.355	1.421	980	785	1
Colegio 8	983	1.712	546	625	1
Colegio 9	1.259	1.110	436	267	0
Colegio 10	2.356	875	989	378	3

Figura 5.1. La hoja de cálculo con los datos a tratar.

Lo más lógico, en principio, es totalizar los datos. De esta forma se obtendrá el número total de votos por partido, sumando columnas; el número total de votos por colegio, al sumar filas, y, por último, el número total global. En lugar de introducir una fórmula manualmente por cada celdilla en la que quiere obtenerse un resultado, podemos utilizar la opción autosuma.

En principio seleccione las celdillas G4 a G13, en las que deberían mostrarse los totales por colegio. A continuación, con este rango marcado, pulse la tecla **Control** y, sin soltarla, haga clic con el puntero del ratón sobre la celdilla B14, extendiendo la selección hasta la G14.

De esta forma, tendrá marcados dos rangos como se muestra en la figura 5.2. Lo único que falta es un clic en el botón **Suma** Σ▾, que encontrará en el grupo Inicio>Modificar de la Cinta de opciones.

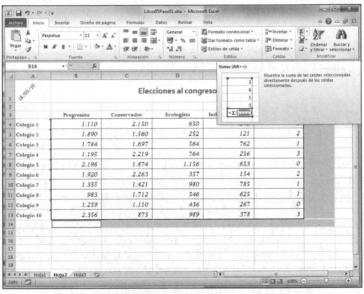

Figura 5.2. Seleccionamos los rangos de totales y hacemos clic en Suma.

Al hacer clic en el citado botón verá que aparecen los totales automáticamente. Puede poner los correspondientes títulos a la columna G y a la fila 14, por ejemplo Totales y aplicar, mediante la opción Estilos de celda de Inicio>Estilos, un estilo visual que destaque estos datos. Después, manteniendo seleccionados los dos rangos anteriores, bastará con pulsar **Control-N** para poner los totales en negrita. El aspecto final de la hoja será similar al de la figura 5.3.

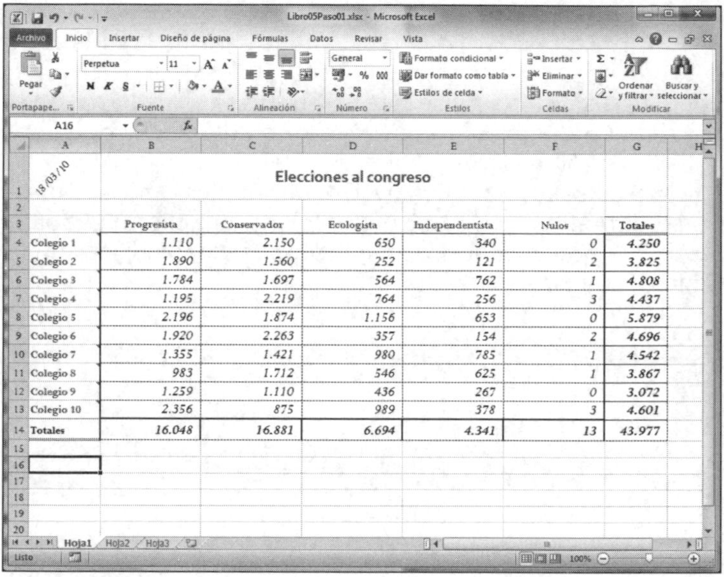

18/03/10	Elecciones al congreso					
	Progresista	Conservador	Ecologista	Independentista	Nulos	**Totales**
Colegio 1	*1.110*	*2.150*	*650*	*340*	*0*	***4.250***
Colegio 2	*1.890*	*1.560*	*252*	*121*	*2*	***3.825***
Colegio 3	*1.784*	*1.697*	*564*	*762*	*1*	***4.808***
Colegio 4	*1.195*	*2.219*	*764*	*256*	*3*	***4.437***
Colegio 5	*2.196*	*1.874*	*1.156*	*653*	*0*	***5.879***
Colegio 6	*1.920*	*2.263*	*357*	*154*	*2*	***4.696***
Colegio 7	*1.355*	*1.421*	*980*	*785*	*1*	***4.542***
Colegio 8	*983*	*1.712*	*546*	*625*	*1*	***3.867***
Colegio 9	*1.259*	*1.110*	*436*	*267*	*0*	***3.072***
Colegio 10	*2.356*	*875*	*989*	*378*	*3*	***4.601***
Totales	***16.048***	***16.881***	***6.694***	***4.341***	***13***	***43.977***

Figura 5.3. La hoja con los totales tras aplicar formatos.

Si sitúa el foco de entrada en cualquiera de las celdillas de totales, podrá ver en la Barra de fórmulas que, aunque en la celdilla aparece un número, el contenido real es un cálculo. El contenido de la celdilla `B14`, por ejemplo, es `=SUMA(B4:B13)`. `SUMA` es una función, `B4:B13` es un rango de celdillas, y el símbolo = indica que el contenido de la celdilla es una fórmula. Consecuentemente, Excel evalúa la fórmula, facilitando a la función `SUMA` todos los valores del rango indicado.

La citada función suma todos esos valores y obtiene un resultado, que es el que se muestra en la celdilla que contiene la fórmula.

> ***Nota:*** *En el capítulo siguiente seguiremos trabajando con más funciones, entonces conocerá los diversos grupos que existen y aprenderá a usar algunas de ellas.*

5.4. Edición de fórmulas

No todas las operaciones pueden realizarse de forma tan simple, como acaba de verse en el punto anterior. En esos casos será imprescindible introducir las fórmulas manualmente. En ellas se usarán los operadores aritméticos y relacionales vistos antes, además de números y referencias a celdillas.

La mejor forma de aprender a utilizar las fórmulas es con la práctica, así que, en lugar de continuar con una explicación completamente teórica, vamos a analizar qué resultados podrían obtenerse de la hoja anterior y con qué fórmulas. A medida que las vayamos introduciendo veremos cuáles son los problemas que se plantean y las mejores soluciones.

5.4.1. Votantes por colegio

Supongamos que las listas de votantes se reparten entre los colegios con un número similar de inscritos, a pesar de lo cual el número de votos de un colegio a otro varía ostensiblemente. Esto significa que unas zonas se abstienen más que otras, por lo que decide estudiar este tema. Para ello, qué mejor que calcular el tanto por ciento que representa el número de votantes de cada colegio respecto al total.

En este momento tenemos, según la figura 5.3, una columna con el total de cada colegio, así como un total global al final de dicha columna. Nos situamos en la celdilla que hay a la derecha del total del primer colegio y, sin más, iniciamos la introducción de la primera fórmula.

Para iniciar la introducción de una fórmula lo primero que hay que hacer es pulsar el símbolo =. Con él le indicamos a Excel que el dato introducido no es un texto ni un número, sino una fórmula que tiene que resolver. Acto seguido, utilizando los datos a la vista y algunos operadores, calculamos el tanto por ciento como puede verse en la figura 5.4. Al pulsar la tecla **Intro** aparecerá el resultado.

Acto seguido tendría que repetirse la operación en la celdilla de más abajo. En este caso, no obstante, el número total de votos del colegio será otro, mientras que el total global sí que permanece. El proceso seguiría repitiéndose para el resto de las celdillas.

No podríamos, sin embargo, copiar la primera fórmula en todas las demás ya que, en lugar del dato de cada colegio, se obtendría siempre el mismo resultado.

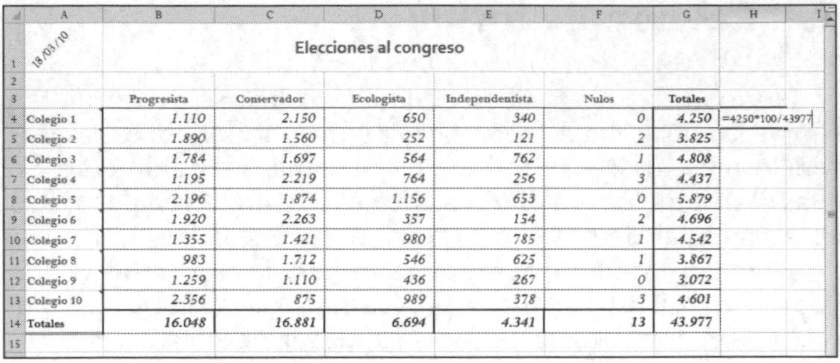

	A	B	C	D	E	F	G	H	I
1	18/03/10			Elecciones al congreso					
2									
3		Progresista	Conservador	Ecologista	Independentista	Nulos	Totales		
4	Colegio 1	1.110	2.150	650	340	0	4.250	=4250*100/43977	
5	Colegio 2	1.890	1.560	252	121	2	3.825		
6	Colegio 3	1.784	1.697	564	762	1	4.808		
7	Colegio 4	1.195	2.219	764	256	3	4.437		
8	Colegio 5	2.196	1.874	1.156	653	0	5.879		
9	Colegio 6	1.920	2.263	357	154	2	4.696		
10	Colegio 7	1.355	1.421	980	785	1	4.542		
11	Colegio 8	983	1.712	546	625	1	3.867		
12	Colegio 9	1.259	1.110	436	267	0	3.072		
13	Colegio 10	2.356	875	989	378	3	4.601		
14	Totales	16.048	16.881	6.694	4.341	13	43.977		
15									

Figura 5.4. Introducimos nuestra primera fórmula.

5.4.2. Referencias a celdillas

En una fórmula pueden utilizarse, aparte de números, referencias a celdillas que contienen esos números. De esta forma el cálculo anterior podría realizarse no usando directamente los datos 4.250 y 43.977, sino las referencias a las celdillas G4 y G14, que son las que los contienen.

Sitúe el foco de entrada de nuevo en la celdilla H4, en la que debe ir el tanto por ciento relativo al primer colegio. Introduzca el símbolo = para iniciar la edición de la nueva fórmula, que sustituirá a la anterior. A continuación introduzca la expresión que se indica en la figura 5.5, pulsando a continuación la tecla **Intro**. Como podrá ver, el resultado obtenido es exactamente el mismo.

> **Nota:** *No tiene que introducir las referencias G4 y G14 manualmente, puede usar las teclas de desplazamiento del cursor para apuntar al dato que debe actuar como operando, incluyéndolo de forma automática en la fórmula. Observe, asimismo, cómo las celdillas referenciadas en la fórmula aparecen resaltadas con un borde de un cierto color, que es el mismo con el que aparece la referencia a esa celdilla en el interior de la fórmula.*

En un capítulo previo se vio cómo Excel era capaz de crear secuencias a partir de un cierto dato. De esta forma se generaron los títulos de las filas, a partir de un título inicial que fue Colegio 1. El contenido de nuestra fórmula contiene dos referencias a celdillas, algo que Excel puede controlar de manera mucho más efectiva sin necesidad de crear secuencias.

⬜	A	B	C	D	E	F	G	H	I
1	18/03/10			Elecciones al congreso					
2									
3		Progresista	Conservador	Ecologista	Independentista	Nulos	Totales		
4	Colegio 1	1.110	2.150	650	340	0	4.250	=G4*100/G14	
5	Colegio 2	1.890	1.560	252	121	2	3.825		
6	Colegio 3	1.784	1.697	564	762	1	4.808		
7	Colegio 4	1.195	2.219	764	256	3	4.437		
8	Colegio 5	2.196	1.874	1.156	653	0	5.879		
9	Colegio 6	1.920	2.263	357	154	2	4.696		
10	Colegio 7	1.355	1.421	980	785	1	4.542		
11	Colegio 8	983	1.712	546	625	1	3.867		
12	Colegio 9	1.259	1.110	436	267	0	3.072		
13	Colegio 10	2.356	875	989	378	3	4.601		
14	Totales	16.048	16.881	6.694	4.341	13	43.977		
15									

Figura 5.5. Fórmula con referencias a las celdillas.

Cuando se copia una fórmula, ya sea mediante el portapapeles o con la técnica de autollenado, Excel actualiza automáticamente las referencias de forma relativa a la posición de la nueva celdilla que habrá de contener el resultado. Así, si en la celdilla H4 hay una fórmula que hace referencia a la celdilla G4, al copiar la fórmula a H5 la referencia se actualizaría a G5.

Seleccione la celdilla que contiene la fórmula introducida antes, y que ahora muestra el resultado, y use el autollenado haciendo clic sobre el controlador y extendiendo la selección hasta la fila correspondiente al último colegio. Quizá le sorprenda la aparición de una serie de errores, en lugar de los resultados que esperaba.

> **Nota:** *Recuerde que el controlador de autollenado es el recuadro que hay en la parte inferior derecha del foco de entrada. Al situar el puntero del ratón sobre él, el puntero tomará una nueva forma.*

En lugar de un resultado numérico, en todas las celdillas a las que se ha copiado la fórmula aparece #DIV/0!. Se trata de un mensaje de error, indicando que no es posible dividir algo entre cero. Excel precede todos los mensajes de error con el carácter #. Fíjese también en la aparición de una marca en la esquina superior izquierda de cada celdilla con error. Si selecciona cualquiera de ellas aparecerá una ficha inteligente (véase la figura 5.6) que le describirá el error y ofrecerá opciones para su resolución. Puede, por ejemplo, obtener ayuda para comprender a qué se debe, ver paso a paso la realización del cálculo o, directamente, editar la fórmula para su corrección.

▲	A	B	C	D	E	F	G	H	I
1	18-03-10			Elecciones al congreso					
2									
3		Progresista	Conservador	Ecologista	Independentista	Nulos	Totales		
4	Colegio 1	1.110	2.150	650	340	0	4.250	9,66414262	
5	Colegio 2	1.890	1.560	252	121	2	3.	#¡DIV/0!	
6	Colegio 3	1.784	1.697	564	762	1		Error de división entre cero	
7	Colegio 4	1.195	2.219	764	256	3		Ayuda sobre este error	
8	Colegio 5	2.196	1.874	1.156	653	0		Mostrar pasos de cálculo...	
9	Colegio 6	1.920	2.263	357	154	2		Omitir error	
10	Colegio 7	1.355	1.421	980	785	1		Modificar en la barra de fórmulas	
11	Colegio 8	983	1.712	546	625	1		Opciones de comprobación de errores...	
12	Colegio 9	1.259	1.110	436	267	0	3.072	#¡DIV/0!	
13	Colegio 10	2.356	875	989	378	3	4.601	#¡DIV/0!	
14	Totales	16.048	16.881	6.694	4.341	13	43.977		
15									

Figura 5.6. Ficha inteligente asociada a un error en una fórmula.

5.4.3. Evaluación de fórmulas paso a paso

Está claro que nuestro cálculo inicial, al introducir la fórmula G4*100/G14, es correcto. Igualmente está claro que, al copiar dicha fórmula al resto de las celdillas, esa corrección se ha perdido por el camino. Podríamos analizar qué ha sucedido y encontrar la solución directamente pero, antes de hacerlo, veamos cómo Excel puede ayudarnos también en este caso.

Seleccione la opción Mostrar pasos de cálculo que aparece marcada en la figura 5.6, correspondiente al menú de la ficha inteligente asociada a la celdilla H5 que es la primera errónea. Aparecerá un cuadro de diálogo como el de la figura 5.7, en el que se indica claramente que al evaluar la expresión 382500/0, correspondiente a la celdilla H5 de la Hoja1, se producirá un error. No tenemos más que hacer clic sobre el botón **Evaluar** para comprobar el resultado: #DIV/0!, es decir, división por cero.

Figura 5.7. La expresión que genera el error
justo antes de ser evaluada.

Sabemos que el error viene provocado por una división por cero, pero ¿de dónde proviene ese cero? Para conocer su procedencia damos los pasos siguientes en el cuadro de diálogo de la figura 5.7, asumiendo que ya hemos hecho clic en **Evaluar** y hemos obtenido el error:

- Hacemos clic en el botón **Reiniciar** para iniciar la evaluación de la celdilla desde un principio. En el recuadro Evaluación aparece la expresión G5*100/G15.
- Hacemos clic en el botón **Paso a paso para entrar**, que iniciará la evaluación de la expresión mostrando los pasos que se dan para ello. Aparecerá entonces un segundo recuadro en el que se indica que el valor de la celdilla G5 proviene de la expresión SUMA(B5:F5). Esto es correcto.
- Un nuevo clic en el botón **Evaluar** nos permite ver el resultado de la expresión anterior, el valor 3.825 que se almacenará en **G5**. Hacemos clic en **Paso a paso para salir** para devolver ese resultado a la celdilla H5 y continuar con su evaluación.
- Ahora en el recuadro Evaluación aparece la expresión 3825*100/G15. Un clic sobre el botón **Evaluar** resolverá la primera parte del cálculo, quedando la fórmula 382500/G15.
- Hacemos clic de nuevo en **Paso a paso para entrar** a fin de iniciar la evaluación de la celdilla G15, cuyo valor actuará como divisor. En el recuadro que aparece para dicha celdilla (véase la figura 5.8) se aprecia que no tiene contenido alguno, por lo que el resultado es 0.

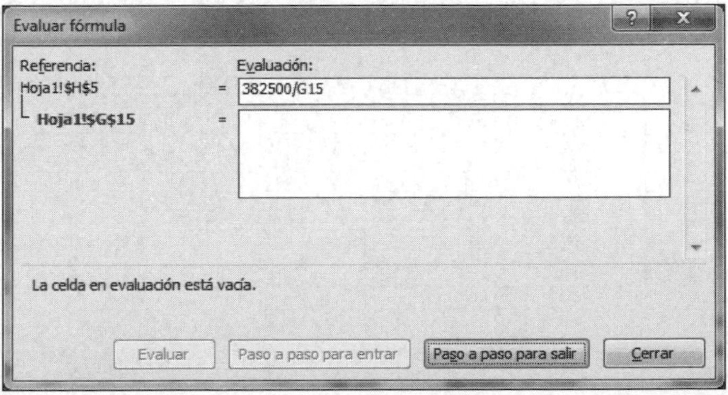

Figura 5.8. Al evaluar el contenido de G15 vemos que está vacía.

El problema, por tanto, se debe a que en la fórmula está haciéndose referencia a una celdilla vacía. De hecho el divisor se encuentra en G14, no en G15, pero al copiar la fórmula Excel ha ido actualizando las referencias según se explicó anteriormente.

5.4.4. Auditoría de los cálculos

Otra forma de detectar los fallos en las fórmulas que introduzcamos en Excel, incluso cuando éstas no generan un error claro como el que nos ocupa sino que sencillamente producen resultados incorrectos, consiste en recurrir a las herramientas de auditoría de Excel.

Abra la ficha Fórmulas de la Cinta de opciones y, estando el foco de entrada situado en la celdilla H5, haga clic en el botón **Rastrear precedentes** del grupo Auditoría de fórmulas.

Podrá ver que Excel muestra dos flechas que, partiendo de dos celdillas, van a parar a la que contiene el error, tal como se aprecia en la figura 5.9.

Fíjese en que una de las celdillas de partida es la que contiene el total de votos del colegio, dato que debe dividirse entre el total. No obstante, la segunda flecha no parte de la celdilla que contiene el total, como cabría esperar, sino de otra que está más abajo, vacía.

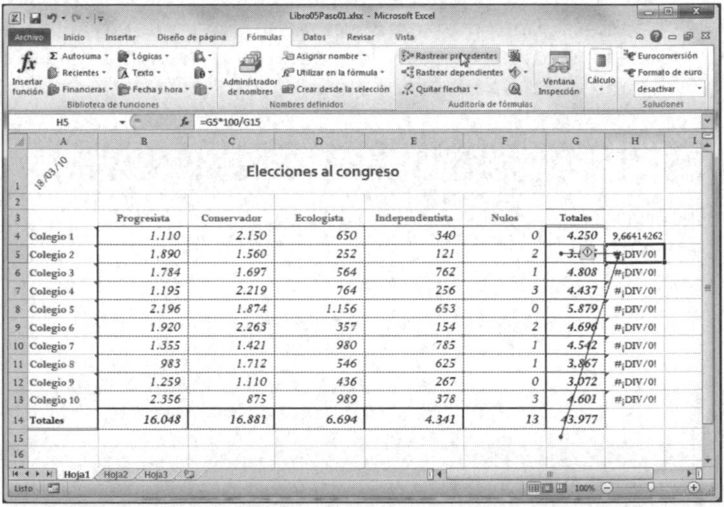

Figura 5.9. Excel nos indica de dónde viene el error.

Excel ya nos está diciendo dónde está el problema que, como adivinábamos en el punto previo, se debe a que uno de los operadores, concretamente una de las referencias, se dirige a una celdilla equivocada. Observe la fórmula que contiene esa celdilla, podrá ver que G5*100/G15 no es correcto, puesto que el total global se encuentra en G14. Para eliminar las flechas haga clic en el botón **Quitar flechas** del mismo grupo Auditoría de fórmulas.

Los botones que hay en el grupo Auditoría de fórmulas, se utilizan para rastrear los precedentes y descendientes de una fórmula. Se llama precedentes a las celdillas que intervienen en el resultado mostrado en una dada, mientras que los descendientes son los afectados por esa celdilla.

Fíjese en la figura 5.10. Se ha situado el puntero de selección en la celdilla C8 y se ha hecho clic en **Rastrear dependientes**, lo que ha hecho aparecer dos flechas: la primera indica que C8 interviene en la fórmula de la celdilla G8, mientras que la segunda comunica que el mismo valor también se utiliza en el cálculo de la celdilla C14.

Haciendo clic de nuevo en ese mismo botón, sin mover el foco de entrada, aparecen dos nuevas flechas, indicando la implicación de la celdilla G8 en otras dos. Una tercera pulsación continuaría con el proceso, de tal forma que podríamos analizar todas las relaciones entre los datos.

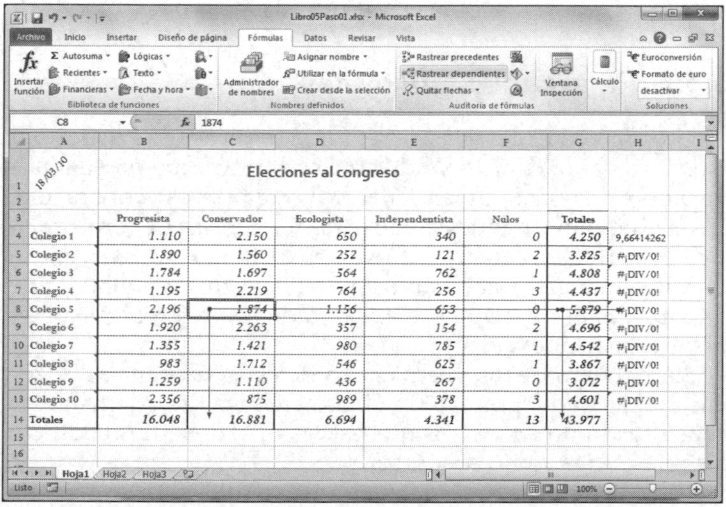

Figura 5.10. Auditamos las referencias entre celdillas.

Para eliminar todas las líneas puede hacer clic en el botón **Quitar flechas** indicado antes. Si tan sólo desea eliminar un nivel, haga clic en la flecha asociada a este botón para desplegar el correspondiente menú, eligiendo la opción Quitar un nivel de precedentes o Quitar un nivel de dependientes, según el caso.

En cualquier momento podemos detectar todos los fallos que existan en la hoja de cálculo, sin necesidad de buscarlos manualmente, haciendo clic sobre el botón ![botón] del mismo grupo Auditoría de fórmulas. Esto abrirá el cuadro de diálogo Comprobación de errores que aparece en la figura 5.11, donde se irá mostrando información sobre cada error encontrado y ofreciendo opciones para resolverlo, modificar la fórmula y, en cualquier caso, continuar buscando otros errores hasta corregirlos todos.

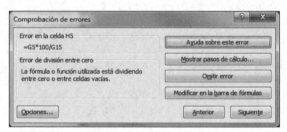

Figura 5.11. Búsqueda de los errores existentes en la hoja de cálculo.

5.4.5. Referencias absolutas

Seguramente, después de seguir las indicaciones dadas por Excel, ya habrá comprendido cuál es el problema que ha provocado el error al copiar. Cuando se realiza esta operación, Excel automáticamente actualiza las referencias de forma relativa, teniendo en cuenta la diferencia de filas y columnas de la celdilla en la que estaba la fórmula respecto a aquella donde se copia. Esta diferencia se aplica a dichas referencias, obteniendo unas nuevas.

La mayoría de las veces el uso de estas referencias relativas es adecuado, por eso Excel las actualiza directamente sin consultar. Si no deseamos que esto ocurra debemos codificar las referencias como absolutas.

Ya sabe que una referencia a una celdilla se compone de dos partes: una letra de columna y un número de fila.

Inicialmente una referencia escrita como G4 es relativa tanto para la columna como para la fila. Disponiendo el símbolo $ delante de cualquiera de los elementos, comunicaremos a Excel que se trata de una referencia absoluta. Así, $G4 indicaría que la columna G siempre es fija, mientras que la fila 4 seguiría siendo relativa.

Para componer una referencia completamente absoluta, por lo tanto, habrá que colocar el símbolo $ delante de ambos elementos: columna y fila. De esta manera, la fórmula G4*100/$G$14 indicaría que la referencia a la celdilla G4 es relativa, por lo que al copiarse a otra celdilla se actualizaría apropiadamente. $G$14, por el contrario, es una referencia absoluta que se mantendría siempre igual.

Con el fin de corregir nuestra hoja, coloque el foco de entrada en la celdilla H4 que contiene la fórmula original. Haga clic en el botón de edición de fórmula en la barra de fórmulas, lo cual le permitirá editar la fórmula como se ve en la figura 5.12. Al hacer clic en el botón **Introducir**, o pulsar la tecla **Intro**, en principio no notará cambio alguno, puesto que el resultado que se obtiene es exactamente el mismo. Al copiar la fórmula a las demás celdillas, sin embargo, podrá ver que ahora no se obtienen errores sino resultados.

Para finalizar con estos resultados, copie el formato de las celdillas que hay a la izquierda, disponga un título y utilice los botones 🔢 y 🔢 para establecer el número de decimales que desee. En la figura 5.13 puede verse el aspecto de la hoja tras dar estos pasos.

Figura 5.12. Editamos la fórmula creando una referencia absoluta.

> **Nota:** *Puede editar una fórmula directamente en la celdilla que muestra el resultado. Simplemente pulse la tecla* **F2***, realice las correcciones y pulse* **Intro***.*

5.5. Nombres y rótulos

En un capítulo previo se explicó que las celdillas y los rangos podían reconocerse mediante nombres, identificadores que introducíamos en el Cuadro de nombres y que, posteriormente, se usaban para seleccionar de nuevo el rango. Estos nombres pueden, también, ser usados en fórmulas. El resultado sería exactamente el mismo que utilizar una referencia a la celdilla o rango equivalente.

Nuestra hoja de cálculo cuenta actualmente con un nombre, establecido en el segundo capítulo, que hace referencia al área en que se han introducido los datos. Este nombre, `Datos`, puede ser usado en una fórmula. Puede comprobarlo situándose en una celdilla cualquiera, preferiblemente vacía, e introduciendo la fórmula `=SUMA(Datos)`. Verá que el resultado es la suma global de los votos.

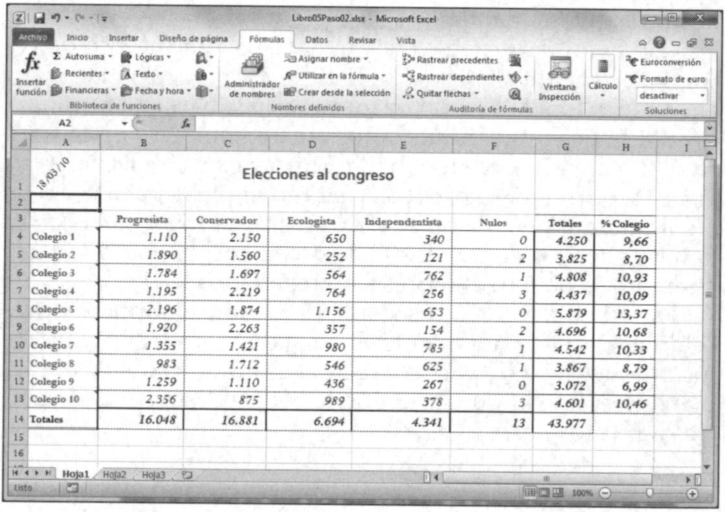

18/03/10

Elecciones al congreso

	Progresista	Conservador	Ecologista	Independentista	Nulos	Totales	% Colegio
Colegio 1	1.110	2.150	650	340	0	4.250	9,66
Colegio 2	1.890	1.560	252	121	2	3.825	8,70
Colegio 3	1.784	1.697	564	762	1	4.808	10,93
Colegio 4	1.195	2.219	764	256	3	4.437	10,09
Colegio 5	2.196	1.874	1.156	653	0	5.879	13,37
Colegio 6	1.920	2.263	357	154	2	4.696	10,68
Colegio 7	1.355	1.421	980	785	1	4.542	10,33
Colegio 8	983	1.712	546	625	1	3.867	8,79
Colegio 9	1.259	1.110	436	267	0	3.072	6,99
Colegio 10	2.356	875	989	378	3	4.601	10,46
Totales	16.048	16.881	6.694	4.341	13	43.977	

Figura 5.13. La hoja con los resultados porcentuales por colegio.

5.5.1. Definir nombres a partir de rótulos

Los datos de cada columna de nuestra tabla corresponden a un determinado partido, mientras que los de cada fila son los de un cierto colegio. Podríamos crear nombres para esos elementos, de forma que pudiéramos seleccionar los votos de un colegio o un partido sencillamente introduciendo su nombre, en lugar del rango de celdillas que ocupa en la hoja.

Definir un nombre para cada columna y cada fila de datos requeriría, usando el mecanismo descrito en un capítulo previo, seleccionar individualmente cada rango, ir al Cuadro de nombres y escribir el nombre que corresponda, repitiendo el proceso 15 veces: 10 filas más 5 columnas. Por suerte existe un método mucho más directo para crear dichos nombres, sin necesidad de hacerlo a mano.

Seleccione en la hoja de cálculo el rango de celdillas que va desde A3 hasta F13, es decir, la tabla de datos incluyendo los títulos tal y como se aprecia en la figura 5.14. A continuación haga clic sobre el botón **Crear desde la selección** del grupo Fórmulas>Nombres definidos de la Cinta de opciones. Aparecerá un cuadro de diálogo en el que bastará con hacer clic en **Aceptar**, puesto que, como puede verse en la figura 5.15, propone tomar los nombres de la fila superior y la columna izquierda del rango actual, que es precisamente donde están los rótulos o títulos de nuestros datos.

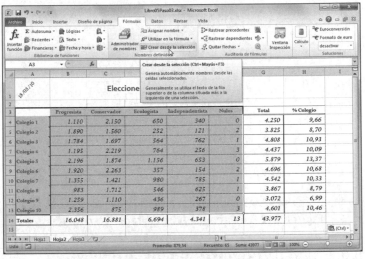

Figura 5.14. Marcamos toda la tabla de datos, incluyendo los títulos.

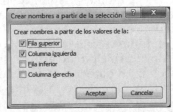

Figura 5.15. Definimos los nombres a partir de los títulos de fila y columna.

Puede comprobar que, en efecto, se han creado los nombres abriendo el cuadro de diálogo **Administrador de nombres** (véase la figura 5.16), haciendo clic en el botón del mismo nombre de **Fórmulas>Nombres definidos**. Desde esta ventana puede inspeccionar los nombres definidos en la hoja de cálculo, los rangos de celdillas a los que se refieren y los datos que contienen. Usando los botones que hay en la parte superior puede crear nuevos nombres, eliminar y modificar los existentes y establecer filtros para ver únicamente un subconjunto de los nombres que se hayan creado.

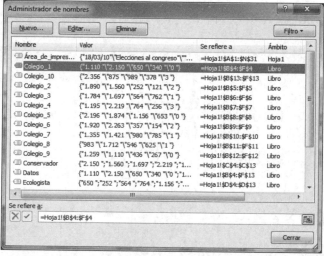

Figura 5.16. Ventana del Administrador de nombres.

5.5.2. Uso de nombres en las fórmulas

Dados los pasos descritos en el punto previo, los rótulos o títulos de las filas y columnas identifican en cierta forma a los datos. Es perfectamente válido, por tanto, usar referencias construidas basándonos en esos nombres.

Para calcular el número total de votos por partido y por colegio, introducido al principio de este capítulo, nos limitamos a hacer clic sobre un botón. Éste introdujo una fórmula en la que se usaba la función SUMA, a la que se entregaba como valor un rango de celdillas. Puede verlo simplemente colocando el foco de entrada en la celdilla G4, correspondiente a uno de los totales.

En lugar de utilizar el rango, se podría emplear el rótulo Colegio_1 para hacer referencia a todos los votos de ese colegio. Estando situado en la celdilla que se ha citado, pulse la tecla **F2** y modifique la fórmula, dejándola como puede ver en la figura 5.17.

Observe cómo al introducir las iniciales aparece automáticamente una lista con los nombres de los colegios disponibles, de forma que podemos seleccionar directamente uno con el puntero del ratón. Al pulsar **Intro** verá que el resultado es exactamente el mismo que se obtenía originalmente.

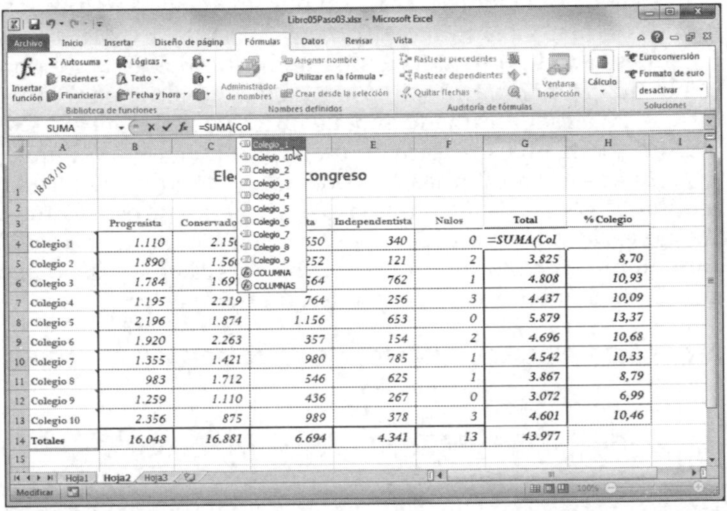

Figura 5.17. Fórmula que usa un nombre para referirse a un rango.

Mientras escribe una fórmula también puede abrir el menú asociado a la opción Fórmulas>Nombres definidos>Utilizar en la fórmula de la Cinta de opciones, en el que aparecen todos los nombres disponibles en la hoja.

Lo mismo que acaba de hacerse para las filas podríamos hacerlo para las columnas. Seleccione la celdilla B14 y edite la fórmula, dejándola como =SUMA(Progresista).

> **Nota:** *Aunque los resultados obtenidos son los mismos, construir referencias basándose en nombres hace que las fórmulas sean más fáciles de interpretar por los usuarios de la hoja de cálculo.*

Además de para hacer referencia a un rango, los rótulos de columnas y filas pueden utilizarse conjuntamente para acceder a celdillas concretas. Si introduce en una celdilla la fórmula =Conservador Colegio_2, por ejemplo, obtendrá el valor 1.560, que es el que hay almacenado en la celdilla C5, cruce de la columna titulada Conservador con la fila Colegio_2.

Imagine que ahora quiere introducir otra serie de fórmulas, debajo del total de votos por partido, con el fin de calcular el tanto por ciento del total que ha obtenido cada uno de ellos. En lugar de hacer referencia directa a las celdillas, como se ha hecho para el mismo cálculo por colegios, usaremos los rótulos de filas y columnas.

Sitúese en el punto adecuado para introducir el tanto por ciento del primer partido, introduzca el símbolo = para indicar que va a escribir una fórmula e introduzca después la expresión que se muestra en la figura 5.18. Sumamos la columna Progresista, multiplicamos por cien y dividimos entre la celdilla Totales de la columna Total. Para que esta fórmula obtenga el valor que esperamos también será necesario asignar nombre a la columna Total de la hoja de cálculo, usando la misma opción descrita en el punto anterior a éste.

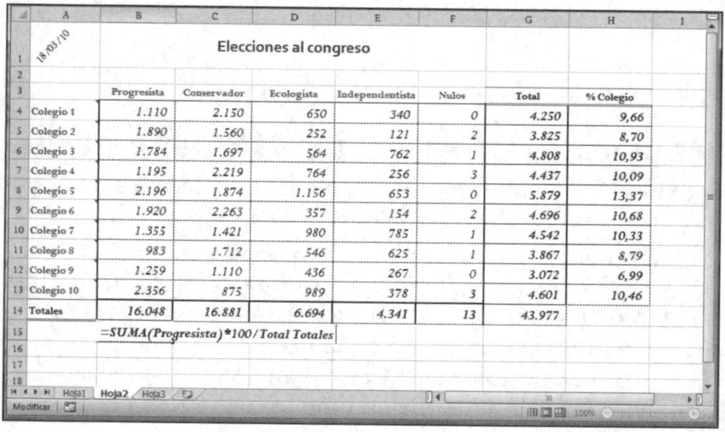

	A	B	C	D	E	F	G	H	I
1	18/03/10			Elecciones al congreso					
2									
3		Progresista	Conservador	Ecologista	Independentista	Nulos	Total	% Colegio	
4	Colegio 1	1.110	2.150	650	340	0	4.250	9,66	
5	Colegio 2	1.890	1.560	252	121	2	3.825	8,70	
6	Colegio 3	1.784	1.697	564	762	1	4.808	10,93	
7	Colegio 4	1.195	2.219	764	256	3	4.437	10,09	
8	Colegio 5	2.196	1.874	1.156	653	0	5.879	13,37	
9	Colegio 6	1.920	2.263	357	154	2	4.696	10,68	
10	Colegio 7	1.355	1.421	980	785	1	4.542	10,33	
11	Colegio 8	983	1.712	546	625	1	3.867	8,79	
12	Colegio 9	1.259	1.110	436	267	0	3.072	6,99	
13	Colegio 10	2.356	875	989	378	3	4.601	10,46	
14	Totales	16.048	16.881	6.694	4.341	13	43.977		
15		=SUMA(Progresista)*100/Total Totales							
16									
17									
18									

Hoja1 Hoja2 Hoja3

Modificar

Figura 5.18. Referencias a celdillas usando nombres.

Repitiendo el proceso para las demás columnas, tendríamos los porcentajes de cada uno de los partidos. El aspecto de la hoja ahora será similar al de la figura 5.19. Encontrará esta hoja en el archivo Libro05Paso03.

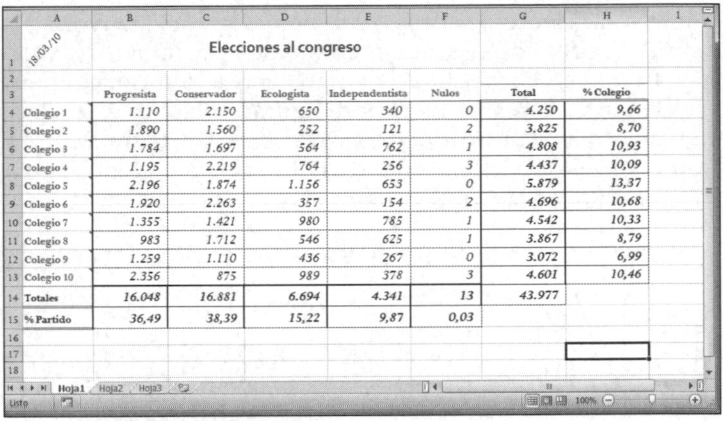

Figura 5.19. La hoja con todos los cálculos porcentuales.

5.6. Fórmulas relacionales

En el punto 5.2.2 se hacía mención a una serie de operadores, conocidos como relacionales, que comprobaban la relación existente entre dos datos y devolvían un resultado: VERDADERO o FALSO. Construir una fórmula relacional es tan simple como escribir una de tipo aritmético, tan sólo es necesario disponer los operandos y operadores, usando referencias del tipo que se precise. No obstante, en una fórmula relacional generalmente sólo existe un operador y dos operandos, si bien éstos pueden ser resultado de una operación aritmética.

Para terminar por este capítulo con la hoja de cálculo que estamos tratando, vamos a añadir una última fila que indique si el partido correspondiente a cada columna ha obtenido, o no, una mayoría absoluta. Ésta se produce cuando el número de votos de ese partido es superior al 50 por ciento del total.

Tras situarse en la celdilla adecuada, comience a escribir la fórmula e introduzca la expresión que aparece en la figura 5.20. Se utilizan de nuevo los nombres para referirse a las diferentes celdillas. En este caso, se comprueba si el número total de votos de un partido es superior a la mitad del total global.

Al pulsar la tecla **Intro** verá que en la celdilla aparece el valor FALSO. Copie la fórmula a las demás celdillas y cambie exclusivamente el nombre del partido que se facilita entre paréntesis a la función SUMA. El resultado será el mismo en los cuatro casos, puesto que ninguno de ellos dispone del número suficiente de votos como para llegar a la mayoría absoluta. Puede, no obstante, manipular los resultados y otorgar un número importante de papeletas a la formación que más le guste. Esta manipulación, figurada claro está, le servirá para obtener un resultado similar al de la figura 5.21. Así podrá ver el funcionamiento de la fórmula en los dos casos: VERDADERO y FALSO.

	A	B	C	D	E	F	G	H
2								
3		Progresista	Conservador	Ecologista	Independentista	Nulos	Total	% Colegio
4	Colegio 1	1.110	2.150	340.000	340	0	343.600	89,64
5	Colegio 2	1.890	1.560	252	121	2	3.825	1,00
6	Colegio 3	1.784	1.697	564	762	1	4.808	1,25
7	Colegio 4	1.195	2.219	764	256	3	4.437	1,16
8	Colegio 5	2.196	1.874	1.156	653	0	5.879	1,53
9	Colegio 6	1.920	2.263	357	154	2	4.696	1,23
10	Colegio 7	1.355	1.421	980	785	1	4.542	1,18
11	Colegio 8	983	1.712	546	625	1	3.867	1,01
12	Colegio 9	1.259	1.110	436	267	0	3.072	0,80
13	Colegio 10	2.356	875	989	378	3	4.601	1,20
14	Totales	16.048	16.881	346.044	4.341	13	383.327	
15	% Partido	4,19	4,40	90,27	1,13	0,00		
16		=SUMA(Progresista) > Totales Total / 2						

Figura 5.20. Introducimos una fórmula relacional.

3		Progresista	Conservador	Ecologista	Independentista	Nulos
4	Colegio 1	1.110	2.150	340.000	340	0
5	Colegio 2	1.890	1.560	252	121	2
6	Colegio 3	1.784	1.697	564	762	1
7	Colegio 4	1.195	2.219	764	256	3
8	Colegio 5	2.196	1.874	1.156	653	0
9	Colegio 6	1.920	2.263	357	154	2
10	Colegio 7	1.355	1.421	980	785	1
11	Colegio 8	983	1.712	546	625	1
12	Colegio 9	1.259	1.110	436	267	0
13	Colegio 10	2.356	875	989	378	3
14	Totales	16.048	16.881	346.044	4.341	13
15	% Partido	4,19	4,40	90,27	1,13	0,00
16		FALSO	FALSO	VERDADERO	FALSO	FALSO

Figura 5.21. La hoja tras añadir las fórmulas relacionales.

> **Nota:** *Si al evaluar una fórmula ve aparecer en una celdilla una sucesión de caracteres #, en lugar del resultado, debe saber que la columna no es lo suficientemente ancha. Puede ocurrirle esto al obtener el valor* VERDADERO. *Para solucionar este problema, simplemente ajuste manual o automáticamente el ancho de la columna, según se vio en un capítulo anterior.*

Trabajar con fórmulas II: Funciones

6.1. Introducción

La mayor parte de los cálculos que se han realizado en los ejercicios del capítulo previo, como las sumas de totales o los tantos por ciento, son bastante simples. A pesar de ello, ya hemos utilizado alguna función que los simplifica. Mediante la función SUMA, por ejemplo, se ha obtenido el total de un rango de celdillas.

¿Cómo podría obtenerse uno de esos totales si no dispusiésemos de la función SUMA? En este caso la respuesta es bastante simple, ya que SUMA(A1:A4), por poner un ejemplo, equivale a A1+A2+A3+A4.

Existen, no obstante, muchas otras operaciones de mayor complejidad. Imagine que desea obtener la raíz cuadrada de un dato, el seno de un ángulo, el valor medio de una lista de datos, el valor futuro de una inversión, la representación binaria de un número decimal, etc.

Las operaciones descritas, y muchas otras más, pueden realizarse en Excel mediante una serie de funciones predefinidas que, como SUMA, pueden ser usadas directamente en cualquier fórmula que escribamos.

En este capítulo va a aprender a trabajar con funciones, al tiempo que verá algunos ejemplos concretos de uso. Aunque se citarán grupos de funciones y algunas funciones específicas, lo cierto es que la cantidad de funciones ofrecidas por Excel es tal que sería preciso un libro completo para poder explicarlas.

No obstante, lo más importante es que tenga la base necesaria para poder usarlas, partiendo de aquí, lo único que precisará será una breve descripción de la función.

6.2. ¿Qué es una función?

Podríamos decir que una función es una fórmula compleja prefabricada, lista para usar donde pueda ser útil. En cierta forma las funciones son como pequeños programas que se ejecutan en el momento en que los llamamos por su nombre. En realidad, Excel permite ampliar el número de funciones disponibles. El usuario puede escribir cualquier función que necesite usando, precisamente, un lenguaje de programación, conocido como VBA (*Visual Basic for Applications*, Visual Basic para aplicaciones).

La mayoría de las funciones existentes necesitan argumentos sobre los que operar. En el caso de la función SUMA, por ejemplo, los argumentos son las celdillas a sumar. En caso de que la función precise varios argumentos o parámetros, cada uno se separará del siguiente mediante un punto y coma. Los argumentos facilitados a una función pueden ser prácticamente de cualquier tipo, desde valores numéricos hasta referencias a celdillas, pasando por los títulos o rangos. Incluso es posible usar como argumentos otras funciones, dando lugar a lo que se conoce como anidamiento. La fórmula siguiente, por ejemplo, llamaría a la función SUMA entregando tres argumentos, dos de los cuales son otras sumas y el tercero es un valor.

```
=SUMA(SUMA(B4:B12);SUMA(C4:C13);10)
```

En este caso, la función SUMA devuelve un valor que es resultado de la operación realizada. Muchas de las funciones de Excel devuelven un valor. Otras, por el contrario, realizan una determinada acción. Al llamar a una función no siempre es necesario entregar todos los parámetros, gracias a la existencia de argumentos opcionales. También existen funciones que, como SUMA, toman un número variable de argumentos.

6.3. Introducción de funciones

Generalmente las funciones se utilizan como parte de fórmulas o forman por sí mismas una fórmula. Su introducción en la hoja de cálculo puede efectuarse de diversos modos, ya sea en la propia celdilla o en la barra de fórmulas. El método más directo, si conoce el nombre de la función a usar y los argumentos que precisa, consiste en escribir manualmente esos elementos.

Si sabe la operación que quiere realizar pero no conoce el nombre de la función, o bien no sabe exactamente qué argumentos precisa, lo más fácil es hacer clic en el botón **Insertar función** del grupo Fórmulas>Biblioteca de funciones (véase la figura 6.1) de la Cinta de opciones. Ésta abre una ventana como la de la figura 6.2, en la que podrá encontrar todas las funciones disponibles.

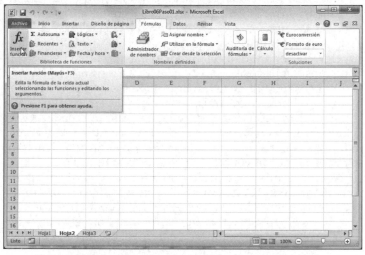

Figura 6.1. Opción para insertar funciones en la celdilla que tenga el foco de entrada.

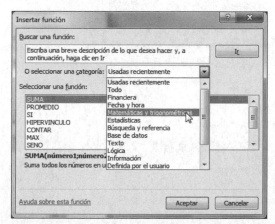

Figura 6.2. Ventana para pegar una función en una fórmula.

La lista desplegable que inicialmente nos expone el texto Usadas recientemente muestra los diversos grupos de funciones, mientras que la lista que hay debajo contiene los nombres de todas las funciones que pertenecen a la categoría elegida. En la parte inferior, debajo de esas dos listas, aparece una descripción de la finalidad de la función, así como la lista de argumentos que necesita.

Otra posibilidad es hacer clic en el botón de edición de fórmula, en la barra de fórmulas, usando la lista que aparece a la izquierda para seleccionar la función a utilizar, como se ve en la figura 6.3. En dicha lista aparecen las fórmulas que más usamos o que son habituales. Seleccionando el último elemento, se abrirá la misma ventana mostrada en la figura 6.2.

Elegida la función a utilizar, al abrir los paréntesis aparecerá una pequeña etiqueta flotante indicando los parámetros necesarios. La función SI, por ejemplo, necesita tres parámetros, como se aprecia en la figura 6.4. El parámetro que está introduciéndose o editándose aparece destacado en negrita.

Figura 6.3. Seleccionamos una función de la lista.

Figura 6.4. Introducción de los argumentos para la función.

A medida que van introduciéndose los argumentos, podrá ver cómo se activa el siguiente. Situando el puntero del ratón sobre ellos verá que aparecen como si fuesen hipervínculos de una página Web. Haciendo clic sobre el parámetro lo seleccionará en la fórmula para su edición.

Otra forma rápida de encontrar la función que necesitamos consiste en usar las distintas listas desplegables del grupo **Fórmulas>Biblioteca de funciones** de (véase la figura 6.1) la **Cinta de opciones**, tales como **Financieras**, **Lógicas**, **Texto**, etc. Cada lista nos ofrece las funciones de una cierta categoría, bastando un par de clics para introducirla en la hoja de cálculo.

> **Nota:** *Cada vez que escriba el nombre de una función en una fórmula, tanto si se encuentra en la celdilla como editando en la* **Barra de fórmulas**, *verá aparecer una lista desplegable en la que se van buscando dinámicamente las funciones que comienzan por las iniciales ya escritas, pudiendo seleccionar la que nos interese con el ratón. Es un método cómodo de autocompletar los nombres de funciones en lugar de escribirlos completos manualmente.*

6.3.1. Edición de funciones

Una función no es de por sí un dato válido en una celdilla. Siempre formará parte de una fórmula, elemento que ya sabemos cómo tratar. Para editar una función, por lo tanto, se utilizarán exactamente los mismos métodos que se vieron en el capítulo dedicado a las fórmulas. Es posible realizar la edición en la propia celdilla pulsando **F2**. También puede hacer clic en el botón de edición de fórmulas para trabajar directamente en la **Barra de fórmulas**.

Al utilizar la **Barra de fórmulas** para editar una función obtenemos algunos beneficios. Mediante la ventana que muestra la figura 6.5, que aparece al editar la función, es más fácil introducir los parámetros y, al tiempo, observar el resultado que generaría la función. En la parte inferior de la ventana, además, aparece una explicación sobre el parámetro que tengamos seleccionado en cada momento.

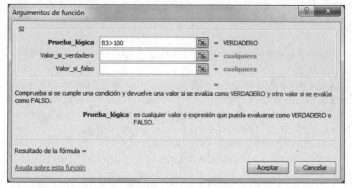

Figura 6.5. Edición de una función en la Barra de fórmulas.

6.4. Categorías de funciones

Todas las funciones de Excel pueden ser agrupadas en apenas una docena de categorías diferentes. Cada una de las categorías cuenta con un número variable de funciones, desde la media docena de funciones lógicas hasta las ochenta del grupo estadístico. En total, el número de funciones predefinidas en Excel es de más de trescientas.

El primer grupo, por la habitualidad con que se utilizan sus funciones, podría ser el que contiene las funciones matemáticas y trigonométricas. Estas funciones permiten, por ejemplo, obtener el valor absoluto de un número, el seno de un ángulo, el valor de π o el factorial de un número.

También son usadas de forma habitual las funciones del grupo estadístico. Con ellas puede conocer el valor máximo de una lista dada, el valor mínimo, la media aritmética, la desviación, varianza, moda, coeficiente de correlación, percentiles, etc.

En un tercer grupo se encuentran las funciones financieras que, como su propio nombre indica, están relacionadas con cálculos económicos. Con estas funciones podría calcular cuál sería el pago por periodo de un préstamo, facilitando el capital prestado, el tipo de interés y el número de periodos de amortización. Éste sólo es un ejemplo de las más de cincuenta funciones que hay en esta categoría.

Las funciones de texto, algo más de veinte, se utilizan para llevar a cabo diversas conversiones, extraer partes de un título, sustituir, buscar textos, etc.

El grupo menos numeroso es el de las funciones lógicas. Éstas se usan conjuntamente con fórmulas relacionales, permitiendo evaluar una o varias expresiones para obtener un único resultado.

Otro grupo es el de las funciones de fecha y hora. Con ellas puede obtener la fecha actual o cualquiera de sus componentes, como el mes, el día del mes o el día de la semana. También puede recuperar la hora o uno de sus componentes de manera individual.

Las funciones de dos grupos: búsquedas y bases de datos, se utilizan para manejar información almacenada en listas o tablas. Con ellas es posible buscar un determinado dato, así como realizar operaciones de tipo estadístico con ellos.

> **Nota:** *Una lista de datos no es más que una columna con varias celdillas conteniendo información. Una tabla es la combinación de varias columnas y filas.*

Mediante el grupo de funciones informativas puede recuperar datos diversos acerca del sistema y la hoja de cálculo. En este grupo también hay funciones que permiten realizar diversos análisis sobre los datos, comprobando, por ejemplo, si una celdilla contiene un número, un texto o un error.

6.5. Algunos ejemplos

Como se indicaba al inicio del capítulo, el número de funciones que incorpora Excel es tan extenso que difícilmente podría exponerse un ejemplo de cada una de ellas sin llenar varios cientos de páginas. No obstante, en el resto de este capítulo va a poder ver algunos ejemplos concretos que le sirvan como guía. Para comenzar, partiremos de una nueva hoja de cálculo que contiene datos sobre la población y el parque de vehículos de varios países, concretamente de América, y los datos globales. Estos datos, como puede ver en la figura 6.6, han sido adecuadamente formateados y totalizados. Para ello se ha utilizado la opción **Estilos de celda**, por una parte, y los totales automáticos, por otra, así como algunos elementos de la ficha **Inicio** de la **Cinta de opciones** para establecer colores y tipos de letra.

Se puede encontrar esta hoja de ejemplo en el documento `Libro06Paso01`. Si lo abre, no tendrá que introducir todos los datos y podrá proceder directamente a los cálculos que se van a proponer a continuación.

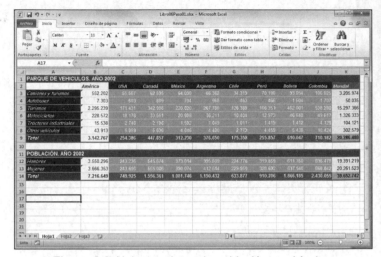

Figura 6.6. Hoja con datos de población y vehículos.

6.5.1. Cálculo de promedios

Partiendo de los datos con que contamos en este momento, es posible obtener algunos resultados que permitirán hacer comparaciones interesantes. Partiendo de la cantidad de vehículos, así como la población por país, puede calcularse el promedio nacional de vehículos y habitantes.

Para calcular el promedio de una lista de datos se usa la función estadística PROMEDIO que, al igual que SUMA, puede tomar un número variable de argumentos. Éstos pueden ser números, referencias a celdillas, rangos o nombres, como en cualquier fórmula.

Suponga que quiere calcular el promedio nacional de camiones y turismos que hay en América. El foco de entrada lo colocaría en la fila adecuada, la de camiones y turismos, y en la columna que hay más a la derecha de la tabla de datos. Acto seguido abriríamos la lista **Autosuma** de **Biblioteca de funciones** y elegiríamos la opción **Promedio**, de forma que esa función se insertaría automáticamente en la celdilla actual y, además, se seleccionaría el rango de datos correspondiente a todas las columnas previas de la fila actual. Ajustaremos esa selección para tomar los datos de los ocho países, como se ve en la figura 6.7, sin incluir el total.

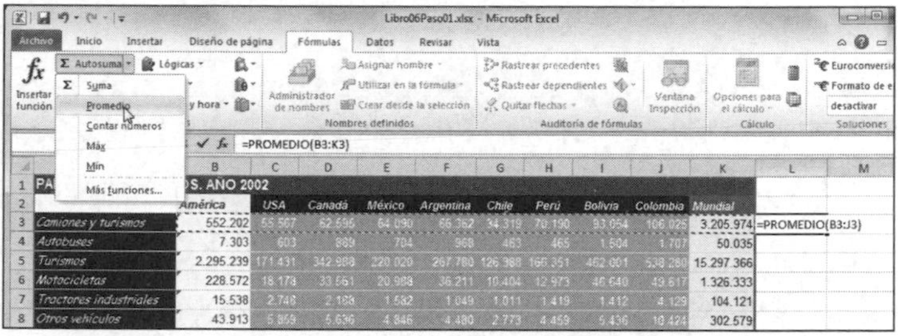

Figura 6.7. Introducimos el cálculo del promedio provincial.

El promedio es una media aritmética, cálculo simple de realizar si se conoce el número de elementos que intervienen en el cálculo. Para obtener el promedio mundial, por ejemplo, podría dividirse el dato que hay en la celdilla `Mundial Camiones y turismos` entre 247, que es el número de países del mundo. Esto es, precisamente lo que se ha hecho en la celdilla situada a la derecha de la anterior.

Copiando las dos fórmulas introducidas al resto de los datos de la hoja, obtendría unos resultados similares a los mostrados en la figura 6.8. Es fácil ver, por ejemplo, que el promedio de turismos mundial es superior al de América. El promedio de población, por el contrario, es superior en esta región respecto al resto del planeta.

K	L	M
	Promedio	
Mundial	América	Mundial
32.059.740	69.025	129.797
500.350	913	2.026
152.973.660	286.905	619.327
13.263.330	28.572	53.698
1.041.210	1.942	4.215
3.025.790	5.489	12.250
202.864.080	392.846	821.312
	América	Mundial
19.391.219	443.787	78.507
20.261.523	458.294	82.030
39.652.742	1.302.358	160.537

Figura 6.8. Resultados obtenidos tras copiar las fórmulas.

6.5.2. La lógica de las funciones

Los datos numéricos son muy útiles pero, indudablemente, para las personas suelen ser más lógicas indicaciones claras, como el promedio de vehículos en Chile es inferior a la media de América. Una indicación de este tipo nos ahorra tener que comparar datos, de tal forma que la lógica la pone la hoja de cálculo.

El grupo de funciones lógicas cuenta con una función, llamada SI, que permite evaluar una fórmula relacional y devolver uno de dos valores, según que el resultado sea VERDADERO o FALSO. Vamos a aprovechar esta función para obtener una indicación clara, por ejemplo la palabra Inferior o Superior, que permita saber si el número de vehículos de cada país es mayor o menor que el promedio del continente.

En este caso situaremos el foco de entrada en la celdilla C10, justo debajo de los totales de vehículos y, como en el punto anterior, seleccionaremos la función a insertar para iniciar la edición de la fórmula, en este caso abriremos la lista **Lógicas** y elegiremos la opción **SI**. En la figura 6.9 puede ver los tres argumentos que precisa la función SI. El primero es la relación a analizar, mientras que los otros dos son los valores a devolver si dicha relación es cierta o falsa, respectivamente.

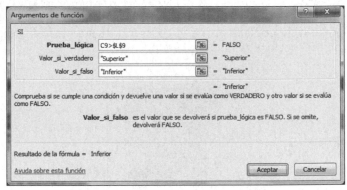

Figura 6.9. Usamos la función lógica SI.

La referencia a la celdilla que contiene el total del país es relativa, mientras que la que se refiere al promedio nacional es absoluta. De esta manera podrá copiar la fórmula a las demás celdillas para obtener los correspondientes resultados. Puede, además, añadir un formato condicional para destacar, por ejemplo, los países que están por debajo del promedio, como se ha hecho en la figura 6.10.

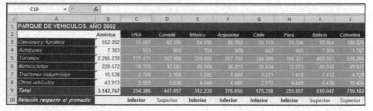

		C18	▼	f_x					
PARQUE DE VEHÍCULOS. AÑO 2002									
	América	USA	Canadá	México	Argentina	Chile	Perú	Bolivia	Colombia
Camiones y turismos	552.202	55.567	62.595	64.890	66.362	34.319	70.190	93.054	106.025
Autobuses	7.303	603	889	704	968	463	465	1.504	1.707
Turismos	2.295.239	171.431	342.988	228.020	267.760	126.388	166.351	462.001	538.280
Motocicletas	228.572	18.178	32.561	20.988	36.211	10.404	12.973	46.640	49.617
Tractores industriales	15.538	2.748	2.188	1.592	1.049	1.011	1.419	1.412	4.129
Otros vehículos	43.913	5.859	5.636	4.846	4.480	2.772	4.459	5.436	10.424
Total	3.142.767	254.386	447.857	312.230	376.850	175.358	255.857	610.047	710.182
Relación respecto al promedio		Inferior	Superior	Inferior	Inferior	Inferior	Inferior	Superior	Superior

Figura 6.10. Tan sólo tres países están por encima del promedio.

6.5.3. Unos indicadores generales

Usando la misma fórmula utilizada para obtener la relación con los promedios de vehículos, también puede añadir ese mismo dato para la población. De esta forma ahora puede saber de inmediato si los vehículos y la población de cada país se encuentran por encima o por debajo del promedio.

No obstante, para simplificar aún más la interpretación, es posible resumir los datos obteniendo un único valor por celdilla que nos permita conocer: el país, su relación respecto al promedio de vehículos y lo mismo para la población.

Lo que queremos obtener en cada celdilla son las tres primeras letras del nombre de cada país, una V seguida de un + o -, indicando la relación respecto al promedio de vehículos, y una P seguida de los mismos elementos. Para poder conseguir este resultado precisamos básicamente dos elementos: extraer y combinar partes de títulos y tomar decisiones lógicas. Lo segundo ya sabemos cómo hacerlo, usando la función SI, por lo que nos centraremos en lo primero.

De entre las funciones de cadena nos encontramos una, llamada IZQUIERDA, que extrae de un cierto dato, facilitado como primer argumento, un número determinado de caracteres comenzando por la izquierda. Dicho número sería el segundo argumento.

Para unir dos textos, ya sea facilitados directamente entre comillas o tomados de una celdilla o resultado de una función, se utiliza el operador &. Éste une dos cadenas y devuelve el resultado de esa unión.

Conociendo las funciones IZQUIERDA y SI y el operador &, podría utilizarse una fórmula como la mostrada en la parte superior de la figura 6.11 para obtener el resultado que buscamos. Primero, mediante la función IZQUIERDA, se extraen los tres primeros caracteres del nombre del país. Estos caracteres se unen, utilizando el operador &, con la letra V y el resultado devuelto por la función SI, que será un símbolo + o −. A continuación, a todo el resultado anterior se añade la letra P y el resultado de la segunda función SI. Finalmente, se obtiene un resultado que puede ver en la parte inferior de la misma imagen.

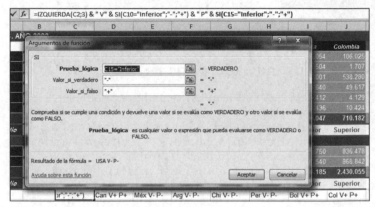

Figura 6.11. Indicadores generados con funciones de cadena.

6.5.4. Introducción de hipervínculos

Una de las funciones de la categoría de búsqueda y referencias es HIPERVINCULO. Con ella es posible introducir en la hoja de cálculo hipervínculos similares a los que se usan en los documentos Web. Con esta técnica es posible, por ejemplo, disponer una referencia a un archivo externo, una carpeta o una dirección de Internet.

Los datos introducidos en la hoja de cálculo que se está usando como ejemplo son totalmente ficticios pero, suponiendo que se hubiesen obtenido de algún organismo oficial de estadística, podríamos introducir una referencia al mismo en la propia hoja de cálculo. Imagine que, para facilitar la búsqueda de actualizaciones de estos datos, desea incluir un enlace directo a su página Web. Para hacerlo introduciría una fórmula en la que se usaría la función HIPERVINCULO, como puede verse en la figura 6.12. Ésta toma dos argumentos: la dirección de destino y una descripción. La descripción aparecerá con los atributos típicos de un hiperenlace (véase la figura 6.13).

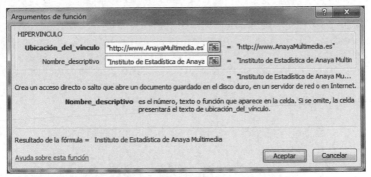

Figura 6.12. Introducimos un hiperenlace en la hoja.

	A	B	C	D	E
13	*Mujeres*	3.666.353	243.696	555.006	390.074
14	*Total*	7.216.649	749.925	1.556.361	1.081.746
15	*Relación respecto al promedio*		Inferior	Superior	Inferior
16	Indicadores generales		USA V- P-	Can V+ P+	Méx V- P-
17					
18					
19	*Datos obtenidos del* IEA	Instituto de Estadística de Anaya Multimedia			
20		http://www.AnayaMultimedia.es - Haga clic			
21		una sola vez para seguir. Haga clic y			
22		mantenga presionado el botón para			
23		seleccionar esta celda.			

Figura 6.13. Detalle del hiperenlace introducido en la hoja.

Nota: Si no tiene acceso a Internet, cambie la referencia a la Web de Anaya Multimedia por una referencia a un archivo local, por ejemplo a uno de los documentos de ejemplo usados en capítulos previos. Podrá ver que, al hacer clic sobre el enlace, Excel abre automáticamente el archivo referenciado.

6.6. Mostrar fórmulas

Por defecto Excel muestra en cada celdilla el resultado que se obtiene a partir de las fórmulas, en lugar de las fórmulas propiamente dichas. Puede suceder, sin embargo, que en un momento determinado interese ver las fórmulas en las celdillas. Esto permitiría, por ejemplo, obtener una copia impresa de toda la hoja de cálculo, pero no de los resultados sino de las fórmulas usadas para obtenerlos.

En la ficha **Fórmulas** de la **Cinta de opciones**, concretamente en el grupo **Auditoría de fórmulas**, existe un botón llamado **Mostrar fórmulas**. Puede verlo en la figura 6.14, el puntero está situado sobre dicho botón. Haciendo clic en él conseguirá que en las celdillas se muestren las fórmulas, como se aprecia en la figura 6.15. En este momento podría, por ejemplo, imprimir la hoja con las fórmulas en lugar de con los resultados.

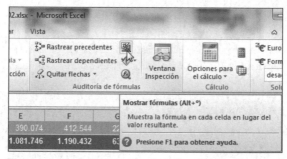

Figura 6.14. Activamos la visualización de fórmulas.

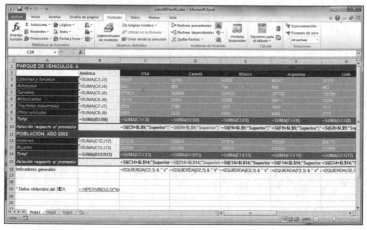

Figura 6.15. Las celdillas mostrando las fórmulas en lugar de los resultados.

En lugar de usar la citada opción repetidamente, cada vez que quiere activarse o desactivarse la visualización de fórmulas, es más cómodo usar la combinación de teclas **Alt-º** para conseguir lo mismo.

Imprimir y compartir hojas de cálculo

7.1. Introducción

Los datos introducidos en una hoja de cálculo, junto con los resultados obtenidos a partir de las fórmulas, son de suma utilidad. En ocasiones, sin embargo, dicha información debe transmitirse a otros destinatarios que no son los propios usuarios de la hoja, en este caso, nosotros.

Básicamente existen dos formatos para transmitir datos como los que tenemos: en papel o en formato electrónico. Con Excel podemos usar cualquiera de los dos, imprimiendo la información, publicándola en Internet o una *intranet* o enviándola por correo electrónico.

Este capítulo le servirá para aprender a transmitir la información contenida en sus hojas de cálculo. En ocasiones esto implica un proceso previo de preparación, ya sea para la impresión o para la publicación.

7.2. Impresión

Aunque, en teoría, la gestión electrónica de la información debería disminuir el uso de papel, anecdóticamente ocurre justo lo contrario, ya que toda esa información, tarde o temprano, quiere obtenerse en un soporte físico. Esto explica que prácticamente no exista un programa que carezca de la opción de impresión. Imprimir en Excel puede ser una tarea muy simple. Realmente, basta con abrir la vista Backstage, seleccionar la opción Imprimir y hacer clic en el botón del mismo nombre para obtener una copia impresa de la hoja de cálculo.

Este método de impresión, simple y rápido, asume que se quiere imprimir todo el contenido de la hoja de cálculo usando la configuración por defecto de la impresora por defecto. Es decir, no se tiene control alguno sobre el dispositivo de salida, su configuración o la propia configuración de los datos a imprimir.

Si desea obtener todo ese control, básicamente con el fin de mejorar la impresión de sus datos, siga leyendo. En los puntos siguientes se acometen los temas más importantes relacionados con el proceso de impresión.

7.2.1. Configurar el documento a imprimir

Por regla general antes de proceder con la impresión de una hoja de cálculo siempre se realiza una configuración previa. Con este fin utilizaremos las opciones de la ficha Diseño de página de la Cinta de opciones.

Esta ficha tiene cuatro grupos de opciones como se aprecia en la figura 7.1, cada uno de las cuales contiene un importante número de opciones o apartados. El botón que hay en la esquina inferior derecha de Configurar página da paso al cuadro de diálogo del mismo nombre, una ventana con cuatro páginas cada una de las cuales facilita la configuración de un aspecto concreto.

Figura 7.1. Ficha Diseño de página de la Cinta de opciones.

En el parte inferior del cuadro de diálogo Configurar página siempre aparecen tres botones: **Imprimir**, **Vista preliminar** y **Opciones**. El primero cierra la ventana de configuración y abre la de impresión, que se tratará en un punto posterior. El segundo muestra la vista Backstage con visualización previa, que también analizaremos más adelante. El botón **Opciones**, por último, lo que hace es dar paso a la ventana de opciones de la propia impresora, desde la que, habitualmente, podrá seleccionar el tipo de papel, la bandeja de entrada, resolución, etc.

La mayoría de las tareas de configuración que se explican a continuación pueden llevarse a cabo tanto desde el cuadro de diálogo **Configurar página** como mediante las opciones de la ficha **Diseño de página** de la **Cinta de opciones**. En unos casos resultará más cómodo acudir a un elemento o a otro, será su uso habitual el que determine dónde recurrir para cada tarea concreta.

Configuración de página

La primera página de la ventana de configuración afecta a la página de impresión. Sus opciones son las que puede ver en la figura 7.2. En la parte superior puede seleccionar la orientación de la página a la hora de imprimir. Por defecto, lo habitual es que la orientación sea vertical, pero puede cambiarse a apaisada u horizontal tan sólo seleccionando una opción.

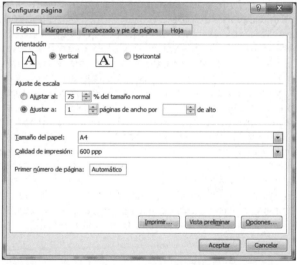

Figura 7.2. Configuración de atributos de página.

Puede cambiar la orientación del papel sin necesidad de abrir el cuadro de diálogo, sencillamente desplegando las opciones de **Orientación** del grupo **Configurar página** y seleccionando la que nos interese (véase la figura 7.3).

Habitualmente los datos se transfieren al papel respetando su tamaño original. En la pantalla no hay problema si la hoja excede del ancho o alto disponible, puesto que siempre es posible desplazar el contenido. En papel, por el contrario, esto no es posible, por lo que habría que utilizar varias páginas.

Figura 7.3. Podemos alterar la orientación de página desde la Cinta de opciones.

Con las opciones del apartado **Ajuste de escala** puede tanto cambiar la proporción, haciendo que al imprimir los datos aparezcan reducidos o expandidos; como ajustar todo el contenido a un determinado número de páginas horizontal y verticalmente. Esta última posibilidad es muy interesante, ya que si la hoja excede por poco de un número de páginas, extendiéndose a otra nueva, Excel puede realizar el ajuste necesario para que cuadre en las páginas que se indiquen.

La parte inferior de la ventana cuenta con tres opciones: seleccionar el tamaño del papel que va a usar para imprimir, indicar la calidad de impresión y, por último, facilitar un número de página inicial para la numeración. Por defecto, las páginas se numerarán a partir del 1 si no se especifica lo contrario.

El tamaño de página puede seleccionarse también de la opción **Diseño de página>Configurar página>Tamaño** de la **Cinta de opciones**, como se indica en la figura 7.4. Normalmente encontraremos el tamaño adecuado en esta lista.

Márgenes

La segunda página de la ventana (véase la figura 7.5) se utiliza para definir los márgenes de impresión aunque, como se verá después, dichos márgenes también pueden alterarse desde la ventana de vista previa y con la opción **Márgenes** de la **Cinta de opciones**.

Los apartados **Superior**, **Inferior**, **Izquierdo** y **Derecho** contienen el espacio que hay, en centímetros, desde el borde del papel indicado hasta el inicio del área de impresión. En caso de que al imprimir vayan a utilizarse cabeceras y pies, los apartados **Encabezado** y **Pie de página** especificarán cuánto espacio hay reservado para ellos.

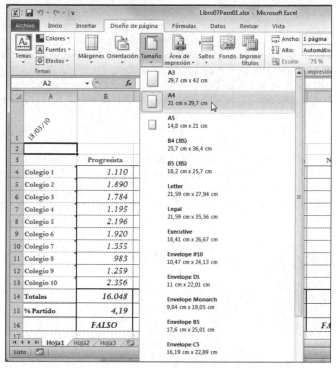

Figura 7.4. Lista de tamaños de papel disponibles.

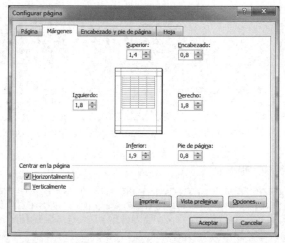

Figura 7.5. Establecimiento de los márgenes.

En la página que aparece en el centro de esta ventana se muestra el espacio que ocuparían los datos. En este caso, como puede ver en la figura 7.5, dichos datos no completan una página. Sería apropiado, por lo tanto, ajustar los márgenes para que, al imprimir, la información quedase centrada. No obstante, no es necesario hacer este ajuste manualmente, basta con hacer clic sobre las opciones que hay en la parte inferior para ajustar horizontalmente, verticalmente o ambos.

Por regla general siempre usaremos los mismos márgenes a la hora de imprimir, razón por la cual la opción **Márgenes** de **Diseño de página>Configurar página** nos ofrece (véase la figura 7.6) una lista de márgenes predefinidos. Las opciones más habituales son **Normal, Ancho** y **Estrecho**. La opción **Márgenes personalizados** nos llevaría al cuadro de diálogo descrito hace un momento.

Figura 7.6. Selección de márgenes desde la Cinta de opciones.

Encabezados y pies

Llegamos a la tercera de las páginas de configuración, que contiene los elementos que puede ver en la figura 7.7. Los espacios en blanco que hay en la parte superior e inferior, justo encima y debajo de las listas desplegables, son una vista previa de cómo quedarán la cabecera y el pie, respectivamente.

Figura 7.7. Definición de la cabecera y el pie.

Existen una serie de encabezados y pies ya predefinidos, que no hay más que elegir de la lista desplegable para usarlos. Éstos combinan elementos como el número de página actual, el número de páginas totales, el nombre del libro o de la hoja, el nombre del autor, la fecha, etc.

Si ninguno de los formatos preestablecidos se adapta a nuestras preferencias, siempre podemos optar por personalizar el contenido de la cabecera y el pie. Con este fin hay que hacer clic sobre el botón correspondiente, de los dos que hay en la parte central, accediendo a una ventana como la de la figura 7.8.

El primer botón que hay, comenzando por la izquierda, se usa para establecer los atributos del texto de la sección elegida. En dichas secciones podemos introducir un texto cualquiera, tan sólo hay que situar el cursor en el punto adecuado y escribir.

Los otros botones se usan para insertar algunos elementos especiales, concretamente el número de página, el número total de páginas, la fecha, la hora, el nombre del libro, un gráfico o el nombre de la hoja.

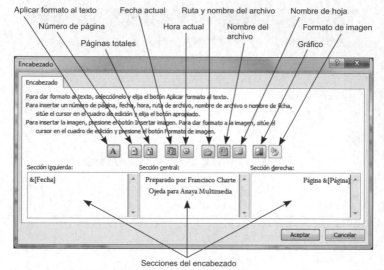

Figura 7.8. Ventana de personalización de encabezado y pie de página.

Otras opciones

La última página de la ventana de configuración, llamada Hoja, contiene una decena de apartados que facilitan la personalización de otros tantos aspectos. Inicialmente, la apariencia de esta página será similar a la que puede ver en la figura 7.9, aunque las opciones marcadas podrían ser otras.

Por defecto Excel siempre imprime la hoja completa que esté seleccionada, dividiéndola, si es preciso, en varias páginas físicas. Puede darse el caso, sin embargo, de que necesite imprimir sólo una porción de la hoja, por ejemplo sólo el recuadro de datos. El apartado Área de impresión de esta ventana permite especificar el rango a imprimir. Puede introducirlo manualmente o, haciendo clic en el botón 🖼 que hay a la derecha, acceder a la hoja y marcar el área mediante cualquiera de los métodos que ya conoce.

> **Nota:** Al hacer clic en 🖼, ya sea en el apartado indicado en esta ventana o en cualquier otra, el cuadro de diálogo se convierte en una pequeña ventana flotante que le permite acceder a la hoja de cálculo. Haciendo clic en el botón 🖼 en dicha ventana, se abrirá otra vez el cuadro de diálogo y podrá continuar con la configuración.

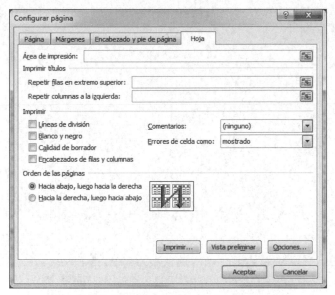

Figura 7.9. Otras opciones de configuración.

Otra forma de establecer el área que queremos imprimir consiste, sin llegar a abrir el cuadro de diálogo anterior, en seleccionar el rango de celdillas deseado y a continuación elegir la opción Establecer área de impresión del botón **Área de impresión**, como se hace en la figura 7.10. Observe que debajo hay otra opción, llamada Borrar área de impresión, que anularía el efecto de la anterior.

El contenido de una hoja de cálculo puede ser tan extenso que, en la práctica, sea imposible introducirlo en una sola página. Pueden ser precisas varias páginas en sentido vertical, dependiendo del número de filas de datos; y también en sentido horizontal, si el número de columnas también es grande.

Cuando los datos de una hoja de cálculo se dividen en varias páginas, inicialmente los títulos de filas y columnas que habíamos puesto aparecen tan sólo en las primeras páginas en sentido vertical y horizontal. Esto, no obstante, puede corregirse de una forma muy simple. En la ventana anterior existen dos apartados: Repetir filas en extremo superior y Repetir columnas a la izquierda, que sirven para indicar las filas y columnas que contienen los títulos. Las filas se repetirán cada vez que haya un avance de página vertical, mientras que las columnas harán lo propio al producirse un salto horizontal.

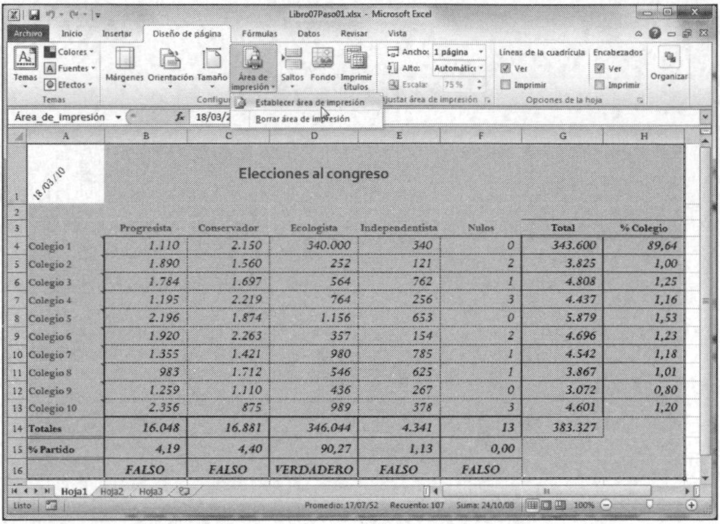

Figura 7.10. Establecemos el área de impresión.

En el apartado Imprimir puede ver un conjunto de varias opciones mediante las cuales puede elegir, por ejemplo, imprimir las líneas de división de la hoja en el papel, incluir los números de filas y letras de columnas o imprimir en blanco y negro. Esta última opción es interesante cuando, habiendo usado colores en el documento, el destino de impresión tan sólo contempla el blanco y negro. Marcándola se conseguirá que la impresión sea más legible ya que, por defecto, Excel intentará convertir los colores en tramas de puntos y niveles de grises, lo cual no siempre da buen resultado.

Por último, en esta página de la ventana de configuración, tiene el apartado Orden de las páginas. Su finalidad es simplemente establecer el orden en que se imprimirán las páginas. Por defecto se imprimen en sentido vertical, de arriba abajo, y después en horizontal, de izquierda a derecha. Tan sólo hay que cambiar de opción para seleccionar el orden inverso.

7.2.2. Vista previa

Realizada la configuración puede proceder a imprimir de forma inmediata. Si lo desea, no obstante, puede obtener en pantalla una vista previa, es decir, ver cómo resultaría en papel la impresión de los datos.

Puede abrir la ventana de vista previa desde diversos puntos: si tiene abierta la ventana de configuración, simplemente haga clic en **Vista preliminar**; en caso contrario, seleccione la opción Imprimir de la vista Backstage.

En cualquier caso, independientemente del procedimiento utilizado, la ventana abierta será parecida a la que puede ver en la figura 7.11. En el margen izquierdo hay un conjunto de botones y opciones que permiten realizar prácticamente toda la configuración sin necesidad de recurrir a la Cinta de opciones, mientras que el resto de la ventana está ocupada por una representación de lo que sería la página impresa.

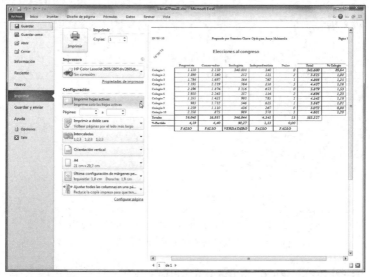

Figura 7.11. Vista previa de la impresión
de nuestra hoja de cálculo.

Nuestra hoja de cálculo actual no tiene muchos datos y puede imprimirse en una sola página. En caso de que las páginas fuesen varias, los dos botones que hay en la parte inferior, en forma de flechas hacia izquierda y derecha, servirían para recorrer las páginas e ir viendo cómo quedarían impresas. El botón que hay en la parte inferior derecha alterna entre dos modos de visualización posibles: ver la página completa o ver a tamaño normal.

El botón **Imprimir**, en la parte superior del panel izquierdo, inicia la impresión según la configuración que puede verse actualmente. Todos los elementos existentes debajo facilitan la configuración estableciendo el área a imprimir, la orientación del papel y su tamaño, los márgenes, etc. Cada uno de ellos dispone, como se aprecia en la figura 7.12, de una lista desplegable con múltiples opciones que facilitan la elección rápida de los parámetros de impresión.

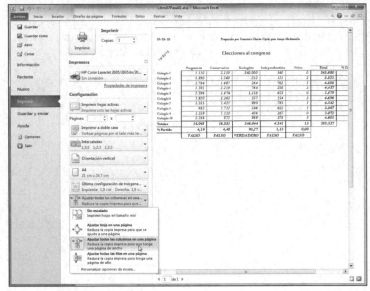

Figura 7.12. Ajustamos las columnas para imprimirlas todas en una página.

Previsualización de los márgenes

En la ventana de configuración, descrita en el punto anterior, existía una página para establecer los márgenes de impresión y los márgenes de cabeceras y pies. Marcando el botón **Mostrar márgenes** de la ventana de vista previa, que está situado en la parte inferior derecha, podrá ver gráficamente dónde se encuentran esos márgenes. Para ello aparecerán una serie de líneas discontinuas a cada margen de la página, así como delimitando el encabezado y el pie de página.

Lo más interesante, sin embargo, no es que se vean gráficamente los márgenes, sino que es posible actuar sobre ellos utilizando la técnica de arrastrar y soltar. Basta con desplazar el puntero del ratón hasta situarlo sobre una línea de margen, momento en que el puntero cambiará de forma, y a continuación moverlo donde interese. En la figura 7.13 puede ver cómo se modifica el margen existente para el encabezado, de tal forma que éste quede con una cierta separación respecto al contenido de la hoja.

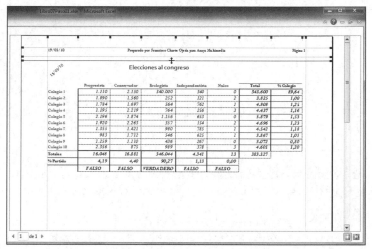

Figura 7.13. Ajuste visual de los márgenes de impresión.

7.2.3. El modo de diseño de página

Otra forma de comprobar cómo quedaría la impresión de nuestros datos, examinar y ajustar los márgenes, establecer cabeceras y pies de página, etc., consiste en activar el modo de diseño de página, sencillamente haciendo clic sobre el botón **Diseño de página** que existe en la parte inferior derecha de la ventana de Excel, junto a la barra que controla el nivel de zoom.

En el modo de diseño de página podremos ver una o más hojas completas, dependiendo de cómo ajustemos el zoom, y el área que ocuparían los datos en ellas. El área de impresión actual aparece marcada con un borde de trazos, fuera de los cuales se encontrarán el encabezado y el pie de página. Un clic sobre cualquiera de esos elementos, en la figura 7.14 puede verse cómo el puntero ilumina la parte central del encabezado, nos permitirá modificarlo sin necesidad de abrir el cuadro de diálogo explicado con anterioridad.

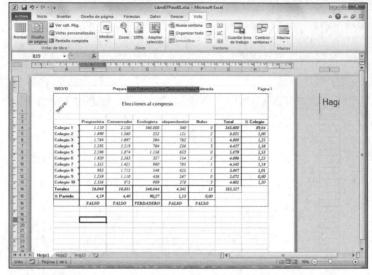

Figura 7.14. La hoja de cálculo en modo de diseño de página.

Las partes superior e izquierda de la interfaz contienen unas reglas que nos indican tanto el tamaño del papel como los márgenes establecidos actualmente. Mediante operaciones de arrastrar y soltar es posible adecuar esos márgenes y ver el resultado de forma inmediata, sin emplear las opciones mencionadas en los puntos previos. En caso de que la información ocupase varias páginas, desplazándonos abajo y a la derecha, o reduciendo el nivel de zoom, podríamos observar la distribución de los datos antes de llegar a imprimirlos.

Encontrándonos en el modo de diseño de página podemos continuar trabajando con la información que contiene la hoja, introduciendo datos y fórmulas o efectuando cualquier otra de las tareas que ya conocemos.

7.2.4. División de páginas

Además de la vista normal y la de diseño de página, que ya conocemos, existe una tercera forma de estar viendo la hoja de cálculo: la que se utiliza para ver y ajustar la división entre páginas. Puede activar este modo de distintas maneras, pero lo más rápido es hacer clic sobre el botón **Vista previa de salto de página** que hay en la parte inferior derecha, junto al botón **Diseño de página**.

Para ver en la práctica cómo funciona la ventana de previsualización de saltos de página, lo primero que haremos será copiar toda la tabla de datos varias veces, tanto en sentido vertical como horizontal. De esta forma habrá datos suficientes para llenar varias páginas. Acto seguido haga clic sobre el botón citado, lo que causará que la hoja de cálculo aparezca con un aspecto similar al de la figura 7.15. En su pantalla, lógicamente, la visión será más clara.

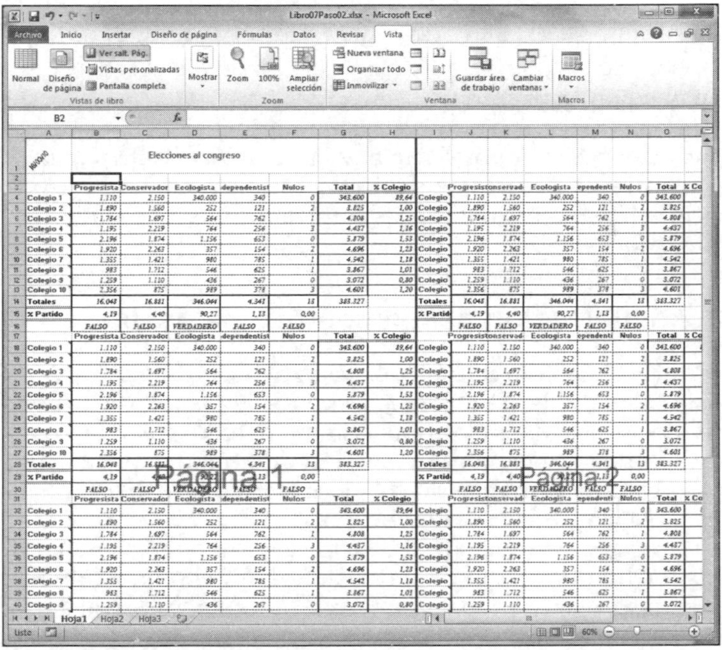

Figura 7.15. Previsualización de división entre páginas.

Fíjese en la existencia de una serie de líneas, normalmente más gruesas y en color azul. Éstas indican el punto exacto en que se separa una página de la adyacente, ya sea en sentido vertical u horizontal. Puede utilizar la técnica de arrastrar y soltar para reajustar estas divisiones, de forma que las páginas, al imprimirse, no queden cortadas de forma brusca por algún punto que debería mantenerse unido. Lógicamente, para dar cabida a la nueva información Excel ajustará el tamaño de letra de la información a fin de introducirla en una misma página.

Observe, también, que sobre cada página aparece un título que indica el número de página en que se imprimirá cada parte. El orden de impresión se estableció, como recordará, en la ventana de configuración, en la página Hoja.

Utilice la barra que controla el nivel de zoom para ver más o menos páginas de una sola vez, recurriendo a las barras de desplazamiento para acceder al resto de las páginas.

Una vez que los saltos de página se adecuen a nuestros requerimientos, podemos usar de nuevo el botón que activa el modo de diseño de página para ver cómo se efectuaría la impresión. Si está a nuestro gusto, no tenemos más que abrir la vista Backstage, seleccionar la opción Imprimir y hacer clic en el botón **Imprimir**.

Para volver al modo de trabajo normal con la hoja, haga clic en el botón **Normal** que hay junto a **Diseño de página** y **Vista previa de salto de página**. Podrá ver que los saltos de página aparecen como líneas punteadas, pero no puede actuar sobre ellos.

7.2.5. Selección del dispositivo de destino

Al abrir la vista Backstage y elegir la opción Imprimir en la lista desplegable Impresora aparecerá seleccionado el dispositivo por defecto. Es el propio sistema operativo el que indica a Excel qué dispositivo está configurado como impresora por defecto, parámetro que puede modificar, si así lo desea, desde el panel Dispositivos e impresoras de Windows 7.

En cualquier caso, desde Excel siempre podrá cambiar el dispositivo de salida de impresión. Para ello no tiene más que desplegar la citada lista (véase la figura 7.16) y elegir el que le interese.

Antes de hacer clic sobre el botón **Imprimir**, enviando a la impresora la información a imprimir, también puede ajustar el número de copias que desea con el control dispuesto a la derecha de ese botón.

7.3. Publicación

Utilizar el papel para transmitir información tiene bastantes inconvenientes. El primero, y más importante, es el propio gasto de papel, que influye en el medio ambiente. El segundo es que, si el destinatario no se encuentra a nuestro lado sino en el otro extremo del país o del mundo, será preciso enviar ese papel por correo o transporte. Esto implica mayor uso de recursos en todos los aspectos.

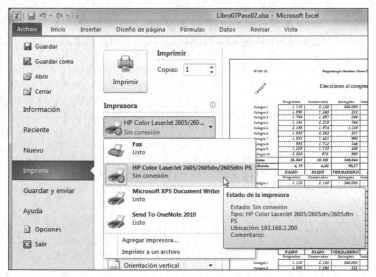

Figura 7.16. Selección de la impresora destino del trabajo.

Una alternativa, cada vez más utilizada, es la publicación electrónica de los datos, siendo el método preferente la Web. Los datos publicados en un servidor Web pueden estar accesibles públicamente o de manera restringida, dependiendo de la configuración de seguridad del propio servidor.

Otro método de publicación, personal y directo, consiste en enviar la información por correo electrónico directamente a su destinatario. Éste podrá verla en pantalla o, si lo prefiere, imprimirla finalmente en papel.

También puede compartir documentos con un equipo de trabajo, gracias a la integración de Excel 2010 con SharePoint Services. Para usar esta funcionalidad es preciso contar con una instalación de Windows SharePoint Services, típicamente en un servidor compartido al que tendrán acceso los distintos usuarios de Excel que trabajen con los documentos.

Finalmente tenemos los formatos de papel electrónico, tales como PDF o el nuevo XPS, que nos permiten enviar la información en un único archivo conservando todos los atributos del documento original pero en un formato no editable.

Está claro que la publicación electrónica consume menos recursos y tiene menos barreras, ya que a través de Internet un documento puede cruzar el mundo en unos minutos.

7.3.1. Crear documentos Web para visualización

Una hoja de cálculo, como la que tenemos en este momento, puede guardarse directamente como un documento Web. Para ello, basta con seleccionar la opción Guardar como de la vista Backstage. Ésta hará aparecer un cuadro de diálogo (véase la figura 7.17). Despliegue la lista adjunta a la opción Tipo y elija Página Web. A continuación puede elegir entre publicar la hoja actual o todo el libro. En nuestro caso, puesto que hasta ahora tan sólo hemos introducido datos en una de las hojas del libro, el resultado sería el mismo.

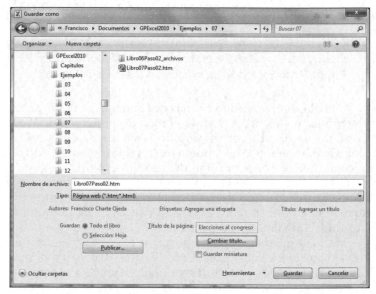

Figura 7.17. Cuadro de diálogo para publicación como página Web.

Con el botón **Cambiar título** podrá asignar un título a la página Web, que aparecerá en la barra de título del navegador. Por defecto dicho título suele ser el nombre del archivo donde se encuentra la hoja de cálculo. También puede desplegar el menú asociado al botón **Herramientas** y, con la opción Opciones Web, configurar muchos otros aspectos de la publicación, tales como los navegadores para los que se optimizará el archivo, el método de generación de imágenes, la codificación de caracteres, etc.

Tras introducir el nombre que desee darle al documento y configurar todas las opciones, no tiene más que pulsar **Intro** o hacer clic en **Guardar** para guardarlo. Desde ese momento puede abrir el documento directamente con el cliente Web que tenga instalado en su sistema, o bien solicitarlo a través de una conexión de red si lo ha publicado en un servidor.

Publicar nuestras hojas de cálculo en este formato tiene una ventaja adicional: los documentos pueden ser visualizados prácticamente desde cualquier cliente Web en cualquier sistema operativo. Lo que obtiene el cliente, no obstante, es simplemente una imagen estática de la hoja de cálculo.

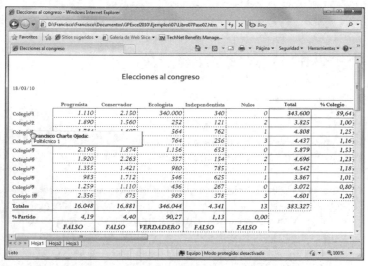

Figura 7.18. La página Web abierta con Internet Explorer.

7.3.2. Guardar en Windows Live

Si lo que nos interesa es compartir las hojas en las que estamos trabajando con otras personas, por ejemplo colaboradores o compañeros de la empresa, la forma más fácil de hacerlo consiste en utilizar Windows Live. Es un servicio gratuito en el que podemos almacenar nuestros documentos, ya sea de manera privada, pública o compartida con ciertas personas. Éstas podrían tomar el documento cuando les interese, examinarlo y trabajar sobre él.

Para guardar en Windows Live abra la vista **Backstage** y elija la opción **Guardar y enviar**, haciendo clic a continuación en **Guardar en la Web** (véase la figura 7.19). En el panel derecho aparecerá la opción necesaria para conectar con Windows Live o, incluso, suscribirse al servicio si es que aún no dispone de una cuenta.

Figura 7.19. Guardamos el libro en Windows Live.

Una vez haya iniciado sesión en Windows Live, el panel derecho le mostrará las carpetas que tiene creadas, como en la figura 7.19, y no tendrá más que elegir aquella en la que desea guardar el libro o, si lo prefiere, crear una nueva carpeta.

> **Nota:** *Obviamente para guardar documentos en Windows Live deberá contar con una conexión a Internet. Dependiendo de la velocidad de ésta es posible que el proceso resulte algo lento, especialmente si el libro contiene muchos datos.*

Para acceder a un documento almacenado en Windows Live puede utilizarse cualquier navegador. Tras iniciar sesión y acceder a la carpeta en la que se alojó el documento tendrá básicamente dos opciones: abrirlo en Excel, lo cual conlleva la transferencia del libro desde la Web hasta su equipo, o bien editarlo directamente en el navegador. Esta interesante opción permite trabajar con el documento incluso desde ordenadores en los que no se tiene instalado Excel 2010, gracias a la versión Web de este programa. Debe tenerse en cuenta, no obstante, que su funcionalidad es mucho más limitada. En la figura 7.20 puede observarse la edición de una hoja directamente desde el navegador.

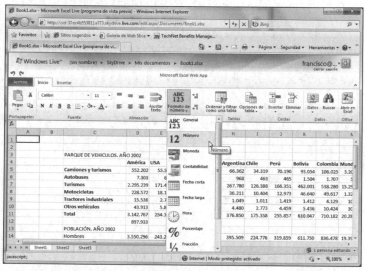

Figura 7.20. Uso de Excel Web App para trabajar con una hoja de cálculo desde el navegador.

7.3.3. Área de trabajo compartida

Como se indicó anteriormente, Excel 2010 se integra directamente con los servicios de Microsoft SharePoint facilitando la creación de un área de trabajo compartida en la que depositar los documentos.

Para guardar un libro en una ubicación de SharePoint proceda como lo hizo en el punto anterior, utilizando la opción Guardar y enviar de la vista Backstage, y haga clic en Guardar en SharePoint. En el panel derecho aparecerán las ubicaciones disponibles. Sencillamente elija la que le interese y el documento se almacenará en ella.

7.3.4. Formatos de papel electrónico

Excel 2010 está preparado para crear, a partir de la información almacenada en los libros, documentos en dos formatos diferentes de papel electrónico: PDF (*Portable Document Format*) y XPS (*XML Paper Specification*). El primero prácticamente es un estándar y fue creado por la firma Adobe, mientras que el segundo está basado en XML y es un formato abierto promocionado por Microsoft.

Al igual que las demás opciones de esta sección, ésta también se encuentra en el apartado Guardar y enviar de la vista Backstage.

Al hacer clic sobre Crear documento PDF/XPS (véase la figura 7.21) obtendrá en el panel derecho una explicación. El botón que hay debajo le llevará al cuadro de diálogo desde el que establecerá el nombre del documento.

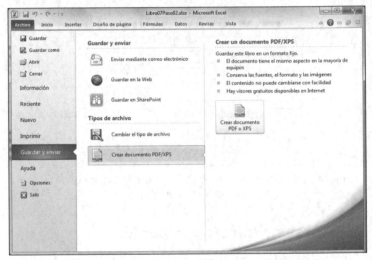

Figura 7.21. Generamos un documento PDF/XPS.

El mismo resultado se puede conseguir mediante la opción Guardar como, que da paso a un cuadro de diálogo como el de la figura 7.22 donde podrá elegir entre los dos formatos e indicar el nombre del documento a generar. En la figura 7.23 puede ver el libro en formato XPS abierto en el Visor XPS que incorporan las últimas versiones de Windows. Observe las barras de botones que hay encima y debajo del área donde se ve la hoja de cálculo, con opciones que le permitirán guardarla, moverse entre las páginas, alternar entre distintos modos de visualización, imprimir, buscar, etc.

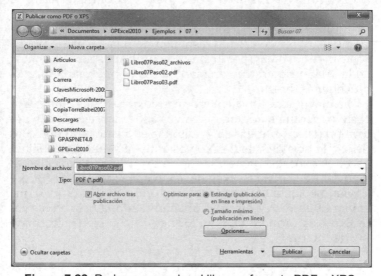

Figura 7.22. Podemos guardar el libro en formato PDF o XPS.

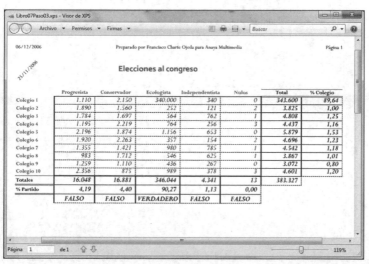

Figura 7.23. El formato XPS permite leer los documentos desde Internet Explorer.

7.3.5. Envío por correo electrónico

Al trabajar habitualmente con un ordenador seguramente dispondrá de una cuenta de correo electrónico o *e-mail*, ya sea privada o de trabajo.

Posiblemente, la persona que tiene que recibir la información de su hoja de cálculo disponga de una cuenta también. ¿Qué necesidad hay, por lo tanto, de utilizar el papel, publicar en la Web o generar un archivo PDF o XPS? Existe un canal mucho más directo.

La mayoría de los clientes de correo que existen, entre ellos el suyo, permiten adjuntar archivos a los mensajes, luego podría preparar un mensaje y adjuntar el documento que contiene a la hoja de cálculo. No obstante, ni siquiera necesitará hacer esto. Basta con usar las opciones del apartado Guardar y enviar de la vista Backstage, concretamente las que ofrece Enviar mediante correo electrónico (véase la figura 7.24) que enviarán un correo electrónico adjuntando la hoja en formato Excel, en formato PDF, en formato XPS o bien en formato fax de Internet.

Figura 7.24. Excel permite adjuntar la información en distintos formatos al enviarla por correo electrónico.

Indistintamente de la opción elegida, de las tres citadas, verá aparecer un cuadro de diálogo como el de la figura 7.25. Si su cliente de correo es Outlook u Outlook Express, seguramente estos elementos le serán muy familiares. Tan sólo tendrá que introducir el destinatario o destinatarios, en los apartados Para y CC, el asunto o título del mensaje y, opcionalmente, una introducción o comentario. Un clic en el botón **Enviar**, finalmente, pondrá fin a la operación.

De manera inmediata, en el tiempo que el correo electrónico tarda en pasar de servidor en servidor hasta llegar a su destino, el destinatario podrá ver la hoja de cálculo, sin necesidad de acceder a la Web.

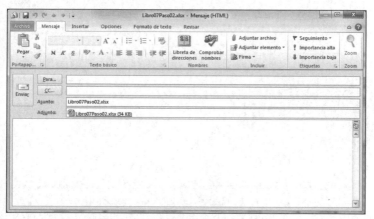

Figura 7.25. Envío de la hoja por correo electrónico.

7.3.6. Restricción de uso del documento

Al enviar un documento de Excel por correo electrónico estamos facilitando a los destinatarios una copia, puesto que el original queda en nuestro sistema, pero esa copia puede ser reenviada a otras personas, es posible imprimir su contenido o, incluso, copiar los datos a otros documentos. Esto, en ocasiones, puede no interesarnos.

Office incluye entre sus capacidades una serie de funciones que son conocidas genéricamente como IRM (*Information Rights Management*, Gestión de derechos de la información), gracias a las cuales es posible limitar a terceras personas las acciones que pueden efectuar sobre un documento que hemos generado con Excel 2010.

Para limitar las operaciones que el destinatario de nuestra hoja de cálculo puede llevar a cabo, antes de confirmar el envío del correo electrónico que la contiene debemos hacer clic en el botón ☑ de la ficha **Opciones** de Outlook. Si ha configurado previamente las funciones IRM verá aparecer en la parte superior del mensaje (véase la figura 7.26) una indicación, comunicándole que los destinatarios podrán leer el mensaje, pero no reenviarlo, imprimirlo o copiar su contenido. De esta manera evitará que un documento con información confidencial llegue a manos que no deben.

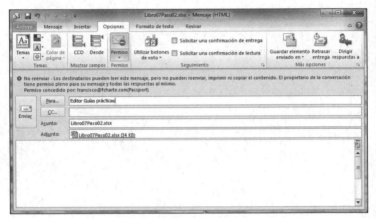

Figura 7.26. Restringimos las operaciones autorizadas sobre el documento.

La primera vez que haga clic en el citado botón, o bien utilice alguna de las opciones relacionadas con permisos, aparecerá un cuadro de diálogo preguntándole si desea suscribirse gratuitamente al servicio de IRM. Tan sólo tiene que marcar la opción afirmativa y hacer clic en **Siguiente**. Si no tiene una cuenta Live/Passport deberá crearla.

El sistema de IRM necesita un servidor de autentificación que permita identificar a los usuarios que conceden los permisos sobre un documento y a los que van a recibirlo. Microsoft ofrece un servicio gratuito basado en Passport, si bien lo lógico es que cada empresa cuente con su propio servicio de seguridad de acceso.

Asimismo la instalación del certificado también se verá influida según que el equipo en que trabajemos sea privado o público (véase la figura 7.27).

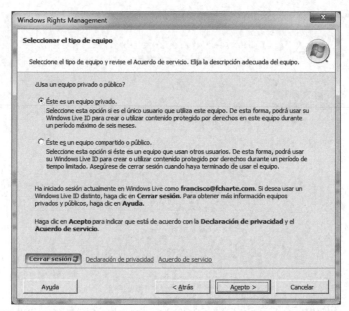

Figura 7.27. Indicamos el tipo de equipo desde el que trabajamos.

Finalizado todo este proceso de configuración, que efectuaríamos una sola vez salvo la obtención periódica del certificado, podríamos asignar los permisos de acceso desde la sección Información de la vista Backstage, mostrada en la figura 7.28. En ella se ha hecho clic sobre el menú Proteger libro y aparece desplegada la lista de opciones, de las cuales elegiríamos Restringir permisos por personas>Acceso restringido.

Aparecerá la ventana Permiso con la opción Restringir el acceso a libro inicialmente desactivada. Un simple clic para marcarla y podremos facilitar las direcciones de aquellos usuarios que pueden leer el libro y las de los que están autorizados a introducir cambios (véase la figura 7.29). Incluso podemos, haciendo clic en **Más opciones**, establecer una fecha de caducidad del documento y precisar más aún las operaciones permitidas.

> *Nota: Desde la sección* Información *de la vista* Backstage *también puede preparar el documento, antes de compartirlo con otros, por ejemplo verificando si es accesible o bien eliminando las propiedades que pudieran ofrecer a terceros información privada.*

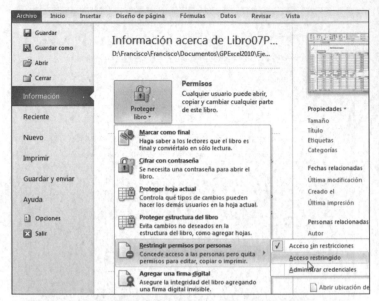

Figura 7.28. Configuración de permisos desde el Backstage.

Figura 7.29. Restringimos el acceso al libro.

Representación gráfica de los datos

8.1. Introducción

Al final del sexto capítulo intentábamos, mediante algunas fórmulas, sintetizar lo más posible los datos para facilitar al máximo su interpretación. Como se comentaba entonces, los datos numéricos son muy útiles, realmente la base del funcionamiento de las hojas de cálculo, pero es más fácil interpretar dichos datos si se representan de manera más legible.

Una de las formas más eficientes de representar datos numéricos es, sin duda, la creación de gráficos. Es algo que estamos acostumbrados a ver en televisión, los periódicos y muchos otros medios. Mediante gráficos se indica la evolución del IPC, el reparto de escaños en el Congreso, el agua embalsada en los pantanos, etc.

En todos esos casos entendemos rápidamente la información simplemente mirando el gráfico, sin necesidad de contar con los datos numéricos.

Este capítulo le servirá para ver lo fácil que es crear gráficos con Excel. En este campo las posibilidades de Excel son muy amplias, contando con un innumerable abanico de tipos de gráficos y elementos adicionales.

8.2. Un gráfico rápido

Para comenzar, veamos cómo podemos obtener de manera rápida un gráfico sencillo para representar una colección de datos. Tomaremos, concretamente, los datos relativos a las elecciones que introdujimos en un capítulo previo.

El rango de datos a representar, y que por lo tanto tendrá que seleccionar, será el mostrado en la parte inferior de la figura 8.1. Hecha esta selección, despliegue el menú adjunto a Insertar>Gráficos>Columna de la Cinta de opciones y luego elija la opción Columna agrupada, como se ve en la misma figura 8.1.

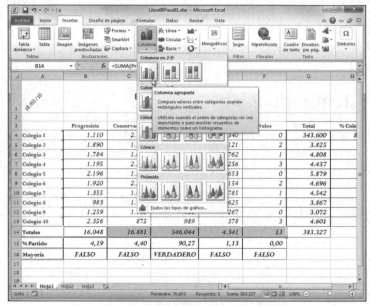

Figura 8.1. Rango de datos a seleccionar
para la representación gráfica.

Aunque en el apartado Insertar>Gráficos de la Cinta de opciones aparecen prácticamente todos los tipos de gráficos disponibles en Excel, pudiendo insertar cualquiera de ellos con un par de clics de ratón, también podemos recurrir al cuadro de diálogo Insertar gráfico, como es habitual y hemos hecho en otros casos, haciendo clic sobre el botón que aparece en la parte inferior derecha del mencionado grupo o bien mediante la opción Todos los tipos de gráfico que aparece al final de la lista de tipos, en la figura 8.1. En cualquier caso, en la ventana que aparecerá (véase la figura 8.2) hay una serie de páginas o grupos, la lista que hay a la izquierda le sirve para elegir un grupo, mientras que en el panel derecho seleccionará el estilo dentro de ese grupo.

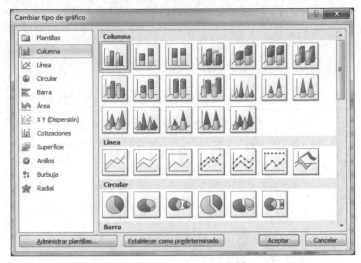

Figura 8.2. Elegimos el tipo de gráfico a generar
en un cuadro de diálogo.

La página **Plantillas** está inicialmente vacía, pero en ella es posible añadir los diseños que vayamos componiendo para una posterior reutilización de los mismos.

Deje la selección por defecto, un gráfico de barras **Columna agrupada**, y haga clic en el botón **Aceptar**. Verá aparecer el gráfico en la página, posiblemente superpuesto a los datos. Puede arrastrarlo colocándolo en cualquier otra parte de la hoja. Fíjese también en la Cinta de opciones. Ha aparecido en la barra de título una sección, llamada Herramientas de gráficos, con tres nuevas fichas: Diseño, Presentación y Formato.

8.2.1. Herramientas de personalización

El gráfico que se ha obtenido cuenta con un conjunto de elementos bien diferenciados: por una parte están los rótulos de los ejes horizontal y vertical, por otra el fondo del gráfico, las barras que representan los datos, también una leyenda que aparece a la derecha, etc. Las características de cada uno de estos elementos pueden establecerse de manera individual, para lo cual existe la correspondiente ventana de opciones o propiedades.

La mayor parte de las opciones están accesibles directamente a través de las nuevas fichas que aparecen en la Cinta

de opciones. En la figura 8.3 se indica cuál es la finalidad de algunos de esos elementos. Observe que la parte del gráfico seleccionada en ese momento es el área total del gráfico. Así lo indica el letrero que aparece en la parte superior derecha del propio gráfico.

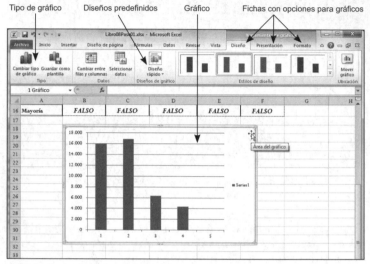

Figura 8.3. Gráfico y opciones específicas para trabajar sobre él.

Puede seleccionar cualquier elemento del gráfico haciendo clic sobre él, con el puntero del ratón y el botón principal. También puede abrir la lista que hay en la parte superior del grupo **Presentación>Selección actual** (véase la figura 8.4) y elegir el elemento sobre el que desea trabajar. El elemento activo en cada momento aparecerá resaltado con una serie de marcas a su alrededor, generalmente un borde con recuadros y círculos.

La forma más rápida de personalizar un cierto elemento del gráfico consiste en hacer clic sobre él con el botón secundario del ratón, lo que provocará la aparición de una paleta de herramientas flotante y el correspondiente menú contextual. Dependiendo del elemento que haya elegido, la lista de opciones será una u otra. En la figura 8.5, por ejemplo, se ha hecho clic sobre uno de los rótulos del eje de ordenadas. Mediante estas opciones es posible cambiar los atributos de texto de esos rótulos, agregar un color o imagen de fondo, agregar líneas de división adicionales, etc.

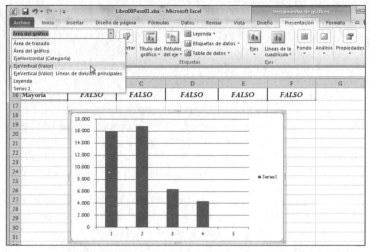

Figura 8.4. Elegimos la parte del gráfico a personalizar.

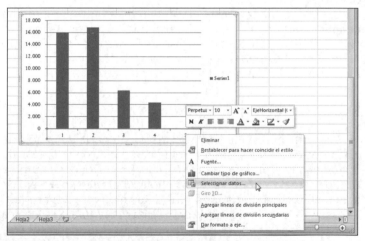

Figura 8.5. Manipulamos los elementos del gráfico
con las opciones de su menú contextual.

El botón **Cambiar tipo de gráfico**, en Diseño>Tipo, vuelve a abrir el cuadro de diálogo de la figura 8.2, permitiéndonos cambiar el tipo de gráfico conservando el resto de los parámetros: datos, títulos, estilos, etc. Es una manera rápida de comprobar cómo quedaría la representación con otro tipo de gráfico.

Generalmente, los gráficos suelen acompañarse de unas leyendas que nos indican a qué pertenecen los datos que están representándose. En la figura 8.3, por ejemplo, la leyenda es Serie 1 y puede verla en la parte derecha del gráfico. Con las opciones del menú Leyenda que hay en Presentación>Etiquetas puede tanto ocultar esta leyenda como cambiar su posición en el gráfico.

Bajo la opción anterior se encuentra el menú Tabla de datos, que nos permite mostrar/ocultar otro elemento del gráfico: la tabla de datos. Inicialmente este elemento está desactivado, bastando un clic para hacerlo visible. La tabla de datos aparece en la parte inferior del gráfico y muestra los datos que están representándose.

Los datos que hemos elegido para crear el gráfico están dispuestos en una sola fila, la de totales, creando lo que se conoce como una serie. El botón **Cambiar entre filas y columnas** del grupo Diseño>Datos sirve para indicar la disposición de los datos, que pueden estar distribuidos en filas, como en este caso, o en columnas.

Las mencionadas hasta el momento son únicamente una pequeña parte de las opciones disponibles para personalizar el gráfico. Si recorre las fichas Diseño, Presentación y Formato de la Cinta de opciones comprobará que hay muchas otras mediante las cuales adaptar la presentación.

8.2.2. Impresión de gráficos

Los gráficos son elementos que forman parte de la hoja de cálculo y, como tales, se imprimen con ella. Dependiendo de dónde se haya colocado el gráfico, sus dimensiones y la propia cantidad de datos que haya en la hoja, el gráfico aparecerá en la misma página donde están los datos o en otra adyacente.

Usando la vista de saltos de página y, mediante la técnica de arrastrar y soltar, moviendo el gráfico, puede hacer que éste aparezca en una página independiente, separado del resto pero manteniendo los encabezados, pies y otros aspectos de la configuración que hayamos podido establecer. Recuerde que siempre puede acceder a la vista preliminar que ofrece la opción Imprimir de la vista Backstage (véase la figura 8.6) para saber cómo resultará la impresión.

Si desea imprimir únicamente el gráfico, no la hoja, tan sólo tiene que seleccionarlo y a continuación imprimir. Excel adaptará el gráfico de tal forma que ocupe la página completa.

En la vista previa verá claramente que el gráfico se dispone horizontalmente para que las dimensiones sean las máximas en el espacio disponible en el papel. De esta manera, puede obtener los datos, por una parte, y los gráficos por otra con mayor detalle.

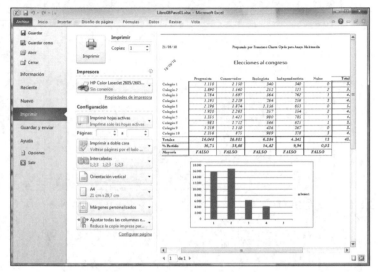

Figura 8.6. Vista previa de la hoja con el gráfico.

8.2.3. Publicación de hojas con gráficos

En el capítulo anterior aprendió no sólo a imprimir, sino también a publicar sus hojas de cálculo, ya sea a través de la Web, mediante correo electrónico o en formatos de papel electrónico como PDF y XPS.

Al guardar como página Web una hoja de cálculo en la que hay gráficos, éstos son convertidos por Excel al formato adecuado para su visualización a través de la red. En la página generada, lógicamente, se introducen las etiquetas necesarias para mostrar la imagen exactamente en el mismo punto en que se encontraba en la hoja, como puede ver en la figura 8.7.

En caso de que la hoja se envíe por correo electrónico el resultado es prácticamente idéntico al obtenido con la publicación como página Web o formato de papel electrónico, según la opción elegida. La diferencia es que el formato de transmisión es el de un *e-mail* y no el de una página Web.

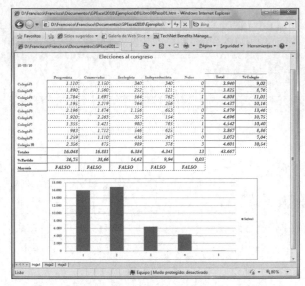

Figura 8.7. Publicación de hojas con gráficos.

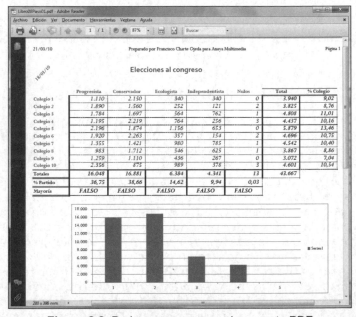

Figura 8.8. Podemos generar un documento PDF con los datos y el gráfico.

8.3. Personalización global del gráfico

Nuestro gráfico es, en este momento, un elemento útil pero mejorable. Es simple e impersonal ya que, una vez que ha sido generado por Excel, no ha experimentado personalización alguna. En los puntos siguientes vamos a ver cómo es posible configurar el gráfico, adaptando sus elementos más importantes a nuestras necesidades o preferencias. Esto implica saber modificar desde el propio fondo de dibujo, que ahora es blanco, hasta el tipo de gráfico o los títulos para los ejes.

8.3.1. Configurar el área de dibujo

Comencemos viendo cómo es posible configurar el área de dibujo, que es la superficie blanca con un borde fino negro en el que se han dibujado el gráfico, los rótulos de los ejes y la leyenda. Elija en la lista desplegable Presentación>Selección actual de la Cinta de opciones el elemento Área del gráfico, o bien sitúe el puntero sobre el gráfico hasta que vea aparecer la etiqueta con ese título y haga clic. A continuación haga clic en el botón **Aplicar formato a la selección** que hay bajo la lista desplegable, abriendo un cuadro de diálogo específico.

La ventana Formato del área del gráfico, que aparece al utilizar el botón anterior, cuenta con varias páginas. Mediante ellas podemos establecer el fondo del área del gráfico, su borde y otros efectos tales como sombras y efectos tridimensionales. La primera página, Relleno, nos permite elegir entre diferentes posibilidades para rellenar el fondo del gráfico. Dependiendo del tipo de relleno elegido: sólido, degradado, con imagen, automático o sin relleno, en la parte inferior del cuadro de diálogo aparecerán unos elementos u otros.

En la figura 8.9 pueden verse las opciones disponibles al seleccionar Relleno degradado. Su finalidad es configurar dicho degradado en el fondo del área de dibujo, seleccionando colores, dirección, ángulo, etc. A medida que vaya eligiendo opciones, sin necesidad de cerrar el cuadro de diálogo, podrá ir viendo en segundo plano cómo quedaría el gráfico. En las páginas Color del borde y Estilos de borde podemos indicar el tipo de trazo, color y grosor del borde. También puede sustituir las esquinas con vértices por esquinas redondeadas. Las opciones de las páginas Sombra y Formato 3D pueden utilizarse también en este momento, pero tienen más sentido cuando se aplican por ejemplo a las barras del gráfico.

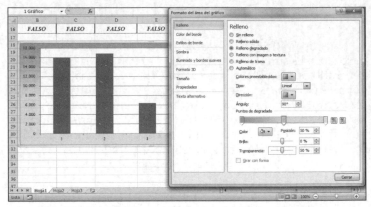

Figura 8.9. Configuración del fondo del área de dibujo.

Una alternativa a la configuración individual de cada aspecto global del gráfico en el cuadro de diálogo anterior, consiste en utilizar las distintas listas de estilos predefinidos que hay en Formato>Estilos de forma. Podrá elegir el fondo del área del gráfico, su contorno y otros efectos con un solo clic, a partir de la lista que aparece en la figura 8.10, o bien de manera individual con los menús Relleno de forma, Contorno de forma y Efectos de formas, cada uno de los cuales le ofrece un menú con múltiples configuraciones.

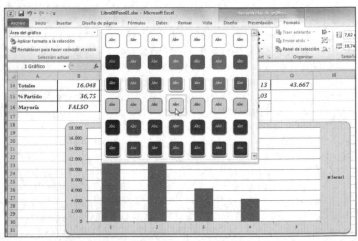

Figura 8.10. Escogemos uno de los estilos visuales predefinidos para aplicarlo a nuestro gráfico.

Todos los elementos ya descritos, tanto los del cuadro de diálogo como las opciones de Formato>Estilos de forma, son útiles sobre cualquiera de las partes del gráfico, por lo que solamente tendrá que aprender a usarlas una vez y después las aplicará donde necesite. En la figura 8.11, por ejemplo, se ha hecho clic sobre una de las barras del gráfico, para seleccionar la representación de esa serie de datos, y después se ha abierto el menú Efectos de formas para darle a las columnas un efecto de resplandor alrededor. De igual manera podríamos cambiar su color, borde, etc.

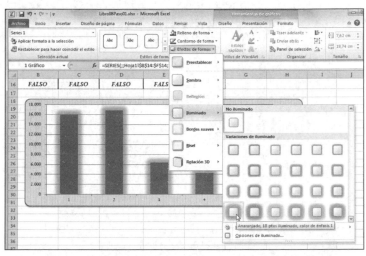

Figura 8.11. Las mismas opciones de configuración se aplican a todas las partes del gráfico.

8.3.2. Configurar el área de trazado

Nuestro gráfico, que ahora tiene el aspecto mostrado parcialmente en la figura 8.11, traza unas barras sobre un área, llamada como es lógico *área de trazado*, que también puede personalizarse. Para ello hay que seleccionar dicha área, bien sea haciendo clic sobre ella o eligiéndola en la lista desplegable Selección actual. A continuación recurriríamos a las mismas opciones empleadas antes, pero ahora alterarán el color de fondo del área de trazado, su borde, iluminación, etc.

Del área de trazado tan sólo puede personalizarse el borde y el fondo que, al igual que en el área de dibujo, puede tener un color uniforme, un degradado, una trama o bien una imagen. Puede, por ejemplo, poner como fondo del área de trazado otro degradado, en este caso que contraste con el usado como fondo general del gráfico, o bien optar por algún tipo de material. En la figura 8.12 puede verse la lista de texturas disponibles y el aspecto del gráfico al situar el puntero del ratón sobre una de ellas.

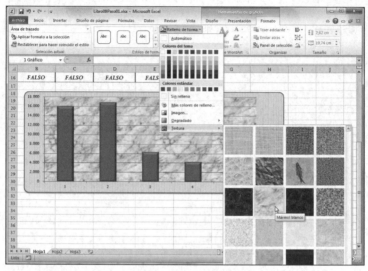

Figura 8.12. El gráfico mientras se elige una textura para el área de trazado.

8.3.3. Títulos para el eje X

Como puede verse en cualquiera de las figuras anteriores, en las que aparece el gráfico que se ha creado a partir de los datos, en el eje X, el eje horizontal que hay en la parte inferior, aparecen como títulos los números 1, 2, 3, 4 y 5. Estos números hacen referencia a las celdillas de las que se han tomado los datos, de izquierda a derecha, pero sería mucho más apropiado, y más lógico, que apareciesen unos títulos que indicasen a quién pertenecen los datos representados.

No todas las opciones de personalización del gráfico se encuentran disponibles en la Cinta de opciones, por lo que, en ocasiones, será preciso recurrir al menú contextual. Seleccione el gráfico, haga clic con el botón secundario del ratón y elija la opción **Seleccionar datos**. Aparecerá una ventana, como la de la figura 8.13, en cuya parte derecha hay un apartado con el título **Etiquetas del eje horizontal (categoría)**. Haga clic en el botón **Editar** y a continuación, en la hoja de cálculo, seleccione el rango de celdillas en las que se encuentran los títulos de columnas.

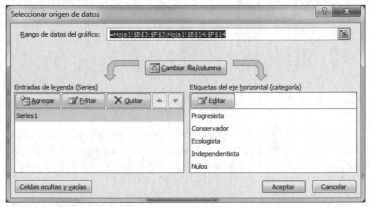

Figura 8.13. Introducimos el rango en el que
se encuentran los títulos.

En la parte superior de esta misma ventana, en el apartado **Rango de datos del gráfico**, podría modificar el rango del que se están tomando los datos a representar. De esta forma, puede utilizar exactamente la misma configuración de gráfico que tiene ahora para mostrar otros datos. Lo único que hay que hacer es indicar el nuevo rango.

Después de hacer clic sobre **Aceptar**, o pulsar **Intro**, podrá ver que en el gráfico ahora aparecen como títulos del eje X los nombres de las columnas a las que pertenecen los datos (véase la figura 8.14). Esta representación es ahora bastante más clara.

8.3.4. Escala para el eje Y

En el margen izquierdo del gráfico aparece un eje vertical, o eje Y, en el que una sucesión de valores forman una escala de medida. Dicha escala se utiliza como referencia, para saber aproximadamente qué valor es el que representa cualquiera de las barras dibujadas.

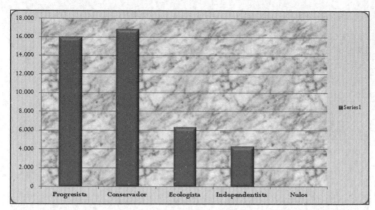

Figura 8.14. El gráfico ahora cuenta con unos títulos para el eje X.

Además de los números, observe que en la escala también existen una serie de divisiones que, en este caso, coinciden con las líneas trazadas como fondo de las barras. Tanto estas divisiones como la propia escala se han dispuesto con un estado por defecto en el momento de generar el gráfico.

Para personalizar la escala se usa la opción Presentación> Ejes>Ejes>Eje vertical primario que puede verse desplegada en la figura 8.15.

En el menú puede optar por no mostrar datos en dicho eje, usar las opciones por defecto, mostrar los datos en distintos tipos de escalas (miles, millones, logarítmica) o bien en abrir el cuadro de diálogo al que da paso la opción Más opciones del eje vertical primario.

Obsérvese en la figura 8.15 que se ha elegido la opción Mostrar eje en millares. De esta forma, en la escala no se mostrarán valores como 18.000 ó 16.000, sino 18 ó 16. El hecho de que los valores están expresados en millares se indicará mediante una etiqueta o rótulo adjunto, como puede verse en la misma figura.

En la página Opciones del eje del cuadro de diálogo (véase la figura 8.16) podrá elegir los valores de referencia, unidades, escalas, disposición de la regla graduada en el eje, posición de las etiquetas, etc. Por defecto tan sólo está activada la disposición de marcas para la escala principal, que en nuestro caso irá de 2.000 en 2.000.

También podemos elegir marcas secundarias, cada 400 votos por ejemplo, que pueden aparecer cruzadas respecto al eje, en lugar de ser exteriores como las marcas principales.

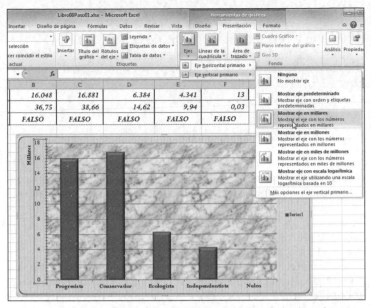

Figura 8.15. Configuración de la escala para el eje de valores.

Figura 8.16. Disponemos también unas marcas secundarias.

En la página **Número** se establece el formato de representación de los números, de forma similar a como se hace al establecer el formato de las celdillas de la hoja.

Después de dar estos últimos pasos, el aspecto del gráfico ahora será parecido al que aparece en segundo plano en la figura 8.15. Observe que ha aparecido una etiqueta que indica que las cantidades están en millares.

8.3.5. Títulos a discreción

A pesar de que la información mostrada en nuestro gráfico es, en este momento, fácil de interpretar, se echan algunos elementos en falta. En el eje Y tenemos unos valores expresados en millares pero, millares ¿de qué? Pueden ser millares de escaños, de votos o de tomates. Los títulos del eje Y están bastante claros, pero en ningún punto se indica a qué comicios pertenecen estos datos.

Lo que necesitamos en este momento es añadir algunos títulos explicativos. Con este fin utilizaremos las opciones **Título del gráfico** y **Rótulos del eje** del apartado **Presentación>Etiquetas** de la **Cinta de opciones**. Comience por elegir la opción **Rótulos del eje>Título de eje horizontal primario>Título bajo el eje**. Aparecerá un título debajo del eje X, que puede personalizar haciendo clic sobre él y escribiendo algo más adecuado, por ejemplo **Formación política**. En la figura 8.17 puede verse cómo se establece al mismo tiempo el estilo del título, mediante la barra de herramientas flotante que aparece al situarse sobre él.

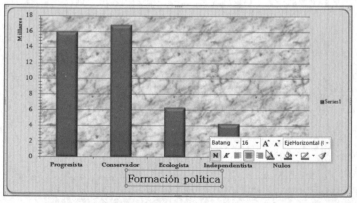

Figura 8.17. Establecemos un título para el eje X.

De forma parecida, con la opción Rótulos del eje>Título del eje vertical primario>Título girado creamos un título para el eje Y. Finalmente utilice la opción Título del gráfico>Encima del gráfico para agregar un título general.

> **Nota:** *Mediante la técnica de arrastrar y soltar puede mover los títulos al punto del gráfico que desee, así como ajustar el tamaño del área de trazado o cualquier otro elemento que haya incluido en la representación.*

Una vez que los títulos aparecen en el gráfico, puede cambiar cualquiera de sus atributos simplemente seleccionándolos y usando los habituales elementos de la barra de herramientas de formato emergente. De esta forma puede dejar los títulos con una apariencia similar al del gráfico del ejemplo en la figura 8.18.

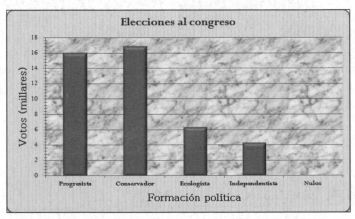

Figura 8.18. El gráfico con los títulos queda mucho más claro.

8.3.6. Toques finales

Para terminar con este gráfico, vamos a eliminar la leyenda que aparece a la derecha y a personalizar el dibujo de las barras, de tal forma que su apariencia esté de acuerdo con el resto del gráfico.

Lo primero que haremos será seleccionar la leyenda y pulsar la tecla **Supr**, haciendo desaparecer la leyenda que hasta ahora aparecía a la derecha del área de trazado. También ajustaremos la posición y tipos de algunos títulos.

Con el fin de personalizar las barras, haga clic sobre cualquiera de ellas, para seleccionarlas, y a continuación recurra a **Diseño>Estilos de diseño** para elegir uno de los estilos predefinidos. También puede optar por configurar cada elemento de forma individual, mediante las opciones de la ficha **Formato** de la **Cinta de opciones**. Recuerde que esa ficha solamente estará visible mientras mantenga seleccionado el gráfico.

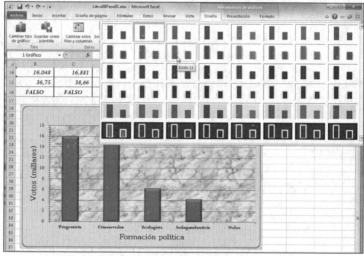

Figura 8.19. Existe un amplio abanico de estilos predefinidos para el gráfico.

8.4. Un gráfico circular

Los datos con los que estamos tratando, representados en el gráfico anterior en forma de barras, se prestan a su uso en un gráfico circular, sectorial o *de tarta*. Este tipo de gráfico asume que el conjunto de los datos representa un cien por cien, por lo que es posible calcular el tanto por ciento que cada dato representa respecto al total, dividiendo una circunferencia proporcionalmente a esos cálculos. Para convertir el gráfico que tiene actualmente en un gráfico circular, tan sólo tiene que dar un paso: hacer clic en el botón **Cambiar tipo de gráfico** que hay en **Diseño>Tipo** y luego seleccionar uno de los posibles tipos de gráficos sectoriales. En la figura 8.20 puede ver cómo se elige un gráfico circular con efecto tridimensional.

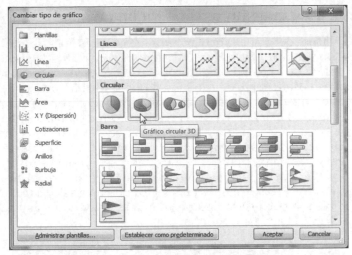

Figura 8.20. Cambiamos el tipo de gráfico.

Al dar este paso verá que el gráfico cambia, pero no sólo se cambian las barras por una tarta, también desaparecen los ejes horizontal y vertical, así como los correspondientes títulos asociados. Podemos mostrar nuevamente la paleta de leyendas que, en este caso, sí que es de utilidad. En la figura 8.21 puede ver el gráfico con su nuevo aspecto.

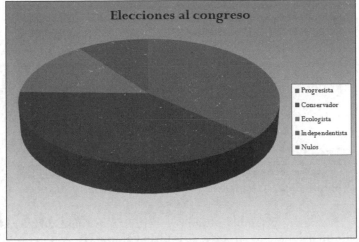

Figura 8.21. Aspecto del gráfico circular.

8.4.1. Vista de un gráfico tridimensional

Aparte del gráfico circular, hay muchos otros tipos de gráficos que utilizan efectos tridimensionales para realzar la visualización. En este tipo de gráficos el usuario, que en este caso somos nosotros, puede cambiar el punto de mira o vista del gráfico, alterando la elevación y girando el gráfico.

Para cambiar la vista de un gráfico tridimensional despliegue su menú contextual, haciendo clic sobre él con el botón secundario del ratón, y seleccione la opción Giro 3D. Los elementos más importantes de la ventana, según se ve en la figura 8.22, son los botones que controlan la elevación y el giro. Como en este caso estamos personalizando un gráfico circular, también se puede establecer el alto del efecto tridimensional mediante el apartado Perspectiva.

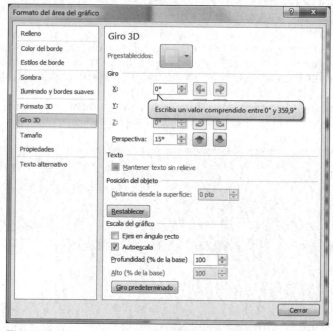

Figura 8.22. Los gráficos 3D pueden ser girados y elevados.

Si nuestro gráfico en lugar de ser circular fuese de barras tridimensionales o superficie, podría ver que, al girar el gráfico, cambiaría la perspectiva desde la que se ve el gráfico. En el caso de la tarta, por el contrario, lo único que ocurre es que se gira el origen a partir del cual se comenzará a dibujar.

8.4.2. Manipulación de los sectores

Un gráfico circular está formado por varios sectores que, en principio, aparecen unidos entre sí, dando origen a la conocida tarta. Estos sectores, sin embargo, pueden separarse, ya sea de forma individual o como conjunto.

Haga clic sobre cualquiera de los sectores y, utilizando la técnica de arrastrar y soltar, mueva el puntero del ratón hacia fuera respecto al centro del gráfico. Verá que aparecen trazadas unas líneas que le indican el contorno del gráfico. Al soltar podrá ver que todos los sectores se han separado y aparecen aislados. Utilizando exactamente la misma técnica, pero moviendo el puntero del ratón hacia dentro, podrá volver a unirlos.

La primera vez que haga clic sobre cualquiera de los sectores estará seleccionando la tarta completa. Un segundo clic, sobre el mismo sector, le permitirá seleccionarlo individualmente. En ese momento podrá arrastrarlo separándolo de manera individual. En la figura 8.23, por ejemplo, puede ver cómo se han separado del resto los dos sectores más grandes, mientras que los otros tres permanecen unidos.

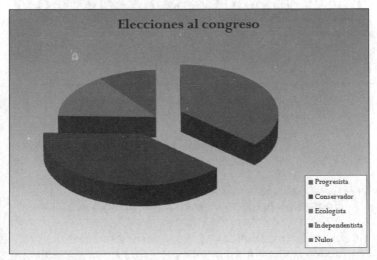

Figura 8.23. El gráfico tras separar dos de los sectores.

Nota: *Fíjese en que, al disponer el puntero del ratón sobre cualquiera de los sectores, Excel muestra una pequeña ventana flotante indicando el valor representado, el tanto por ciento respecto al total y el título.*

8.4.3. Etiquetas indicativas

Tal y como tenemos configurado actualmente el gráfico circular, se ve claro a qué partido pertenece cada uno de los sectores, pero no se tiene una indicación del número de votos o, en su defecto, el porcentaje que representa dicho sector.

Seleccione cualquiera de los sectores y, a continuación, abra el menú contextual y elija la opción **Agregar etiquetas de datos** (véase la figura 8.24). A continuación, usando el menú contextual de las propias etiquetas de datos, abra el cuadro de diálogo **Formato de etiquetas de datos** que se muestra en la figura 8.25. En él podrá, por ejemplo, indicar que quiere mostrar en las etiquetas el nombre de la categoría y el porcentaje, en lugar del valor.

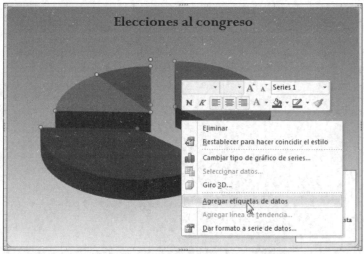

Figura 8.24. Agregamos las etiquetas de datos al gráfico.

Las etiquetas añadidas, al igual que los sectores del gráfico, pueden tratarse individualmente. Un primer clic sobre un título los seleccionará todos, lo cual permitiría, por ejemplo, establecer un tipo de letra común. Haciendo clic una segunda vez se marcará tan sólo el título elegido, pudiendo arrastrarlo hasta otra posición, modificarlo individualmente o incluso eliminarlo.

Figura 8.25. Indicamos la información a mostrar en los rótulos.

En la figura 8.26 puede ver cómo, tras haber añadido los títulos, se ha destacado el sector más significativo en un color diferente. Cada etiqueta se ha arrastrado hasta colocarla en la mejor posición. Su relación con el sector correspondiente queda establecida por la línea de unión.

8.5. Múltiples series de datos

En los ejemplos anteriores se ha utilizado una única serie de datos: los totales por partido. Un gráfico puede generarse a partir de varias series, por ejemplo los votos de cada partido en cada colegio. Estas series pueden representarse conjuntamente, en un único gráfico que constaría de varias filas y columnas de barras, líneas u otros elementos; o bien de forma separada, contando con un gráfico similar para cada serie de datos.

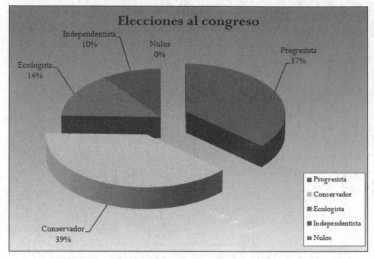

Figura 8.26. El gráfico tras añadir y personalizar las etiquetas de datos.

Si desea ver un ejemplo rápido y simple, comience por seleccionar toda el área de datos de la hoja de cálculo que estamos usando como ejemplo, incluidos los títulos de columnas y filas. A continuación inserte un gráfico, según el método visto al principio, y después seleccione de la lista desplegable de tipos de gráfico uno de barras tridimensionales o similar. Puede personalizar el punto de vista 3D, añadir etiquetas y títulos, según se vio anteriormente. Finalmente, obtendrá un gráfico como podría ser el de la figura 8.27. En él se puede ver, de un solo vistazo, toda la información relativa a los datos, sin necesidad de leer los números de manera individual.

Lógicamente, puede utilizar las ventanas de formato para personalizar cualquier aspecto de este gráfico, desde el orden en el que se muestran las series hasta los rótulos que puede poner encima de cada barra.

8.6. Minigráficos

Los gráficos que hemos utilizado hasta ahora se insertan en las hojas de cálculo como objetos independientes, alojados en una ventana flotante que es posible desplazar para colocarla donde se desee, así como ajustar su tamaño.

En Excel 2010 existe un nuevo tipo de gráfico, denominado minigráfico, que se caracteriza por ser, como su propio nombre indica, de reducidas dimensiones. Tanto que se muestra en el interior de una celdilla. Lógicamente no lleva asociados elementos como los rótulos, ejes y, en general, todos los parámetros de un gráfico corriente.

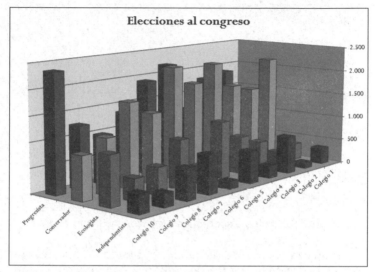

Figura 8.27. Un gráfico que representa varias series de datos.

La finalidad de los minigráficos es ofrecer una interpretación rápida de los datos almacenados en una serie de celdillas que, necesariamente, habrán de estar distribuidas en una fila o en una columna. La representación se hará utilizando un gráfico simple de barras, líneas o barras de ganancias/pérdidas. Es posible insertar, como va a comprobar de inmediato, múltiples minigráficos en un único paso, facilitando así la representación de varias series de datos.

8.6.1. Inserción de minigráficos

Suponga que desea completar la tabla que recoge los votos de cada colegio con una columna adicional, que se dispondría antes de la que almacena los votos nulos, de forma que cada celdilla de esa columna muestre con un gráfico de barras cómo se ha distribuido el voto en el colegio correspondiente.

Lo primero que debe hacer es insertar una nueva columna, desplazando la que contiene los votos nulos y totales hacia la derecha. A continuación seleccione los datos a representar: los votos de cada colegio para cada partido, pero sin incluir los títulos, y utilice la opción Insertar>Minigráficos>Columna (véase la figura 8.28).

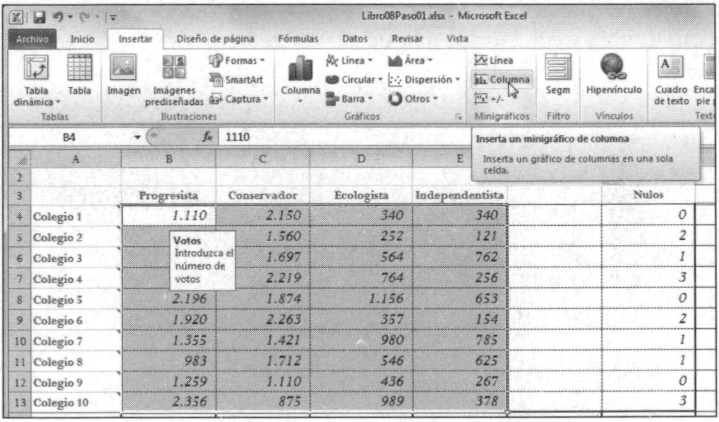

Figura 8.28. Nos disponemos a insertar los minigráficos.

Aparecerá un cuadro de diálogo pidiéndonos que indiquemos la ubicación del grupo de minigráficos a generar. Usando el ratón seleccionaríamos, como se ve en la figura 8.29, las celdas que están justo a la derecha del rango de datos, en la columna que habíamos insertado previamente.

En cuanto cerremos el cuadro de diálogo veremos aparecer los minigráficos en las celdillas. Observe también que aparece una nueva ficha en la Cinta de opciones (véase la figura 8.30), con el título Herramientas para minigráfico. En ella tenemos las opciones para cambiar el tipo de gráfico, cambiar el estilo de las barras, los colores, etc.

8.6.2. Personalización de máximos y mínimos

Excel utiliza para cada minigráfico unos valores extremo, mínimo y máximo, tomando como referencia exclusivamente la serie de datos propia, sin tener en cuenta las demás series del grupo de minigráficos. Esto puede ser apropiado en unos casos y no tanto otros. En el minigráfico de barras que muestra la distribución de los votos en cada colegio parece lógica esa independencia, ya que cada colegio cuenta con un número diferente de votantes.

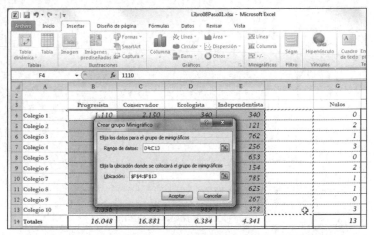

Figura 8.29. Indicamos el destino del grupo de minigráficos.

	Progresista	Conservador	Ecologista	Independentista	F	Nulos	T
Colegio 1	1.110	2.150	340	340		0	
Colegio 2	1.890	1.560	252	121		2	
Colegio 3	1.784	1.697	564	762		1	
Colegio 4	1.195	2.219	764	256		3	
Colegio 5	2.196	1.874	1.156	653		0	
Colegio 6	1.920	2.263	357	154		2	
Colegio 7	1.355	1.421	980	785		1	
Colegio 8	983	1.712	546	625		1	
Colegio 9	1.259	1.110	436	267		0	
Colegio 10	2.356	875	989	378		3	

Figura 8.30. Aspecto de los minigráficos en la hoja de cálculo.

Insertemos una nueva fila detrás del último colegio y, reproduciendo los pasos del punto previo, introduzcamos un grupo de minigráficos de líneas con la idea de ver cómo se han distribuido los votos de cada partido entre los distintos colegios. Podemos dar mayor altura a la celdilla para conseguir un minigráfico de líneas más legible, como se ha hecho en la figura 8.31.

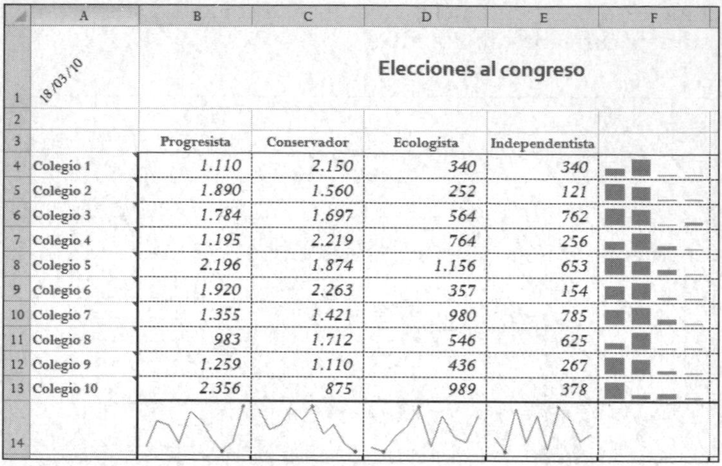

▲	A	B	C	D	E	F
1	18/03/10		Elecciones al congreso			
2						
3		Progresista	Conservador	Ecologista	Independentista	
4	Colegio 1	1.110	2.150	340	340	
5	Colegio 2	1.890	1.560	252	121	
6	Colegio 3	1.784	1.697	564	762	
7	Colegio 4	1.195	2.219	764	256	
8	Colegio 5	2.196	1.874	1.156	653	
9	Colegio 6	1.920	2.263	357	154	
10	Colegio 7	1.355	1.421	980	785	
11	Colegio 8	983	1.712	546	625	
12	Colegio 9	1.259	1.110	436	267	
13	Colegio 10	2.356	875	989	378	
14						

Figura 8.31. Aspecto de los minigráficos de líneas
debajo de la tabla de datos.

Al examinar estos minigráficos se observa rápidamente que
el máximo del primer partido, con 2356, se representa con la
misma altura que el máximo del último, que tiene sólo 785.
Esto se debe a que, como se ha apuntado anteriormente, cada
minigráfico toma sus valores extremos de manera independiente. En este caso, sin embargo, parecería lógico que compartiesen esa información.

Para ajustar los extremos seleccione los minigráficos y abra
el menú Eje de la ficha Diseño, como muestra la figura 8.32,
seleccionando la opción Igual para todos los minigráficos de
los apartados Opciones de valor mínimo del eje vertical y Opciones de valor máximo del eje vertical. En la misma figura
puede verse cómo los minigráficos de líneas ahora sí que representan fielmente que el número de votos de los dos primeros partidos es muy superior al de los otros dos.

8.7. Otros elementos gráficos

Además de los gráficos generados a partir de los datos,
Excel permite incluir en la hoja de cálculo muchos otros elementos gráficos, desde líneas y flechas hasta imágenes o textos llamativos, pasando por elementos para crear diagramas
de flujo, organigramas, etc.

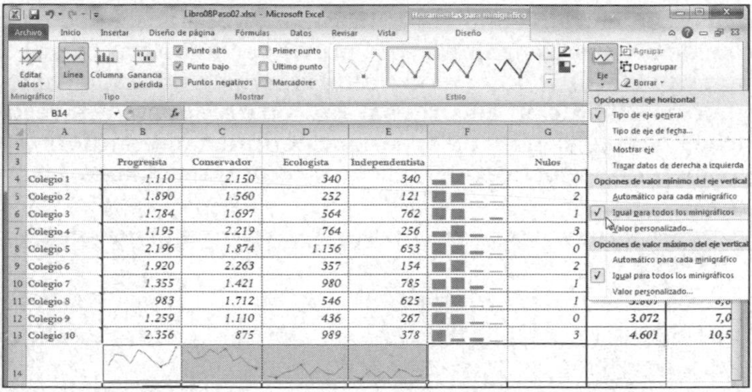

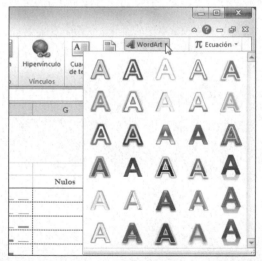

	Progresista	Conservador	Ecologista	Independentista			Nulos
Colegio 1	1.110	2.150	340	340			0
Colegio 2	1.890	1.560	252	121			2
Colegio 3	1.784	1.697	564	762			1
Colegio 4	1.195	2.219	764	256			3
Colegio 5	2.196	1.874	1.156	653			0
Colegio 6	1.920	2.263	357	154			2
Colegio 7	1.355	1.421	980	785			1
Colegio 8	983	1.712	546	625			1
Colegio 9	1.259	1.110	436	267			0
Colegio 10	2.356	875	989	378			3

Figura 8.32. Ajuste de la escala de los minigráficos.

Para incluir cualquier elemento gráfico use las distintas opciones de la ficha **Insertar** de la **Cinta de opciones**, especialmente las de los grupos **Ilustraciones** y **Texto**. En esos grupos hay una serie de botones y menús que facilitan la inserción de elementos tales como recuadros rellenos de color, recuadro de textos, flechas o un texto *wordart* (véase la figura 8.33).

Figura 8.33. Lista de opciones para insertar texto WordArt.

Al insertar cualquiera de estos elementos, por ejemplo un texto WordArt, Excel añadirá a la **Cinta de opciones** algunas fichas con herramientas específicas para trabajar sobre dicho tipo de objetos. En la figura 8.34 puede ver cómo tras insertar un texto WordArt se ha modificado el estilo y utilizado como título en sustitución del original. En la parte superior se ve la ficha **Formato**, con las opciones que permiten insertar formas geométricas, seleccionar el relleno y contorno del texto, etc.

Figura 8.34. Usamos un WordArt como título de la hoja.

Trabajar con datos distribuidos en varias hojas

9.1. Introducción

Hasta ahora, en los ejemplos de capítulos previos, siempre ha trabajado con datos que se encontraban en una misma hoja de cálculo. No obstante, un libro de Excel puede contener múltiples hojas y, lógicamente, es posible usar tantos libros como se precisen. Uno de los primeros ejemplos usados, el de los datos de unas hipotéticas elecciones que eran introducidos por varios operadores, es un ejemplo claro. Al recolectar los datos, lo que obtendría sería un conjunto de documentos de Excel, varios libros, cada uno de los cuales contendría un conjunto de datos.

En este capítulo aprenderá a trabajar con múltiples hojas de datos, ya se encuentren éstas en un mismo libro o en libros independientes. Sabrá cómo nombrar las distintas hojas, cómo utilizar referencias 3D para obtener datos, usará algunas funciones de búsqueda y, por último, verá cómo es posible consolidar datos.

9.2. Prototipo de una factura

Para comenzar a trabajar con datos distribuidos en múltiples hojas nos serviremos de un ejemplo que, en principio, no será más que el prototipo de una factura. Dicho prototipo contará con algunos elementos fijos, como los títulos, fecha actual o fórmulas de cálculo. Lógicamente, partiendo de esta plantilla podrán introducirse datos para confeccionar la factura. Los datos para la factura se tomarán de una segunda página del libro, de tal forma que habrá que hacer referencia en una determinada celdilla a datos que están en otra página.

Posteriormente, en los puntos siguientes, este mismo ejemplo servirá para aprender algunas técnicas nuevas, como la búsqueda de datos mediante algunas funciones o las referencias a vínculos externos.

9.2.1. Diseño de la factura

El primer paso será diseñar lo que podríamos llamar el impreso de factura, un impreso en blanco que se utilizará posteriormente para ir anotando datos. Este impreso, no obstante, será bastante más funcional que su equivalente en papel, ya que será capaz, por ejemplo, de colocar automáticamente la fecha de hoy o ir calculando la factura a medida que se introduzcan líneas de productos.

La figura 9.1 muestra cuál sería el aspecto de nuestro impreso o plantilla de factura. El título que hay en la parte superior izquierda se ha creado con WordArt que, como recordará del capítulo previo, se encuentra en Insertar>Texto en la Cinta de opciones.

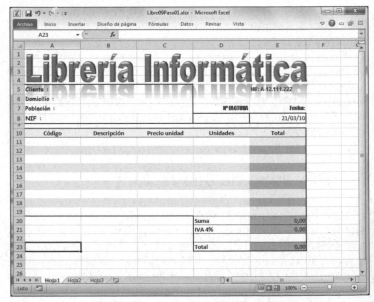

Figura 9.1. Plantilla para la factura.

También se han usado atributos de texto, líneas y fondos de color para diferenciar los varios apartados de la factura.

Los fondos en azul claro indican áreas de títulos, mientras que las franjas con fondo gris indican la existencia de fórmulas para calcular automáticamente los importes, sumas y el IVA. Tanto títulos como fórmulas nunca deberían ser modificados por el usuario por lo que, en la práctica, lo mejor sería proteger la hoja dejando acceso únicamente a las áreas de introducción de datos.

9.2.2. Introducción de las fórmulas

Como se decía antes, nuestra factura será capaz de ir calculándose automáticamente a medida que vayan introduciéndose productos y cantidades. Para ello es preciso introducir las fórmulas adecuadas en los lugares que correspondan. Cada una de las filas de la columna Total tendrá una fórmula, que se encargará de obtener el importe total de esa línea. Después habrá una suma de importes, un cálculo del IVA y un importe total. En la figura 9.2 puede ver las celdillas con las fórmulas que se han introducido.

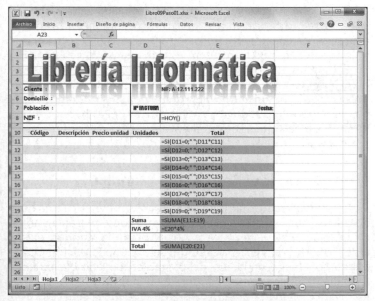

Figura 9.2. Fórmulas de cálculo de la factura.

Observe que la fecha se introduce mediante la función HOY, una de las funciones del grupo de fecha y hora. De esta forma no habrá que preocuparse de facilitar la fecha actual en cada factura. El cálculo del total por línea también utiliza una función, en este caso SI. Lo que hacemos es comprobar si se ha introducido una cantidad, caso en el cual se multiplica por el precio. Si no hay una cantidad, se introduce en la celdilla un espacio. De esta forma se evita que todas las filas de totales aparezcan con un cero en su interior, algo que ocurriría si se hubiese introducido directamente el cálculo.

> **Nota:** *Lógicamente, tan sólo hay que escribir la fórmula en la primera celdilla de total por línea, copiándola después al resto de celdillas.*

Las fórmulas usadas para calcular el total de las líneas, el IVA y el importe total no necesitan demasiada explicación. Tan sólo se usa la función SUMA, que ya conocemos, y el operador de multiplicación.

9.2.3. La tabla de artículos disponibles

Se supone que nuestra factura será utilizada en una librería que tendrá codificados todos sus artículos, por ejemplo en una hoja separada del mismo libro. Para poder usar la factura, por lo tanto, deberemos introducir algunos datos de artículos.

En la parte inferior del libro, que nos muestra las pestañas | Hoja1 / Hoja2 |, haga clic sobre Hoja2 para pasar a la segunda hoja con que cuenta el libro. En dicha hoja insertaremos algunos datos, como puede ver en la figura 9.3. No hay fórmulas ni nada especial, tan sólo una enumeración de códigos, descripciones y precios.

9.2.4. Guardar el libro como plantilla

Lo que ha creado, siguiendo los pasos previos, es una hoja de cálculo que, en la práctica, se utilizará como plantilla para ir creando facturas. Este concepto, el de plantilla, también existe en Excel. Abra la vista Backstage, seleccione la opción Guardar como y luego, en la lista desplegable Tipo, elija el elemento Plantilla de Excel, como se muestra en la figura 9.4. El libro se guardará con una extensión diferente y, además, será colocado automáticamente en la carpeta de plantillas de Excel.

A partir de este momento, cada vez que necesite crear una nueva factura no tiene más que seleccionar la opción **Nuevo** de la vista **Backstage**, hacer clic en **Mis plantillas** y, en el cuadro de diálogo que se abre, hacer doble clic a continuación sobre el elemento **Factura**. El nuevo libro, además, tendrá como nombre el de la plantilla, en este caso Factura, seguido de un número consecutivo.

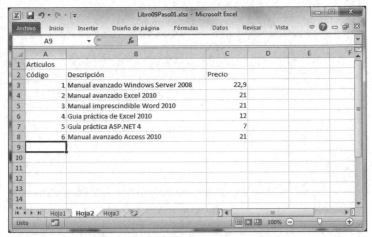

Figura 9.3. Introducimos algunos datos en la página de artículos.

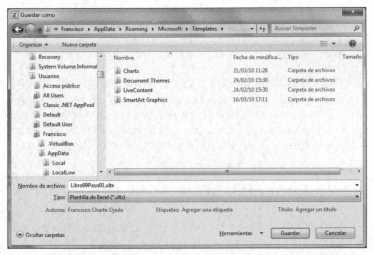

Figura 9.4. Guardamos el libro en forma de plantilla.

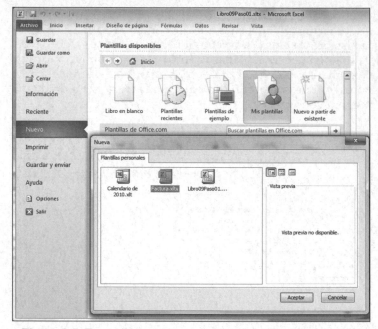

Figura 9.5. Es posible crear nuevos libros a partir de la plantilla.

Nota: Desde la página **Nuevo** *de la vista* **Backstage** *puede acceder no sólo a plantillas almacenadas en su sistema, sino también a plantillas generales ofrecidas por Microsoft en su servicio Office.com. Puede hacer clic en los enlaces del grupo* **Plantillas de Office.com** *o bien introducir un patrón de búsqueda en la parte superior de la ventana.*

Creado el nuevo libro, ya está en disposición de comenzar a introducir datos de productos, junto con las cantidades, para obtener la correspondiente factura. Aquí es donde empiezan las novedades ya que, como puede suponer, las referencias no serán a la misma hoja sino a otra en el mismo libro.

9.3. Referencias 3D

Va a confeccionar su primera factura utilizando la plantilla que ha creado previamente. Usando la opción **Nuevo** abre un nuevo libro a partir de esa plantilla. Primero introduce los datos del cliente, su nombre, domicilio, etc. Después introduce el número de la factura y, por último, tiene que comenzar la introducción de datos de líneas de factura.

> **Nota:** *Si como número de factura introduce* 1/07, *que es una numeración lógica, Excel entenderá que lo que ha introducido es una fecha y, consecuentemente, convertirá el dato mostrándolo como fecha. Para evitar esto, cuando quiera que un dato sea interpretado como texto comience introduciendo el carácter* '. *De esta manera, el número de factura sería* '1/07.

9.3.1. Creación de la referencia

Para seleccionar el artículo correspondiente a la primera línea de factura, obteniendo los datos correspondientes, dé los pasos siguientes:

- Sitúe el foco de entrada en la celdilla correspondiente al código de la primera línea de factura.
- Introduzca el símbolo =, de tal forma que Excel sepa que quiere iniciar una fórmula.
- Haga clic en la pestaña Hoja2, para acceder a la página de artículos.
- Seleccione el código del producto deseado, por ejemplo el 4.
- Pulse **Intro**.

Al dar el último paso verá que Excel vuelve automáticamente a la hoja de factura, mostrando en la celdilla el código del producto elegido. El contenido de la celdilla, finalmente, no es una fórmula, sino una referencia a un dato de la otra hoja, como se destaca en la figura 9.6. De esta forma, hemos creado un vínculo a otro dato que, en este caso, se aloja en una hoja del mismo libro.

> **Nota:** *Para moverse rápidamente entre las distintas hojas del libro, puede utilizar la tecla* **Control** *conjuntamente con* *AvPág y RePág*.

Lógicamente, podríamos haber introducido de manera manual la fórmula =Hoja2!A6 pero, para ello, deberíamos conocer de memoria cuál es la posición en Hoja2 del producto que buscamos.

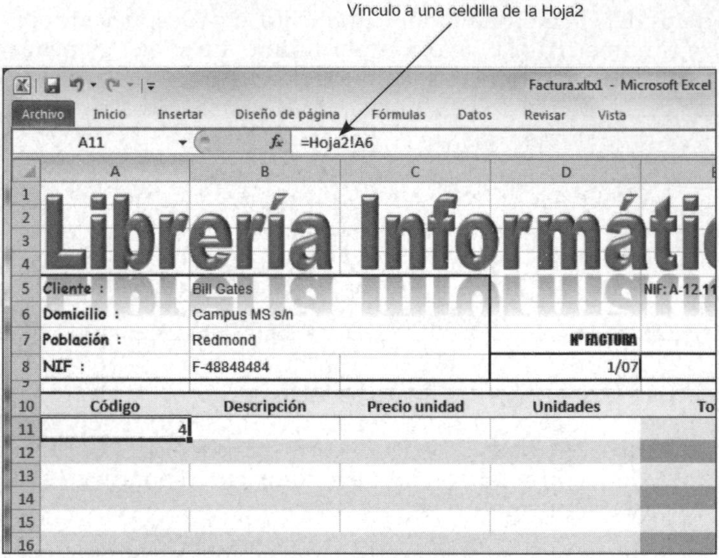

Vínculo a una celdilla de la Hoja2

Figura 9.6. Referencia creada por Excel para vincular la celdilla con la otra hoja.

9.3.2. Copiar vínculos

Al igual que cualquier otra fórmula, una referencia o vínculo con un dato de otra hoja puede copiarse, usando cualquiera de los métodos que conoció en capítulos previos.

Si coloca el puntero del ratón en la esquina inferior derecha del foco de entrada, encima del controlador de autollenado, y después arrastra la selección a las dos celdillas que hay a la derecha, podrá comprobar cómo aparecen automáticamente la descripción y precio del producto. De esta forma, no tiene que repetir el proceso descrito en el punto anterior para introducir nuevos vínculos.

En este punto, lo único que falta es facilitar la cantidad de ejemplares que se lleva el cliente, momento en el cual la hoja calculará automáticamente los demás datos como queda reflejado en la figura 9.7.

Lógicamente, puede repetir los pasos que se han dado en el punto 9.3.1 y en éste para introducir nuevos productos. Cuando tenga anotados todos los artículos que se lleva el cliente, podrá hacer clic en el icono de impresión para obtener la correspondiente factura física, en papel.

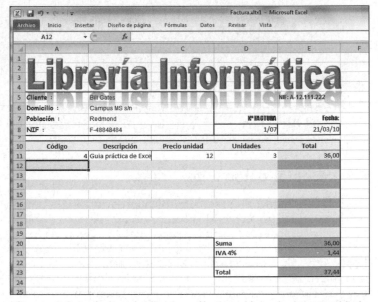

Figura 9.7. La hoja actualiza los cálculos al introducir la cantidad.

9.3.3. Cambiar los nombres de las hojas

Tanto las hojas que estamos usando, como las propias referencias, quedarían más claras si, en lugar de utilizar los nombres Hoja1 y Hoja2, fuese posible darle a las hojas un nombre más lógico. Nada más fácil, basta con hacer doble clic sobre la pestaña para cambiarle el nombre. En la figura 9.8 puede ver cómo se ha llamado a las páginas Factura y Artículos.

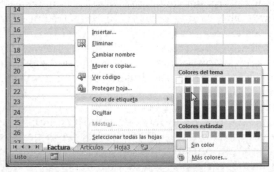

Figura 9.8. Cambiamos los nombres de las hojas y su color.

> **Nota:** *Al cambiar los nombres de las hojas, todas las referencias 3D que pudieran existir se actualizarán automáticamente. Así, la línea de factura que ya había introducido cambiará de* `Hoja2!` *a* `Artículos!`, *lo cual es mucho más claro a la hora de interpretar.*

Si lo desea, puede cambiar también el color de las pestañas en el libro. Para ello no hay más que usar la opción Color de etiqueta del menú emergente asociado a cada etiqueta.

9.3.4. Copiar datos entre hojas

Como es habitual, hay métodos alternativos para copiar datos entre dos hojas, siendo el anterior tan sólo uno de ellos. La técnica de arrastrar y soltar, usada intensivamente en Excel, también es útil a la hora de trasladar datos o vínculos entre dos hojas. Tan sólo es necesario saber cómo pasar de una hoja a otra mientras se arrastran los datos. Si selecciona un rango de datos cualquiera y, a continuación, usa el ratón para arrastrarlo a otro lugar, lo que ocurre, normalmente, es que los datos se mueven del punto original al destino. Éste, además, se encontrará por defecto en la misma hoja.

Por regla general, a la hora de arrastrar y soltar siempre nos servimos del botón principal del ratón. También es posible, no obstante, realizar esa misma operación con el botón secundario (habitualmente el derecho). En este caso, al soltarse el botón Excel muestra un menú emergente del cual es posible elegir la opción a realizar: mover los datos, copiarlos, crear un vínculo, etc.

Mientras se está arrastrando, si el puntero del ratón llega a uno de los márgenes de la hoja ésta se desplaza automáticamente en la dirección apropiada. Si nos movemos, por tanto, hacia la pestaña de otra hoja, para cambiar de una a otra, no nos será posible, ya que Excel entenderá que deseamos desplazarnos hacia abajo. Para indicarle que no es así, que lo que queremos es cambiar a otra hoja, basta con mantener pulsada la tecla **Alt**.

En la secuencia de figuras 9.9 a 9.12 puede ver cómo se ha seleccionado una fila de datos de la hoja Artículos, pulsando a continuación el botón secundario del ratón para arrastrarla. Manteniendo pulsada la tecla **Alt** nos hemos desplazado hasta situarnos en la pestaña de hoja Factura, lo cual ha activado esa hoja. Después hemos desplazado la selección hasta la línea siguiente de la factura, momento en el que hemos liberado el botón y ha aparecido el menú desplegable, del cual elegimos la opción **Crear vínculo aquí.**

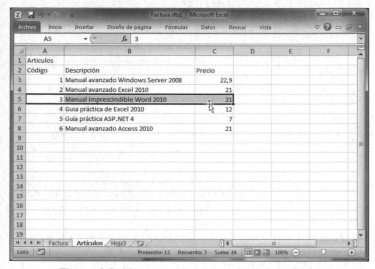

Figura 9.9. Marcamos los datos y los pinchamos con el botón derecho.

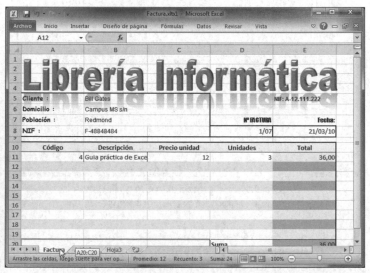

Figura 9.10. Arrastramos cambiando a la hoja de factura.

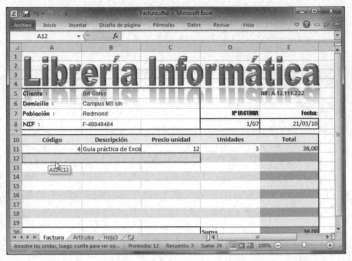

Figura 9.11. Situamos la selección en la línea de factura.

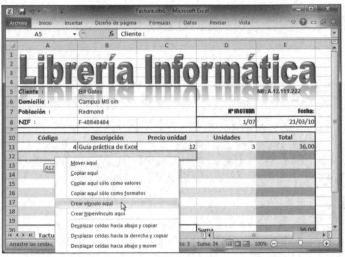

Figura 9.12. Soltamos el botón y elegimos
una opción del menú contextual.

Utilizando esta técnica no es preciso, después de obtener el código del libro, copiar el vínculo a las celdillas adyacentes. Se han obtenido en un solo paso todos los datos precisos para la factura.

9.4. Gestión de las hojas de un libro

Inicialmente, cada vez que se crea un nuevo libro éste cuenta con tres hojas que, de forma muy lógica, se llaman Hoja1, Hoja2 y Hoja3. Como también es lógico, el usuario puede tanto añadir como eliminar hojas, cambiar los nombres, copiarlas, etc.

Ya ha visto lo simple que es cambiar el nombre a las hojas, basta hacer un doble clic sobre la pestaña para poder editar el título.

Al igual que casi todos los elementos de Excel, las pestañas de las hojas también cuentan con un menú contextual. En éste podrá encontrar opciones para insertar nuevas hojas, eliminar las existentes, copiar hojas, moverlas de una posición a otra o incluso entre libros, cambiar el color de la pestaña, etc.

Si a la hora de realizar una determinada tarea quiere que ésta recaiga sobre varias de las hojas, puede seleccionarlas conjuntamente. Para ello, tras seleccionar la primera, pulse la tecla **Control** y, manteniéndola pulsada, vaya haciendo clic sobre las pestañas de las otras hojas.

Para mover una hoja desde su posición actual a cualquier otra, actívela, haga clic sobre la pestaña y arrástrela hasta su nueva posición. Si hace lo anterior conjuntamente con la tecla **Control** no moverá la hoja, sino que creará una copia.

9.5. Referencias a otros libros

La plantilla que tiene en este momento para crear las facturas de sus clientes, después de eliminar la página sobrante y cambiar el nombre de las otras dos, cuenta con dos páginas. Una de ellas almacena la factura propiamente dicha, que será diferente cada vez, mientras que la otra almacena la lista de artículos. Esta última hoja se repite, con exactamente los mismos datos, en cada una de las facturas que puedan emitirse.

Esta claro que es un gasto innecesario de espacio. En este ejemplo la hoja tiene únicamente cinco artículos, pero imagine que tiene un millar de ellos. Copiar toda esa información con cada factura es absurdo, sería mucho más lógico que la hoja que mantiene los datos de artículos se mantuviese separada, de forma que cada factura contase tan sólo con una hoja: la propia factura.

9.5.1. Independizar las hojas

El primer paso que tendremos que dar será independizar las dos hojas que tenemos actualmente en el libro. Para ello, crearemos dos nuevos libros partiendo de la plantilla que habíamos creado previamente. A continuación, eliminaremos de uno de ellos la página Factura y del otro la página Artículos. Guardaremos el primero, que tan sólo tiene la página Artículos, con ese mismo nombre. El libro que contiene sólo la página de factura puede convertirse en la nueva plantilla.

Puede mantener los dos libros abiertos simultáneamente. Utilice la opción Vista>Organizar todo para disponer las ventanas una encima de otra, o una a la izquierda y otra a la derecha, según le sea más cómodo.

En la figura 9.13 puede ver los dos libros una vez independizados, en la parte superior la factura y en la inferior el libro con la hoja de artículos.

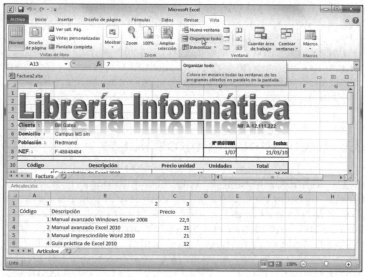

Figura 9.13. Las páginas separadas en dos libros independientes.

A partir de ahora, cada vez que inicie una nueva factura tendrá un libro con tan sólo una página: la propia factura. El libro que contiene los artículos puede ser mantenido de manera independiente y simple, mientras que antes era necesario hacerlo por cada factura.

9.5.2. Creación de las referencias

En los puntos 9.3.1 y 9.3.2 se ha visto cómo es posible crear referencias a datos que están en hojas del mismo libro. Las dos técnicas usadas, introducir el símbolo = y seleccionar la celdilla en la otra hoja o arrastrar y soltar, son completamente válidas también a la hora de crear referencias entre libros.

Teniendo los dos libros abiertos, una factura y el que contiene la hoja de artículos, póngase en el primero y, situando el foco de entrada en una celdilla de código de artículo, introduzca el símbolo =. A continuación, usando el puntero del ratón, haga clic en el otro libro sobre cualquiera de los códigos disponibles. Por último, pulse **Intro** para terminar la introducción de la referencia.

Como apreciará, ahora además del nombre de la hoja, separada de la referencia de celdilla mediante el carácter !, también se ha incluido el nombre del libro, entre corchetes. De esta forma, la referencia `[Articulos.xls]Artículos!$A$5` obtendría el contenido de la celdilla A5 de la hoja `Artículos` existente en el libro `Articulos.xls`.

> **Nota:** *Si facilita tan sólo el nombre del libro, Excel asumirá que éste se encuentra en la misma carpeta de trabajo. Si no es así, facilite delante del nombre del libro, y entre comillas simples, el camino donde se encuentra el documento. Por ejemplo, la referencia* `'C:\Mis documentos\[Articulos.xls]Artículos'!$A$5` *sería equivalente a la anterior, pero ahora se indica el camino donde se encuentra el libro.*

Aunque puede componer las referencias a otros libros de forma manual, siempre es más cómodo mantener abiertos los dos libros y usar técnicas de selección o arrastrar y soltar, como las descritas previamente. No obstante, no deja de ser algo incómodo tener que estar trabajando continuamente con los dos libros abiertos.

9.5.3. Actualización de datos vinculados

Los datos vinculados de una hoja de cálculo pueden ser modificados en cualquier momento, sin notificación explícita a la hoja vinculada. En nuestro caso, por ejemplo, podríamos abrir sólo el libro que mantiene la lista de artículos y cambiar una descripción o un precio.

Al abrir una hoja que tiene datos vinculados de otros libros, en nuestro caso una factura cualquiera, Excel puede actualizar esos vínculos automáticamente, si bien es una característica que, por razones de seguridad, se encuentra deshabilitada inicialmente. Al abrir la factura verá aparecer en la parte superior de la interfaz, bajo la Cinta de opciones, una advertencia de seguridad (véase la figura 9.14).

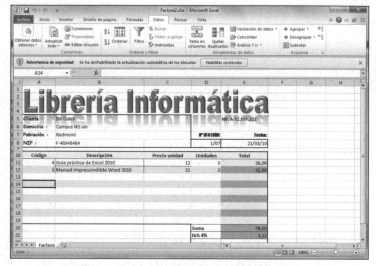

Figura 9.14. Habilitamos la actualización
automática de datos vinculados.

Haga clic en el botón **Habilitar contenido** para activar la actualización de los datos vinculados. Dé este paso solamente cuando esté seguro de que los datos vinculados son seguros y no representan ningún peligro para su equipo.

En este caso no hay ningún problema, por lo que puede activar esta opción de manera que los datos mostrados en la factura siempre estén en concordancia con los existentes en el libro de artículos.

Para evitar que la pregunta anterior se repita cada vez que se abra una factura, no tiene más que activar la opción Habilitar actualización automática de todos los vínculos del libro. Para ello abra la ventana Opciones de Excel desde la vista Backstage, haga clic en el apartado Centro de confianza y a continuación en el botón **Configuración del Centro de confianza**. Esto abrirá una ventana como la de la figura 9.15, con opciones relativas a seguridad. Encontrará la opción citada antes en la página Contenido externo.

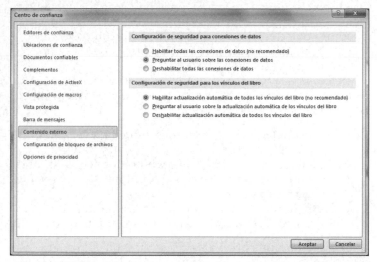

Figura 9.15. Habilitamos la actualización automática de vínculos.

9.6. Funciones de búsqueda de datos

Tras la separación de las hojas de artículos y factura realizada en el punto anterior, su trabajo ahora es más fácil. Usando la plantilla puede ir creando un libro para cada factura, mientras el libro de artículos se mantiene separado. También puede usar la opción Insertar del menú contextual de las pestañas que representan a las hojas para almacenar varias facturas en el mismo libro.

El inconveniente, seguramente el único que encontrará, es que para efectuar las referencias a los artículos, obteniendo la descripción y el precio, se ve obligado a mantener siempre abierto el libro de artículos. Es el único medio, a menos que sepa de memoria las referencias correspondientes a las celdillas donde se encuentra cada uno de ellos.

De entre los distintos grupos de funciones con que cuenta Excel, encontramos uno formado por funciones capaces de realizar búsquedas de datos. Usando estas funciones, como vamos a ver enseguida, el trabajo de confección de la factura quedará reducido al mínimo.

9.6.1. Buscar una fila en una tabla

La hoja que contiene los datos de los artículos está estructurada como si fuese una tabla, en la que cada fila cuenta con toda la información de un cierto artículo, distribuida en varias columnas que contienen el código, descripción y precio.

Para realizar una búsqueda en una tabla de este tipo, podemos utilizar la función CONSULTAV.

Al llamar a la función CONSULTAV hay que facilitar cuatro parámetros, aunque el último es opcional y podría omitirse. Los argumentos necesarios son:

1. Valor o referencia a una celdilla que tiene el valor que se quiere buscar en la tabla.
2. Una referencia al rango de celdillas donde está la tabla.
3. Un número indicando en qué columna está el valor que quiere recuperarse.
4. Este último valor, que puede ser VERDADERO o FALSO, le indica a la función si la tabla está ordenada o no.

El primer argumento, valor a buscar, sería en nuestro caso el código del artículo. La función CONSULTAV busca el citado valor en la primera columna de la tabla, definida por el rango entregado como segundo argumento. Las columnas de la tabla se numeran de izquierda a derecha comenzando por el valor 1. Esto significa que, si quiere recuperarse la descripción, habría que entregar como tercer argumento el valor 2.

Lógicamente, tanto el rango en el que está la tabla como el número que indica qué dato quiere recuperarse no tienen por qué ser referencias directas, pueden utilizarse nombres que faciliten la codificación.

9.6.2. Cambios a la hoja de artículos

Con el fin de simplificar la escritura de las fórmulas en la hoja de factura, en el punto siguiente, antes vamos a realizar algunos cambios en la hoja de artículos.

Para comenzar, definiremos un nombre que haga referencia a la tabla de datos. El nombre será TablaArtículos y, como se aprecia en la figura 9.16, hace referencia a toda la tabla.

> **Nota:** *Para definir un nombre, como ya sabe, no tiene más que seleccionar el rango de celdillas, hacer clic en el* Cuadro de nombres *e introducir el identificador.*

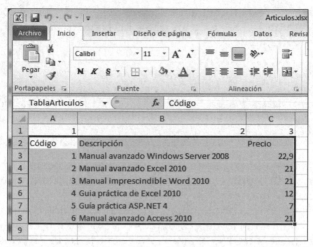

Figura 9.16. Definimos un nombre para hacer referencia a la tabla.

Fíjese en las celdillas de la primera fila en la figura 9.16. Se ha introducido encima de cada una de las columnas de datos un número, que sería el número de orden de cada columna dentro de la tabla. Este número sería el que entregáramos como tercer argumento a la función CONSULTAV.

Aunque podría introducirse directamente el número de columna, al usar la citada función, es mucho más cómodo utilizar siempre un nombre.

Por eso, vamos a seleccionar la celdilla que contiene el número de columna con la descripción y le vamos a asignar el nombre Descripción, mientras que a la que contiene el precio la llamaremos, como es lógico, Precio.

Hecho esto ya puede guardar la hoja de artículos. Ya no tendrá que volver a abrirla para poder confeccionar una factura, siempre y cuando cada uno de los artículos con que cuenta tenga su código puesto en alguna parte.

9.6.3. Cambios a la factura

Hasta ahora, para confeccionar una factura debía hacer referencia en la hoja a varios datos que se encontraban en otro libro, que es el que contiene la hoja de artículos. A partir de ahora, lo único que deberá introducir será el código del artículo, momento en el cual unas fórmulas, que vamos a crear, se ocuparán de buscar la descripción y precio de ese artículo. De esta forma tan sólo será preciso escribir el código y la cantidad, el resto de los datos los generará la propia hoja automáticamente.

> **Nota:** *Si utilizase un lector de códigos de barras, y los códigos almacenados en la hoja de artículos coincidiesen con ellos, podría dejar que Excel hiciese prácticamente todo el trabajo, ya que bastaría con leer el código y automáticamente aparecería la descripción y el precio.*

Vamos a situarnos en la celdilla correspondiente a la descripción de la primera línea de factura. En ella introduciremos la fórmula que puede ver en la figura 9.17.

Fíjese en que primero hay un condicional que comprueba si se ha introducido un código. Si no hay código, la descripción que se introduce es nula. En caso contrario, se utiliza la función CONSULTAV.

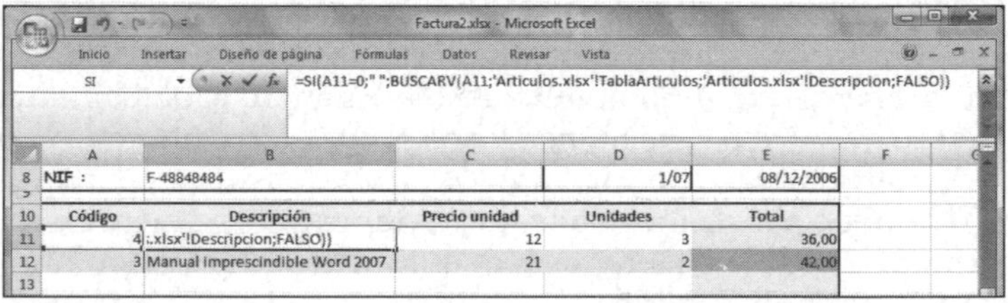

Figura 9.17. Introducimos una fórmula para obtener la descripción.

Observe los argumentos que se facilitan: una referencia a la celdilla que contiene el código del artículo, el nombre del rango donde está la tabla y el nombre de la columna que se quiere recuperar, ambos datos precedidos del nombre del libro. El último parámetro, FALSO, indica que la hoja puede no estar ordenada.

La fórmula para la celdilla siguiente, en la que se obtendría el precio, sería prácticamente idéntica. Tan sólo se cambiará la columna que desea obtenerse, que en lugar de Descripción será Precio.

Terminada la introducción de las dos fórmulas en las celdillas correspondientes a la primera línea de factura, selecciónelas y cópielas al resto de filas. Terminado este proceso, la factura será una colección de fórmulas como puede verse en la figura 9.18.

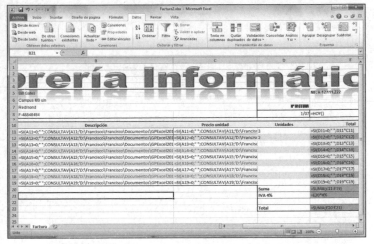

Figura 9.18. Fórmulas introducidas en la factura.

9.6.4. Introducción de datos

Excel recalcula automáticamente las fórmulas a medida que se introducen datos siempre, claro está, que no se haya desactivado esta característica. Al introducir un código de artículo, por lo tanto, automáticamente aparecerá la descripción y el precio, por lo que tan sólo hay que facilitar la cantidad. En caso de que el código introducido no exista, Excel lo indicará con el error #N/A, como se muestra en la figura 9.19. Como siempre, una etiqueta inteligente nos ofrece opciones para entender y solucionar el error.

Ya no tiene que preocuparse de mantener abierto el libro con la hoja de artículos, ni de crear las referencias manualmente, tan sólo debe conocer el código de cada artículo.

9.7. Consolidación de datos

No es extraño que, en un determinado momento, se encuentre con varias hojas de cálculo, ya sea en el mismo libro o en libros independientes, con datos que precisa consolidar. En los primeros capítulos de esta guía, por ejemplo, creó una hoja que debía ser usada por un cierto número de operadores. Introducida la información, se encontraría con datos que es necesario totalizar.

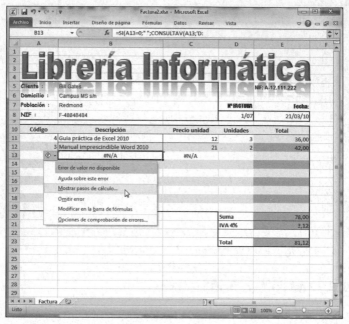

Figura 9.19. Introducción de algunos datos en una factura.

Para consolidar datos de diversas hojas en una de resumen es posible utilizar diferentes técnicas. Nosotros vamos a conocer dos: usando referencias 3D en un rango de páginas y utilizando la opción Datos>Consolidar de la Cinta de opciones de Excel.

9.7.1. Referencias 3D y rangos de hojas

Imagine que ha recibido, de los operadores correspondientes, los datos de las elecciones usadas como ejemplo en capítulos anteriores. Ha creado un libro en el que hay varias hojas, conteniendo cada una de ellas los datos de un operador. Además ha añadido una página que será en la que se consoliden los datos. Ha llamado a las páginas según puede verse en la figura 9.20, que es un detalle de las pestañas de las hojas.

Figura 9.20. Hojas con los datos a consolidar y el resumen.

Todas las hojas del libro tienen la misma estructura, aunque los datos, en la práctica, serían diferentes puesto que hacen referencias a distintos colegios. Esta estructura será también la que se conserve en la hoja de resumen, pero cada una de las celdillas que contiene un dato numérico contendrá ahora una fórmula. Colóquese en la celdilla `B4`, que contiene el primer dato de la tabla. Sustituya el valor existente por la fórmula `=SUMA(Operador1:Operador4!B4)`. Observe cómo se usa un rango de hojas para obtener la suma de todas las celdillas `B4`. Al pulsar **Intro** obtendrá el resultado. Lógicamente, cualquier modificación en las hojas que contienen los datos se reflejará de inmediato en la consolidación.

Introducida la fórmula anterior, no tiene más que utilizar el autollenado para copiarla a todas las celdillas de datos adyacentes, tanto en sentido vertical como horizontal. Hecho esto, la hoja ya contiene la consolidación de datos de todas las otras.

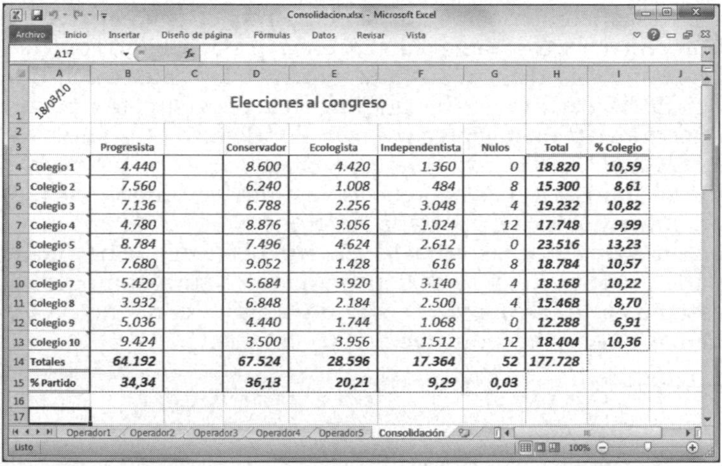

18/03/10 — Elecciones al congreso

	Progresista		Conservador	Ecologista	Independentista	Nulos	Total	% Colegio
Colegio 1	4.440		8.600	4.420	1.360	0	18.820	10,59
Colegio 2	7.560		6.240	1.008	484	8	15.300	8,61
Colegio 3	7.136		6.788	2.256	3.048	4	19.232	10,82
Colegio 4	4.780		8.876	3.056	1.024	12	17.748	9,99
Colegio 5	8.784		7.496	4.624	2.612	0	23.516	13,23
Colegio 6	7.680		9.052	1.428	616	8	18.784	10,57
Colegio 7	5.420		5.684	3.920	3.140	4	18.168	10,22
Colegio 8	3.932		6.848	2.184	2.500	4	15.468	8,70
Colegio 9	5.036		4.440	1.744	1.068	0	12.288	6,91
Colegio 10	9.424		3.500	3.956	1.512	12	18.404	10,36
Totales	64.192		67.524	28.596	17.364	52	177.728	
% Partido	34,34		36,13	20,21	9,29	0,03		

Figura 9.21. Hoja con los datos una vez consolidados.

Añadir hojas al rango

En principio ha consolidado datos distribuidos en cuatro hojas pero, en cualquier momento, podría recibir nuevas hojas de otros operadores. En principio podría pensar en la necesidad de editar la fórmula, para hacer referencia a la recién añadida, y después volver a copiar para actualizar la consolidación. Esto, sin embargo, no será preciso.

Observe la figura 9.22, que es un detalle del área en el que se encuentran las pestañas de las hojas. A las cuatro que había originalmente se añade una quinta, ¿cómo? Tan sencillo como seleccionar esa hoja y, sin soltar el botón del ratón, arrastrarla hasta disponerla en el interior del rango. Tras esta operación, podrá ver que en la consolidación ya se encuentran los datos de la hoja añadida.

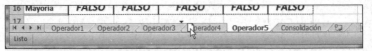

Figura 9.22. Añadir una hoja a un rango de consolidación.

9.7.2. Consolidación automática

Otro método de consolidación, alternativo al que acaba de describirse, es el que nos ofrece la opción Datos>Consolidar mencionada anteriormente. Al elegir esta opción, aparecerá una ventana (véase la figura 9.23) en la que deben introducirse las referencias a los rangos que contienen los datos a consolidar. En la lista desplegable que hay en la parte superior puede seleccionar la operación a realizar. Por defecto es la suma de los valores, pero puede optar por obtener un valor promedio, los máximos, etc. Las referencias van introduciéndose de forma individual en el apartado Referencia, haciendo clic en el botón **Agregar**, tras lo cual se añaden a la lista que hay en la parte inferior. Si las hojas tienen una estructura homogénea, como en este caso, una vez elegida la primera referencia las demás pueden introducirse más fácilmente.

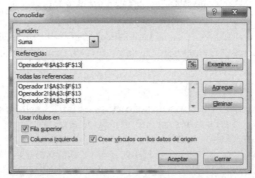

Figura 9.23. Ventana de consolidación de datos.

Si quiere obtener no sólo una consolidación de datos simple, desconectada de los datos originales, sino mantener la actualización siempre, marque la opción **Crear vínculos con los datos de origen**. Los apartados del grupo **Usar rótulos en** le servirán para indicar si, en la selección, se han incluido títulos de filas o columnas. Introducida toda la información, al hacer clic en **Aceptar** Excel añadirá el resultado de la consolidación en el punto en que estuviese situado el foco de entrada. Además de los datos propiamente dichos, la consolidación ha generado unos grupos, según se ve en la figura 9.24, mediante los cuales es posible acceder al detalle de los datos consolidados. En este caso, por ejemplo, puede verse que los 7.560 votos del Colegio 2 corresponden a la suma de cuatro valores.

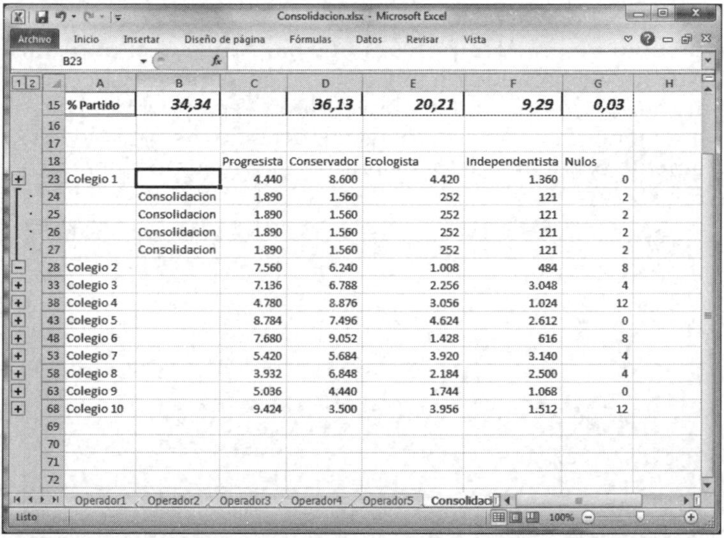

Figura 9.24. Los datos consolidados forman grupos.

> **Nota:** *Observe, en la parte superior de la columna 1 donde aparecen los números de fila, que existen dos botones de menor tamaño. Haciendo clic sobre ellos podrá abrir o cerrar en un solo paso todos los niveles de detalle de la consolidación.*

En los dos ejemplos propuestos se han usado datos de hojas que estaban en el mismo libro pero, como en puntos anteriores, podrían usarse perfectamente referencias a libros externos, siendo el resultado el mismo.

9.8. Comparación de libros

Al trabajar con varios libros de manera simultánea, en especial si parten de una misma plantilla o contienen datos similares, podemos necesitar en cualquier momento efectuar una comparación de su contenido. Con lo que sabemos hasta ahora podríamos llevar a cabo esta tarea, utilizando la opción **Vista>Organizar todo** para ver los dos libros al tiempo. Será incómodo, sin embargo, mantener sincronizada la posición de un libro respecto al otro. Le será mucho más fácil hacerlo, no obstante, mediante la opción **Ventana>Ver en paralelo** de la ficha **Vista**. Antes de poder usarla debe abrir los documentos a comparar. Acto seguido elija la opción y observe cómo Excel muestra automáticamente los dos libros, activando también la opción **Desplazamiento sincrónico**. A causa de ello el movimiento de un libro provoca una sincronización inmediata en el otro, generando un movimiento en la misma dirección y magnitud. Un nuevo clic sobre el botón **Ver en paralelo** devolverá la interfaz a su estado inicial, dejando visible sólo el documento original y desactivando el movimiento sincrónico.

Figura 9.25. Comparación en paralelo de dos libros.

10

Listas y tablas de datos

10.1. Introducción

El capítulo anterior, que estaba dedicado al trabajo con múltiples hojas y libros, ha servido también para ver cómo es posible crear una tabla de datos, usada posteriormente para realizar búsquedas.

Aparte de esta operación, las posibilidades de gestión de datos estructurados en forma de listas y tablas que Excel poner nuestra disposición son muchas.

Excel es una hoja de cálculo, no un gestor de bases de datos como Microsoft Access. No obstante, cuenta con funciones que permiten realizar algunas de las tareas para las cuales está pensado Access.

Si los requerimientos de gestión de datos que tenemos son superiores a los que puede ofrecernos Excel, siempre es posible servirse de Access y, a continuación, acceder a los datos desde Excel.

La finalidad de este capítulo es iniciarle en el tratamiento de lista y tablas datos con Excel. Comenzará viendo cómo se facilita la introducción de datos para, en varios puntos posteriores, aprender a ordenarlos, clasificarlos, totalizarlos, etc.

10.2. Introducción de datos

La primera tarea en la que nos vamos a centrar es la introducción de datos. Ya en un capítulo previo se vio cómo simplificar relativamente este proceso, seleccionando el rango de introducción de datos o usando la tecla **Tab** para saltar de celdilla en celdilla. Estos métodos, sin embargo, no son los únicos disponibles.

Para ir trabajando sobre un ejemplo, como en casos anteriores, se partirá de un nuevo supuesto. Ahora hay que diseñar una hoja de cálculo en la que la primera página, que tendrá el nombre Vehículos, debe contener una base de datos de un supuesto concesionario de automóviles.

En esa base de datos se almacenará el tipo de vehículo, la marca, el modelo, el precio, la cantidad que hay en el concesionario y su valor total.

Tras disponer unos títulos, como puede observar en la figura 10.1, se inicia la introducción de los datos. Gracias a la característica de autocompletado de Excel, cada vez que repite una categoría o marca de vehículo aparecerá automáticamente el valor adecuado en cuanto se introduzcan uno o dos caracteres, siendo suficiente la pulsación de la tecla **Intro** para aceptarlo.

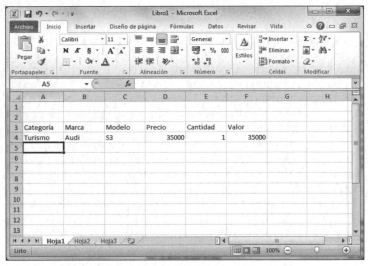

Figura 10.1. Iniciamos la introducción de datos.

Cada vez que finalice la introducción de una fila de datos, tendrá que desplazar el foco de entrada a la primera celdilla de la fila siguiente. Esta operación puede efectuarse automáticamente seleccionando un rango de celdillas que, si no sabe de antemano cuántos datos va a introducir, deberá establecer a cálculo.

10.2.1. Formularios de introducción de datos

Excel es capaz de generar dinámicamente formularios para facilitar la introducción de datos. Para ello, inspecciona la tabla cuyo diseño se ha iniciado y, con los datos obtenidos, crea un formulario que tiene tantos campos como columnas de datos hay en la tabla. Esta opción, sin embargo, no aparece por defecto en la Cinta de opciones ni en la Barra de herramientas de acceso rápido. Para añadirla recurra a la página Personalizar de la ventana Opciones de Excel, que ya ha utilizado en otras ocasiones, elija en la lista de la izquierda el grupo Comandos que no están en la cinta de opciones y busque la opción Formulario, agregándolo a la lista de la derecha como se ve en la figura 10.2. Con esto tendrá a su disposición un nuevo botón que le permitirá ejecutar dicho comando.

Figura 10.2. Agregamos la opción Formulario a la barra de herramientas de acceso rápido.

Nota: *También puede acceder al cuadro de diálogo de personalización abriendo el menú que hay en el extremo derecho de la propia* Barra de herramientas de acceso rápido *y seleccionando la opción* Más comandos, *así como haciendo clic con el botón secundario sobre cualquier punto de la* Cinta de opciones *y usando la opción* Personalizar la barra de herramientas de acceso rápido.

Para abrir un formulario de introducción de datos, lo primero que debe hacer es colocar el foco de entrada en alguna celdilla que forme parte de la tabla de datos.

En este caso, puesto que tan sólo existen los títulos y una fila de datos, puede situar el foco en una columna de cualquiera de las dos filas.

Acto seguido haga clic en el botón **Formulario** que acaba de añadir. Podrá ver cómo se abre un formulario en el que, en principio, aparecen los datos del único registro o fila existente. Puede hacer clic en el botón **Nuevo** e iniciar la introducción de los datos de otro vehículo, como se hace en la figura 10.3. Tan sólo tiene que ir escribiendo datos y pulsando **Intro**, las filas irán añadiéndose automáticamente.

El formulario tiene como título el de la propia hoja en la que se están introduciendo los datos. Las etiquetas de los campos son los títulos que dispusimos inicialmente en las columnas. Fíjese en que se ha generado automáticamente un carácter de acceso rápido, que aparece subrayado en el título.

Utilizando el formulario hemos introducido algunos registros de datos a los que, posteriormente, hemos dado formato mediante las opciones que conocimos en capítulos previos. El resultado obtenido es el de la figura 10.4.

Figura 10.3. Usamos el formulario para introducir nuevos datos.

10.2.2. Búsquedas de registros

Además de introducir datos, puede utilizar un formulario también para realizar búsquedas y para editar. Observe, en la figura 10.3, que existe un botón llamado **Criterios**. Al hacer clic sobre él, los distintos campos aparecen vacíos y puede introducir en ellos el valor que busca, o bien una relación.

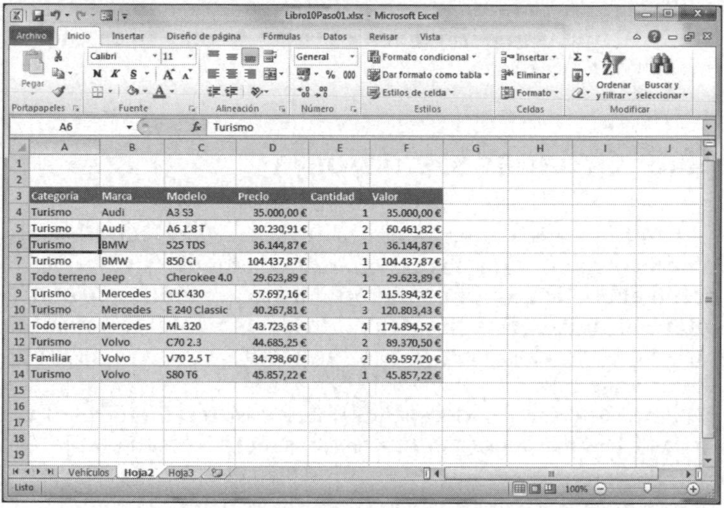

Figura 10.4. Datos introducidos a través del formulario.

En la figura 10.5 puede ver cómo se usa el formulario para buscar aquellos turismos cuyo precio esté por debajo de los 40.000 euros. Introducidos los criterios de búsqueda, basta con un clic en Buscar siguiente y Buscar anterior para recorrer las filas de datos que cumplen con la condición.

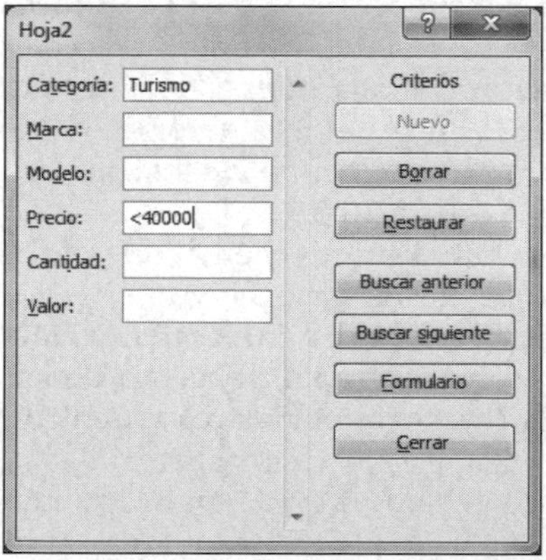

Figura 10.5. Puede introducir criterios de búsqueda de datos.

La edición de datos es también una tarea simple, ya que basta con buscar el registro deseado y hacer las modificaciones pertinentes. En cualquier momento puede hacer clic en **Restaurar** para dejar ese registro como estaba. También puede eliminar una fila de datos, simplemente haciendo clic en el botón **Eliminar**.

10.3. Ordenar los datos

Como puede ver en la figura 10.4, los datos introducidos parecen estar ordenados por marcas y, además, siguiendo un orden alfabético. En cualquier momento, sin embargo, podría interesar agruparlos por categoría de vehículo, o quizá por rangos de precios. Para ello, lógicamente, sería preciso reordenar los datos.

Para cambiar el orden de los datos, concretamente el orden de las filas que actúan como registros respecto a la tabla, tan sólo tiene que hacer clic en el botón 🔽 o el botón 🔼 del grupo Datos>Ordenar y filtrar de la Cinta de opciones.

Si quiere ordenar rápidamente las filas teniendo en cuenta el contenido de una cierta columna, como la categoría, la marca o el precio, simplemente sitúe el foco de entrada en una celdilla de esa columna, haciendo clic a continuación en uno de los dos botones indicados según desee ordenar de menor a mayor o viceversa.

En caso de que la ordenación que desea efectuar sea algo más compleja, por ejemplo ordenando por categoría y dentro de cada categoría por marca, sitúe el foco de entrada en cualquier punto de la tabla de datos, seleccionando a continuación la opción Datos>Ordenar y filtrar>Ordenar, situada a la derecha de los dos botones anteriores. Al tiempo que se marca todo el rango que ocupa la tabla, aparecerá una ventana como la de la figura 10.6.

En principio habrá un nivel en el que podrá indicar la columna por la que desea ordenar y el criterio. Utilizando el botón **Agregar nivel** podrá introducir niveles adicionales, en la figura 10.6, por ejemplo, se va a ordenar por categoría, dentro de cada categoría por marca y dentro de cada marca por precio.

Como puede ver, el orden de los datos en una tabla es totalmente dinámico, ya que puede alterarlo tantas veces como desee y en cualquier momento.

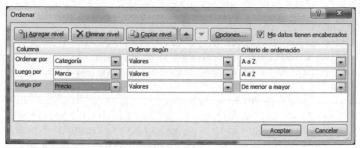

Figura 10.6. Cuadro de diálogo de ordenación de datos.

10.4. Agrupar los datos

En la lista anterior los datos están ordenados pero dispuestos de forma consecutiva, es decir, no se ha formado grupo alguno. Suponga, por ejemplo, que quiere realizar tres grupos, conteniendo en cada uno de ellos el número de vehículos de cada categoría.

Bastaría con insertar unas filas de separación y, a continuación, introducir una fórmula de totalización, como se aprecia en la figura 10.7. Los títulos y totales se han destacado en negrita, para resaltar la separación.

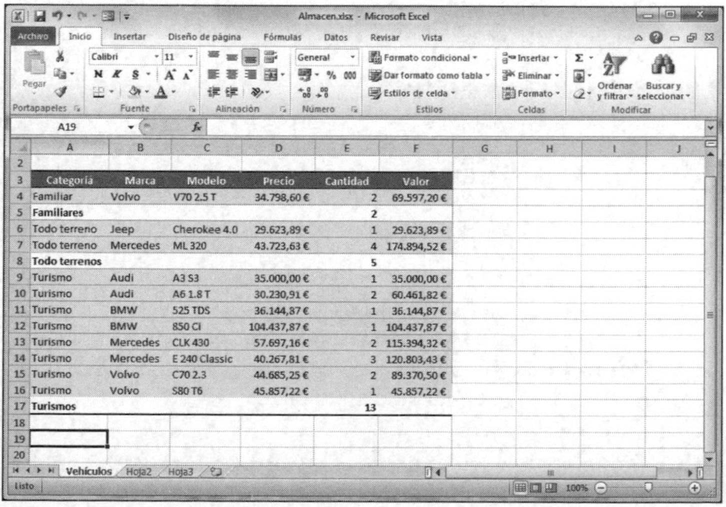

	A	B	C	D	E	F
3	**Categoría**	**Marca**	**Modelo**	**Precio**	**Cantidad**	**Valor**
4	Familiar	Volvo	V70 2.5 T	34.798,60 €	2	69.597,20 €
5	**Familiares**				**2**	
6	Todo terreno	Jeep	Cherokee 4.0	29.623,89 €	1	29.623,89 €
7	Todo terreno	Mercedes	ML 320	43.723,63 €	4	174.894,52 €
8	**Todo terrenos**				**5**	
9	Turismo	Audi	A3 S3	35.000,00 €	1	35.000,00 €
10	Turismo	Audi	A6 1.8 T	30.230,91 €	2	60.461,82 €
11	Turismo	BMW	525 TDS	36.144,87 €	1	36.144,87 €
12	Turismo	BMW	850 CI	104.437,87 €	1	104.437,87 €
13	Turismo	Mercedes	CLK 430	57.697,16 €	2	115.394,32 €
14	Turismo	Mercedes	E 240 Classic	40.267,81 €	3	120.803,43 €
15	Turismo	Volvo	C70 2.3	44.685,25 €	2	89.370,50 €
16	Turismo	Volvo	S80 T6	45.857,22 €	1	45.857,22 €
17	**Turismos**				**13**	

Figura 10.7. La tabla de datos tras separar en tres grupos.

En nuestro caso la tabla de datos que hemos creado es pequeña, por lo que no hay problema en ver todos los grupos existentes, así como los productos pertenecientes a cada uno de ellos. En un caso real, sin embargo, el número de grupos y filas seguramente será muy superior, y tanto la visualización como la búsqueda requerirán un mayor trabajo por parte del usuario. Excel permite agrupar los datos creando dos o más niveles, de tal forma que es posible resumirlos o bien desplegarlos. Las dos opciones implicadas son **Esquema>Agrupar** y **Esquema>Desagrupar**, que se encuentran en la ficha **Datos** de la **Cinta de opciones**. La primera agrupa el rango de filas seleccionado, mientras que la segunda deshace el grupo.

Aunque podríamos seleccionar las filas que contienen todos los vehículos familiares, en este caso tan sólo una, y a continuación elegir la opción **Esquema>Agrupar** y repetir el proceso seleccionando las filas de las otras categorías, en este caso será más cómodo utilizar la opción **Subtotal** de ese mismo grupo. Aparecerá un cuadro de diálogo como el de la figura 10.8, en el que podremos elegir la columna que regirá los grupos, en este caso la categoría del vehículo; la función de resumen a aplicar y las columnas a las que se aplicarán los subtotales.

Figura 10.8. Agrupamos los vehículos por categorías
añadiendo subtotales.

Pueden crearse varios niveles de grupos. Para verlo, añada detrás de toda la tabla un total de vehículos. A continuación, seleccione todas las filas, a excepción del total, y utilice la misma opción indicada antes. Ahora puede contraer toda la tabla, desplegarla y también contar con grupos por categoría.

Observe, en la figura 10.9, que en la parte superior izquierda existen unos pequeños botones que indican el nivel de detalle. Haciendo clic directamente sobre esos botones, podrá contraer o desplegar todos los grupos de ese nivel.

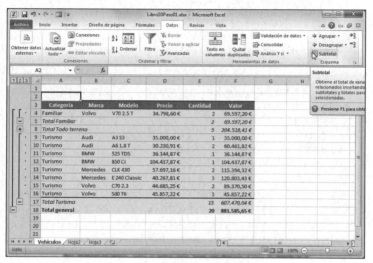

Figura 10.9. La tabla con dos niveles de grupos y los subtotales.

Para deshacer los grupos, según se indicó antes, basta con disponer el foco de entrada en el punto adecuado y, seguidamente, elegir la opción Esquema>Desagrupar. Si desea eliminar los subtotales creados desde el cuadro de diálogo Subtotales, no tiene más que volver a abrirlo y hacer clic en el botón **Quitar todos** que hay en la parte inferior izquierda.

10.5. Filtrado de datos

Los grupos desplegables son un método para simplificar la visualización de datos, aunque están pensados principalmente para la gestión de totales y subtotales.

Cuando en una lista de datos existen muchas filas la búsqueda de un cierto registro puede ser laboriosa. Suponga que en el ejemplo usado en este capítulo, con datos de vehículos, en lugar de una docena tuviese registrados todos los modelos de todas las marcas, lo cual sumará varios cientos de filas.

Ante una tabla de datos como ésta, ¿cómo podría buscar los turismos que costasen menos de un cierto precio y que, además, fuesen de las marcas Volvo o Audi?, por poner un ejemplo. En casos como estos lo mejor que puede hacerse es filtrar las filas, para lo cual existen varias opciones disponibles en Excel.

10.5.1. Filtros automáticos

La manera más sencilla de filtrar datos consiste en usar los filtros automáticos de Excel, que se activan al dar formato a un cierto rango de datos como tabla. Para ello no tenemos más que situar el foco en cualquier punto de nuestros datos, abrir la ficha Inicio de la Cinta de opciones y desplegar Estilos>Dar formato como tabla, eligiendo cualquiera de los estilos disponibles.

Partiendo de la tabla de datos que teníamos originalmente, sin grupos y sin importar el orden de las filas, seleccione la opción anterior y escoja un estilo cualquiera. Podrá ver que a la derecha de cada rótulo de columna, en la misma celdilla, aparece un botón como el que usan las listas desplegables. Realmente, es que la celdilla ahora tiene adjunta una lista desplegable, como se aprecia en la figura 10.10.

Si despliega la lista asociada a la columna Marca, como se ve en la figura 10.10, y deja marcada solamente una de las marcas disponibles, verá que a partir de ese momento tan sólo aparecen las filas de datos relativos a vehículos de esa marca. En cualquier momento puede volver a desplegar la lista y seleccionar (Seleccionar todo), de tal forma que vuelvan a mostrarse todos los datos, o bien activar marcas adicionales.

Las selecciones de filtro de las columnas son combinables. Esto le permitiría, por ejemplo, seleccionar una categoría de vehículo, por ejemplo Turismo, y después elegir una de las marcas disponibles. En este momento tendría un criterio combinado para filtrar los datos, pudiendo eliminar cualquiera de las dos condiciones o ambas.

> **Nota:** *Fíjese en que además de las listas asociadas a los títulos de columna, en la* Cinta de opciones *también aparece ahora una nueva ficha, llamada* Diseño*, con opciones específicas para trabajar sobre tablas de datos.*

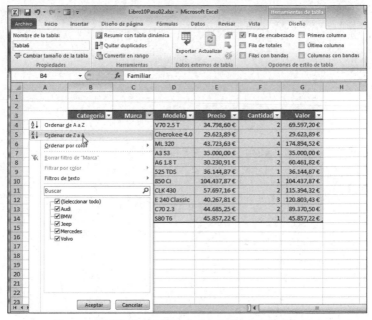

Figura 10.10. Selección de los criterios de filtrado.

Además de marcar o desmarcar valores concretos, en la lista de opciones que aparece asociada a cada columna también se nos permite cambiar el orden, ordenar por colores, filtrar según un cierto texto o número, etc. En la figura 10.11, por ejemplo, pueden verse las opciones que nos permiten filtrar según el valor de los vehículos, por ejemplo mostrando solamente los que son superiores o inferiores a un cierto valor, los que superan el valor promedio, etc.

10.5.2. Filtros avanzados

Un método alternativo de filtrado de datos, sin utilizar los filtros automáticos, consiste en la creación de tablas que contienen los criterios de filtrado. Estas tablas se utilizan para efectuar una intersección con los datos, obteniendo las filas que cumplen el criterio.

Los filtros avanzados, que es como se denomina a esta técnica, son más útiles cuantos más criterios hay y más complejos son éstos. Para seleccionar los vehículos de una determinada categoría, por ejemplo, seguramente es más cómodo usar los filtros automáticos y seleccionar de la lista desplegable la categoría deseada.

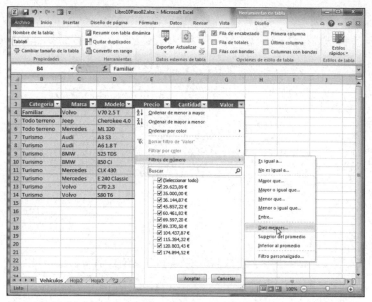

Figura 10.11. Uso de los filtros de número sobre la tabla de datos.

Imagine que desea obtener de la tabla todos aquellos turismos Audi o bien Volvo cuyo precio se encuentre entre los 31.000 y los 45.000 euros. Lógicamente podría hacer esto mediante un autofiltro, activándolo y haciendo tres selecciones. No obstante, puede también hacerlo creando una tabla que tenga estos criterios y usando la opción **Avanzadas** del grupo **Datos>Ordenar y filtrar**. La opción citada hace aparecer una ventana, como en la figura 10.12, que permite tanto filtrar los datos en la misma tabla como crear otra nueva sólo con los datos filtrados. El rango de los datos a filtrar es seleccionado automáticamente, para ello basta con colocar el foco de entrada en cualquier celdilla de la tabla antes de seleccionar la opción. El rango de criterios es, lógicamente, el que servirá para realizar el filtrado de datos.

Fíjese en la estructura de la tabla de criterios. El orden en el que se disponen las columnas no tiene por qué ser el mismo que se ha seguido en la tabla de datos, lo importante es la coincidencia entre los rótulos.

Observe también cómo se utilizan los operadores relacionales para indicar el rango de precios a tener en cuenta.

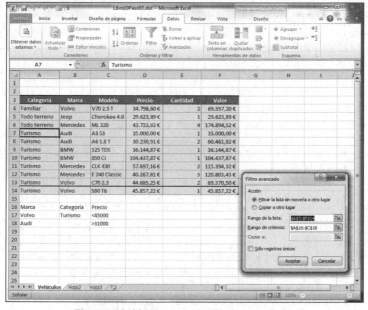

Figura 10.12. Usamos un filtro avanzado.

> **Nota:** *Puede utilizar caracteres comodín en los valores que servirán para filtrar los datos, usando el símbolo ? para representar a cualquier carácter y el símbolo * indicando la presencia de un conjunto de caracteres. La expresión* Todo**, por ejemplo, nos serviría para obtener todos los* Todoterreno, Todocamino *y, en general, categorías que comenzasen con los caracteres* Todo.

Para desactivar un filtro dispuesto con este método, basta con un clic en el botón **Borrar** de Datos>Ordenar y filtrar.

10.6. Tablas de datos

Gran parte de la funcionalidad que obtenemos mediante los filtros automáticos y la generación de totales, utilizando las opciones que acaban de describirse en los puntos previos, están también a nuestro alcance a través de las tablas de datos. Podemos convertir en tabla cualquier rango de celdillas, convirtiéndolo en una entidad sobre el que puede actuarse como un todo y de forma independiente al resto del contenido de la hoja. Hasta cierto punto, es como si tuviésemos una mini-hoja de cálculo dentro de otra.

Una tabla puede filtrarse, ordenarse y compartirse con otros usuarios mediante los servicios de SharePoint como si fuese una entidad en sí misma. Las tablas abren la posibilidad de compartir información con otros usuarios sin necesidad de exponer la hoja de cálculo completa, seleccionando exclusivamente el área de datos a publicar.

> **Novedad:** *En versiones previas de Excel se denominaba "listas" a lo que en Excel 2010 se llama genéricamente "tablas", si bien su comportamiento y las opciones para trabajar sobre ellas son equivalentes.*

Partiendo una vez más de la hoja de cálculo original diseñada al inicio de este capítulo, con la lista de vehículos sin filtros ni agrupaciones, basta con seleccionar cualquiera de las celdillas de datos y hacer un clic sobre el botón **Tabla** que hay en Insertar>Tablas en la Cinta de opciones para obtener una tabla. Como se aprecia en la figura 10.13, antes aparece una ventana de confirmación en la que es posible modificar el rango de celdillas que contiene los datos. En este caso dicho rango aloja también los títulos, por lo que dejamos marcada la opción La tabla tiene encabezados.

Creada la tabla, al hacer clic en **Aceptar** en la ventana Crear tabla, observará una serie de cambios inmediatos en la interfaz, entre ellos:

- La lista está delimitada por un borde de color azul que nos indica con precisión el área que ocupa.
- Cada una de las columnas que actúa como título cuenta ahora con una lista desplegable de valores que facilitan el filtrado inmediato de los datos.
- La última fila de lista muestra una marca, similar a un asterisco azul, con la que se señaliza la posición de inserción de nuevos datos en la tabla. No hay más que situar el foco de entrada en esa celdilla, pulsar el tabulador e iniciar la introducción de información para incrementar automáticamente el número de filas de la lista, como si de una tabla de Access se tratase.

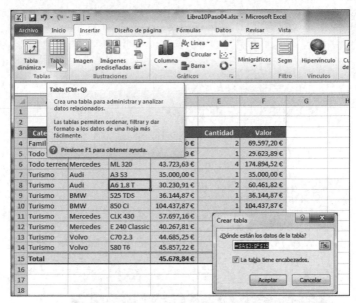

Figura 10.13. Creamos una tabla a partir de los datos iniciales de la hoja.

- Aparece una nueva ficha en la Cinta de opciones, llamada Diseño, con opciones y botones específicos para operar sobre tablas. También el menú emergente de las celdillas que forman parte de la lista contará con una nueva opción Tabla. En la figura 10.14 puede verse cómo con las casillas de Opciones de estilo de tabla podemos agregar rápidamente una fila de totales, diferenciar la primera o última columna de la tabla, desactivar la fila que actúa como encabezado, etc.

Si activa la opción Fila de totales, ya sea mediante la casilla que hay en Opciones de estilo de tabla o bien la opción homónima del menú Lista, cada una de las columnas de la última fila de la lista contará con una lista desplegable. En ella podrá seleccionar una función de resumen, típicamente la suma, que se actualizará automáticamente incluso al añadir nuevas filas a la lista.

> **Nota:** *Para volver a convertir la lista en un conjunto de celdillas corriente, un rango, no tiene más que elegir usar la opción* Convertir en rango *del grupo* Diseño>Herramientas.

Figura 10.14. Opciones para operar sobre la tabla de datos.

	A	B	C	D	E	F
2						
3	Categoría	Marca	Modelo	Precio	Cantidad	Valor
4	Familiar	Volvo	V70 2.5 T	34.798,60 €	2	69.597,20 €
5	Todo terreno	Jeep	Cherokee 4.0	29.623,89 €	1	29.623,89 €
6	Todo terreno	Mercedes	ML 320	43.723,63 €	4	174.894,52 €
7	Turismo	Audi	A3 S3	35.000,00 €	1	35.000,00 €
8	Turismo	Audi	A6 1.8 T	30.230,91 €	2	60.461,82 €
9	Turismo	BMW	525 TDS	36.144,87 €	1	36.144,87 €
10	Turismo	BMW	850 Ci	104.437,87 €	1	104.437,87 €
11	Turismo	Mercedes	CLK 430	57.697,16 €	2	115.394,32 €
12	Turismo	Mercedes	E 240 Classic	40.267,81 €	3	120.803,43 €
13	Turismo	Volvo	C70 2.3	44.685,25 €	2	89.370,50 €
14	Turismo	Volvo	S80 T6	45.857,22 €	1	45.857,22 €
15	Total			45.678,84 €	20	881.585,65 €
16				Ninguno		
17				Promedio		
18				Cuenta		
19				Contar números		
20				Máx.		
21				Mín.		
22				Suma		
				Desvest		
				Var		
				Más funciones…		

Figura 10.15. Seleccionamos los datos de resumen
a mostrar al final de la tabla.

10.7. Tablas dinámicas

Hasta ahora ha conocido métodos que le permiten totalizar datos y crear filtros, todo ello prácticamente de forma automática. Si combina ambas posibilidades, el resumen de datos con la capacidad de filtrar datos, tendrá una tabla dinámica. Imagine un resumen con totales en el cual pueda elegir, en cualquier instante, la categoría de vehículo o las marcas que intervienen, viendo cómo se actualizan los datos de forma inmediata. Ésta es, básicamente, la finalidad de una tabla dinámica, aunque sus posibilidades y opciones son muchas.

10.7.1. Creación de una tabla dinámica

Para crear una tabla dinámica hay que partir de unos datos que, en nuestro caso, se encuentran en una tabla creada anteriormente, sin necesidad de ningún formato especial. La conversión de los datos en tabla dinámica se efectúa mediante el botón **Tabla dinámica** de Insertar>Tablas, que da paso al cuadro de diálogo Crear tabla dinámica que se ve en primer plano en la figura 10.16.

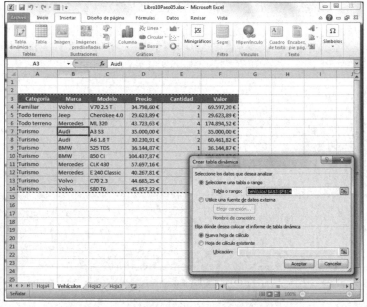

Figura 10.16. Creación de una tabla dinámica.

Lo primero que debemos hacer es indicar el rango de datos a partir del cual se creará la tabla. Si el foco de entrada estaba en cualquier celdilla de dicha tabla, la selección se efectuará automáticamente como ha ocurrido en la figura 10.16. También sería posible utilizar una fuente externa de datos para generar la tabla, cambiando la opción Seleccione una tabla o rango por Utilice una fuente de datos externa.

Indicado el rango de datos, lo siguiente será seleccionar el destino de la tabla dinámica. Ésta puede alojarse en una nueva hoja de cálculo, dentro del libro en el que estemos trabajando, o bien en una cierta posición de una hoja ya existente. Optaremos por dejar marcada la opción por defecto: Nueva hoja de cálculo, de forma que al hacer clic en el botón **Aceptar** se agregue una nueva hoja conteniendo la tabla dinámica. El aspecto inicial de esa página será el mostrado en la figura 10.17. Fíjese especialmente en las nuevas fichas que aparecen en la Cinta de opciones, así como en el panel de tareas Lista de campos de tabla dinámica que se coloca inicialmente en el margen derecho.

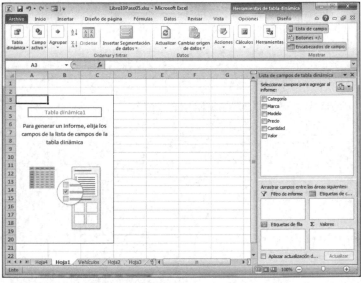

Figura 10.17. Aspecto de la tabla dinámica recién creada.

10.7.2. Diseño de la tabla

Tras finalizar la creación de la tabla dinámica, se encuentra en lo que podríamos denominar el modo de diseño. En este modo, mediante operaciones de arrastrar y soltar, seleccionará los datos que quiere tener como filas y columnas de la tabla, los datos que actuarán como filtro y los valores que se totalizarán en el interior de la tabla con la función que interese en cada caso.

En la parte inferior del panel de tareas Lista de campos de tabla dinámica encontrará cuatro apartados: Filtro de informe, Etiquetas de columna, Etiquetas de fila y Valores. Cada uno de estos apartados puede contener cualquiera de las columnas de la lista de datos, columnas que aparecen en la parte superior como elementos de una lista.

Para diseñar la tabla se utiliza, como se ha indicado antes, la técnica de arrastrar y soltar, moviendo los elementos que representan las columnas al apartado adecuado de la tabla. En la figura 10.18 puede ver un posible diseño. La Categoría se ha colocado en el panel correspondiente a Filtro de informe. Esto le permitirá seleccionar la categoría de los vehículos a mostrar en la tabla. Como filas aparecerán los modelos, mientras que como columnas estarán las marcas. En el área Valores se mostrará el número de vehículos de cada tipo y su valor.

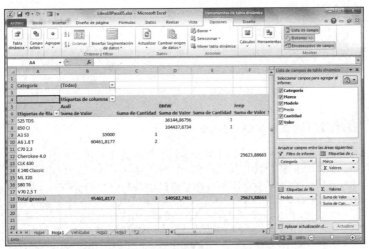

Figura 10.18. Diseño de la tabla mediante arrastrar y soltar.

Observe cómo a medida que va colocando los datos en los diferentes apartados, dentro del panel, en la hoja va construyéndose dinámicamente la tabla. En cualquier momento podemos operar sobre ella y, después, continuar trabajando en su diseño.

Otros muchos aspectos de la tabla dinámica que se está creando pueden configurarse mediante el cuadro de diálogo **Opciones de tabla dinámica** (véase la figura 10.19). Para abrirla despliegue la lista **Tabla dinámica** de la ficha **Opciones** y seleccione **Opciones**. En esta página puede indicar, por ejemplo, si desea o no la creación de unos totales generales por filas, o por columnas.

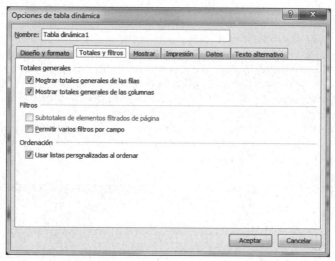

Figura 10.19. Opciones de tabla dinámica.

10.7.3. Uso de la tabla

Una vez que haya finalizado el diseño de la tabla, puede cerrar el panel **Lista de campos de tabla dinámica** haciendo clic en **Opciones>Mostrar u ocultar>Lista de campos**. La tabla dinámica aparecerá en el destino que hubiese especificado.

En principio, en la tabla aparecen todas las categorías de vehículos, marcas y modelos. Cada uno de estos apartados, no obstante, cuenta con una lista que le permite seleccionar los datos a mostrar y totalizar. En la figura 10.20, por ejemplo, puede ver que están mostrándose todas las categorías y cómo se usa la lista desplegable para visualizar sólo los datos relativos a turismos.

A diferencia de lo que ocurría con los grupos y filtros, en los cuales se ocultaban filas de datos pero éstos seguían estando ahí, cada vez que se cambia una selección en una tabla dinámica, el contenido de ésta se recrea dinámicamente, como su propio nombre indica. De esta forma, los totales añadidos a columnas y filas se refieren a los datos que hay visibles, y no a los datos globales aunque no estén mostrados.

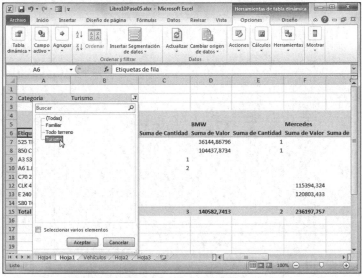

Figura 10.20. Personalización de los datos mostrados por la tabla dinámica.

Las columnas que actúan como campos de filtro, en nuestro caso la categoría del vehículo, permiten seleccionar todos los datos o uno en particular, según puede ver en la parte superior de la figura 10.20.

Los campos que actúan como filas y columnas, por el contrario, le permiten elegir todos, uno o varios. Observe, en el detalle de la figura 10.21, cómo es posible seleccionar las marcas que se desean como columnas de la tabla.

Cada uno de los apartados de la tabla, tanto los campos de datos como las propias filas y columnas, cuentan con un importante número de opciones en su menú contextual.

Seleccione una celdilla de datos, por ejemplo el valor, y abra dicho menú. Mediante la opción **Configuración de campo de valor**, que abrirá una ventana como la de la figura 10.22, podrá elegir la operación que se efectúa así como el formato para los datos.

Figura 10.21. Selección de columnas de la tabla.

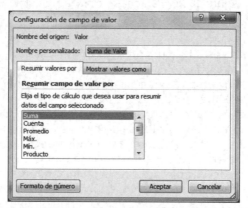

Figura 10.22. Opciones de los campos de la tabla.

En cualquier momento puede usar las opciones de la ficha **Diseño** de la **Cinta de opciones** para adecuar el estilo de la tabla dinámica, alterando no solamente colores y bordes, sino también la propia distribución de los datos. En la figura 10.23, por ejemplo, puede verse cómo se ha optado por un formato compacto para la tabla mediante la opción Diseño>Diseño de informe>Mostrar en forma compacta.

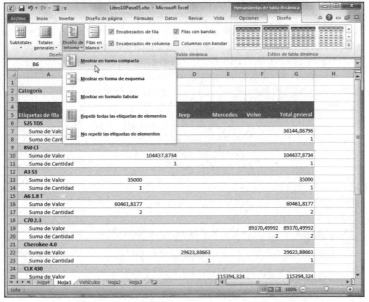

Figura 10.23. Modificamos el diseño original del informe.

10.7.4. Segmentación de los datos

A pesar de la gran flexibilidad que ofrecen las tablas dinámicas en cuanto a la selección de los datos visibles en la tabla se refiere, lo cierto es que componer un filtro que implique a dos o más columnas es una tarea algo engorrosa: hay que desplegar las listas asociadas a cada campo y, por cada una de ellas, marcar los valores que se desean incluir o excluir de la tabla.

Una de las novedades de Excel 2010 facilita esta tarea, siempre y cuando los filtros que se necesiten sean la selección de un cierto valor para uno o más campos de la tabla dinámica. De esta forma se simplifica la segmentación de la información mostrada. Veamos con un sencillo ejercicio cómo aprovechar esta nueva característica.

Supongamos que la operación que con mayor frecuencia se efectúa sobre la tabla dinámica es la selección de una categoría de vehículo y, tras ésta, la elección de una marca. Por ello lo ideal sería contar en la hoja de cálculo con sendos paneles que, mediante unos simples botones, facilitasen el establecimiento de ese filtro, como puede verse en la figura 10.24.

En el margen derecho superior está el panel Categoría mostrando las tres categorías existentes. Se ha hecho clic sobre Turismo. Debajo está el panel Marca, del que sólo pueden utilizarse los botones que corresponden a marcas que ofrecen turismos, al ser ésta la categoría seleccionada antes. Un clic sobre la empresa que se desee hará que la tabla muestre únicamente sus modelos.

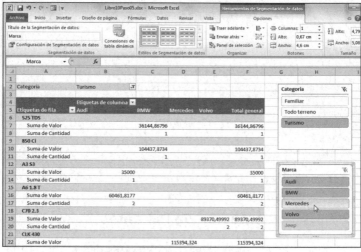

Figura 10.24. Segmentación de datos
mediante paneles de botones.

Para conseguir esta configuración no hay más que utilizar la opción Insertar Segmentación de datos del apartado Ordenar y filtrar, en la ficha Opciones de la tabla dinámica (véase la figura 10.25). Ésta dará paso a un cuadro de diálogo en el que aparecen todos los campos de la tabla dinámica, pudiéndose marcar uno a uno. Por cada uno que se elija Excel introducirá en la hoja de cálculo un panel de segmentación.

Los paneles de segmentación pueden colocarse en cualquier parte de la hoja de cálculo y su apariencia, mediante las opciones de la ficha específica que aparece en la **Cinta de opciones**, personalizarse como más guste.

Una vez introducidos los paneles de botones en la hoja, experimente con ellos y compruebe los resultados obtenidos en la tabla dinámica. Si elige primero una categoría, la lista de marcas desactivará los botones de aquellas que no cuenten con el tipo de vehículo elegido. De manera análoga, si comienza eligiendo una marca verá como en el panel de categorías se activan únicamente los tipos que ese fabricante oferta. Con el botón situado en la parte superior derecha de cada panel puede eliminar el filtrado y volver al estado inicial.

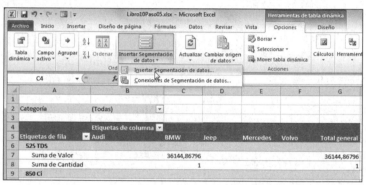

Figura 10.25. Inserción de la segmentación de datos en la hoja.

10.7.5. Generar un gráfico a partir de la tabla

Ya en un capítulo previo aprendió a crear gráficos, usando como datos los almacenados en cualquier tabla o conjunto de celdillas de la hoja de cálculo. Las tablas dinámicas suponen un caso especial, ya que los gráficos que generan son también dinámicos. En un gráfico de este tipo podrá seleccionar, mediante unas listas desplegables, qué datos son los que quiere representar, viendo los cambios de forma inmediata.

Sitúese en la tabla, abra la ficha **Opciones** y seleccione la opción **Herramientas>Gráfico dinámico**, eligiendo del cuadro de diálogo el tipo de gráfico que desee obtener. El resultado será, según las opciones activas en la tabla, similar al que puede verse en la figura 10.26. Observe que es posible seleccionar, en los botones desplegables que hay en el propio gráfico, la categoría de los vehículos, la marca y el modelo, actualizando el gráfico de forma inmediata.

Los botones mostrados en el gráfico se configuran con la opción Analizar>Mostrar u ocultar>Botones de campo que, en la figura 10.26, aparece abierta.

Cada vez que haga un cambio en el gráfico éste se aplicará también a la tabla, y viceversa, de tal forma que siempre hay una coherencia entre los datos existentes en la tabla y los representados en el gráfico.

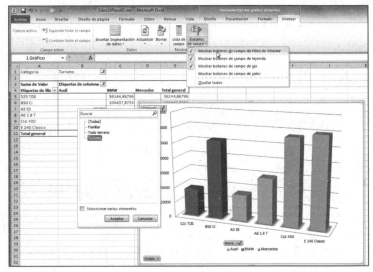

Figura 10.26. Gráfico dinámico generado a partir de la tabla.

> **Nota:** *Puede imprimir un gráfico dinámico como haría con cualquier otro. La utilidad de este gráfico, sin embargo, la encontrará al usarlo en pantalla y no en papel, donde se convierte en una representación estática como cualquier otra.*

Es posible combinar el gráfico dinámico y la tabla dinámica con el mecanismo de segmentación descrito en el punto previo, de forma que un simple clic sobre un botón modificará instantáneamente la información mostrada en el gráfico.

10.7.6. Una tabla dinámica como informe

En cierta forma, una tabla dinámica resume los datos generando lo que podríamos considerar un informe. Éste puede contar con un formato que facilite su interpretación, por ejemplo resumiendo aún más los datos para ofrecer no detalles sino tan sólo totales y subtotales.

El cuadro de diálogo Opciones de tabla dinámica, que usó anteriormente, cuenta con una página Impresión que le permite elegir entre imprimir o no ciertos elementos de la tabla dinámica que, en un informe, podrían no tener sentido si no se saben interpretar.

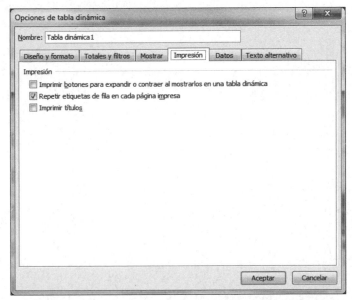

Figura 10.27. Opciones de impresión de tabla dinámica.

También puede utilizar las opciones del grupo Diseño> Diseño para habilitar la aparición de subtotales y totales generales por filas, columnas, ambos o en ningún caso, escoger el diseño general del informe, la visualización de encabezados de fila o columna, etc. Cuando la tabla tenga el aspecto que le interese, no tiene más que usar los métodos que ya conoce para imprimirlo en papel, publicarlo en la Web, enviarlo por correo electrónico o generar a partir de ella un documento en formato PDF o XPS.

Análisis de datos

11.1. Introducción

Ha llegado el momento. Después de mucho pensarlo, ha decidido independizarse y planea adquirir una vivienda. En principio consulta en su entidad bancaria habitual y le hacen una oferta. Con esos datos, y con el fin de adaptar el pago mensual a sus posibilidades, tiene que pensar a qué plazo le interesaría contratarlo. Después, consulta en otras entidades bancarias que le ofrecen distintos tipos de interés, por lo que ahora tiene que realizar más cálculos con el fin de ver qué es lo que más le interesa.

En tareas como ésta Excel puede ser de indudable ayuda aunque, en este caso concreto, habría que introducir bastantes datos y copiar muchas fórmulas, con el fin de poder realizar una comparación para decidir.

Su trabajo, no obstante, se simplificaría si conociese las distintas opciones y herramientas de análisis con que cuenta Excel. Ésa es, precisamente, la finalidad de este capítulo.

11.2. Calcular el pago de un préstamo

Aún no tiene muy claro cuál será el importe del préstamo que necesita, ni tampoco el plazo en que lo devolverá. Su banco le ha dado unas condiciones y necesita hacer algunos cálculos así que, como es lógico, inicia Excel y comienza a introducir los datos en algunas celdillas.

Introduce un posible importe del préstamo, el tipo de interés que le ofrece su banco y un posible plazo de pago.

Estos datos, cada uno en su celdilla, los quiere usar para calcular cuánto debería pagar mensualmente.

11.2.1. La función PAGO

Como recordará del sexto capítulo, Excel cuenta con un grupo de funciones, llamadas financieras, que facilitan la realización de diversos cálculos económicos. Entre esas funciones existe una llamada PAGO que, como bien puede suponer, permite calcular el dato que le interesa.

Esta función toma hasta cinco argumentos, aunque algunos de ellos son opcionales. A nosotros nos interesan los tres primeros: el interés por periodo, el número de periodos y el importe. Normalmente los periodos son meses, por lo que el tipo de interés, que suele ser anual, deberá dividirse entre 12.

La figura 11.1 muestra la que podría ser su hoja de cálculo. El foco de entrada está dispuesto en la celdilla de resultado, por lo que puede ver la fórmula en la barra de fórmulas.

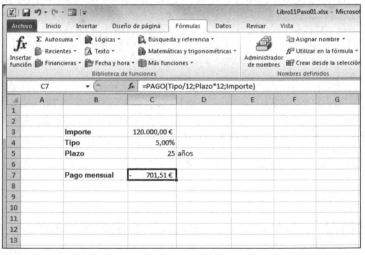

Figura 11.1. Hoja para calcular el pago mensual de un préstamo.

Observe los tres parámetros facilitados. El tipo de interés dividido entre doce. El plazo, que está expresado en años, multiplicado por doce y, en último lugar, el importe del préstamo. El resultado es un valor negativo, puesto que sería un dinero de menos que tendríamos al realizar cada pago.

> **Nota:** *Fíjese en que la fórmula hace referencia a las celdillas sirviéndose de los nombres, algo que aprendió a hacer en un capítulo previo y que contribuye a clarificar la expresión.*

11.2.2. Cálculo de alternativas

Los datos que ha introducido inicialmente en la hoja de cálculo, para calcular el pago, representan únicamente una de las posibles alternativas. A la vista del resultado, puede observar que el pago sea demasiado alto o, quizá, todo lo contrario. Le puede interesar reducir el número de años, o aumentarlo, o puede cambiar el importe por otro superior o inferior.

No hay problema, puede alterar cualquiera de estos datos, en la celdilla que corresponda, y ver el resultado de forma inmediata. El inconveniente, sin embargo, es que tan sólo podrá ver un resultado cada vez, por lo que la comparación será algo más difícil.

11.3. Tablas con variables

Una forma de facilitar la comparación de resultados consiste en crear tablas que tienen variables dependientes. La fórmula que ha introducido para calcular el pago usa tres variables: el importe del préstamo, el plazo y el tipo de interés.

Con Excel es posible crear una tabla en la que cualquiera de dichas variables, o dos de forma simultánea, va tomando diversos valores. Cada una de las celdillas de la tabla aplica exactamente la misma fórmula que se había escrito originalmente, con la diferencia de que el valor de esas variables va cambiando.

Quizá lo más interesante sea que, una vez creada la tabla, si se altera la fórmula dicho cambio afecta a todos los resultados que se habían obtenido. De este modo puede saberse qué pasaría si, por ejemplo, se altera la periodicidad de los pagos, realizándolos trimestralmente en lugar de mensualmente.

11.3.1. Tablas con una variable

Comenzaremos viendo el caso más simple, que es crear una tabla que tiene una sola columna de resultados dependiente de una variable. Para ello, disponga el foco de entrada justo debajo del rótulo `Pago mensual` e introduzca un número de años, por ejemplo `10`, y vaya introduciendo debajo otros plazos posibles, como `12`, `15`, `20` ó `25`.

De lo que se trata, es de ver cómo afectaría a las mensualidades la alteración de los plazos de pago. Para ello, una vez introducidos los posibles años, seleccione la tabla tal como se aprecia en la figura 11.2 y elija la opción **Datos>Herramientas de datos>Análisis Y si>Tabla de datos**.

En este caso la variable es el número de años de plazo, variable que afecta a la columna de resultados. Por eso seleccionamos como **Celda de entrada (columna)** la celdilla en la que se encuentra el plazo original, dejando la otra vacía puesto que sólo hay una variable.

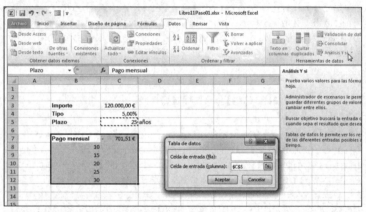

Figura 11.2. Creación de la tabla con una variable dependiente.

Tras pulsar **Intro**, o bien hacer clic en **Aceptar**, podrá ver la tabla de resultados. En la figura 11.3 aparece tras haberle dado el mismo formato que tenía el resultado original. Ahora ya puede comparar las mensualidades dependiendo del número de años, sin necesidad de ir realizando cambios para ver cada resultado.

11.3.2. Añadir resultados a la tabla

En el ejemplo que acaba de proponerse, la variable afecta tan sólo a una fórmula y, por tanto, genera un único resultado. Nada impide, sin embargo, que se usen para varias fórmulas, lo cual puede resultar de suma utilidad.

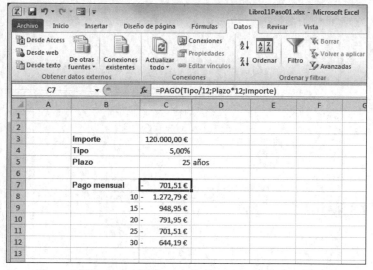

Figura 11.3. La tabla de resultados generada por Excel.

Suponga que, además de calcular el pago mensual, quiere saber también cuánto pagaría globalmente por el préstamo según el plazo elegido.

Para ello tendría que multiplicar el pago obtenido por el número de años y por doce.

Introduzca dicha fórmula a la derecha de la que contenía el pago y, a continuación, seleccione todo el rango de nuevo y genere otra vez la tabla, siguiendo exactamente el mismo proceso indicado en el punto anterior. El resultado, similar al de la figura 11.4, le permitirá comparar los pagos y lo que le costará finalmente pagar el préstamo. Más información, más datos para decidir.

De igual forma, podría añadir otras columnas con nuevos resultados. Tan sólo se trata de ir introduciendo fórmulas y generando la tabla de nuevo.

11.3.3. Tablas con dos variables

Después de casi haber decidido cuál es el importe y plazo que le interesa, descubre que hay otras entidades bancarias que le ofrecen diferentes tipos de interés. Necesita saber si le merece la pena el cambio, si lo que pagará de menos en su cuota mensual es significativo.

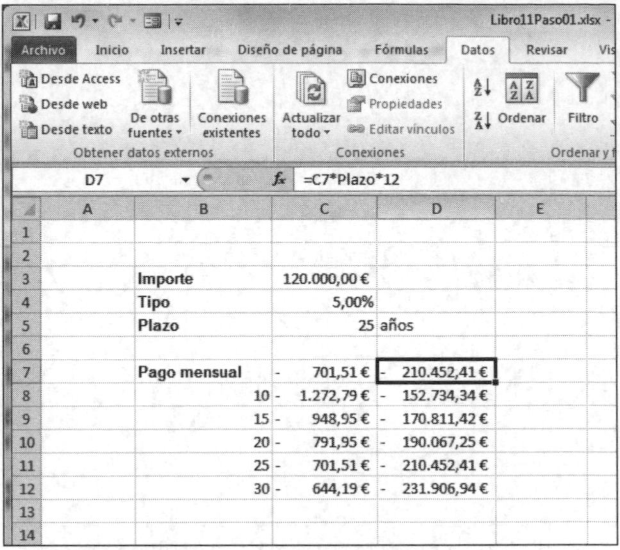

Figura 11.4. Aspecto de la tabla tras añadir
otra columna de resultados.

Ahora tiene dos variables: el plazo, del que todavía no está seguro, y el tipo de interés. Coloque estos datos como si fuesen rótulos de filas y columnas, respectivamente (véase la figura 11.5). A continuación seleccione el rango completo y, utilizando de nuevo la opción **Datos>Herramientas de datos> Análisis Y si>Tabla de datos**, introduzca las referencias correspondientes a las dos variables. La variable de columna es el tipo de interés y la de fila el plazo.

Los nuevos datos, similares a los de la figura 11.6, le permiten ver cuál sería la diferencia en sus pagos dependiendo del tipo de interés. Una diferencia de medio punto en un plazo de diez años, por ejemplo, le supone una rebaja de casi treinta euros mensuales.

11.4. Escenarios

Cuando el número de posibilidades que quiere analizarse crece, las tablas con variables pueden no ser suficientes. Suponga que está evaluando si comprar una casa, un piso o un apartamento, para los que, lógicamente, necesitaría diferentes montantes económicos. Además, también tiene como alternativa un largo plazo de reintegro del préstamo, por ejemplo veinticinco años, o uno relativamente corto de quince años.

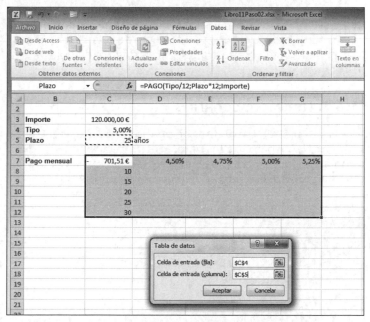

Figura 11.5. Generación de una tabla con dos variables.

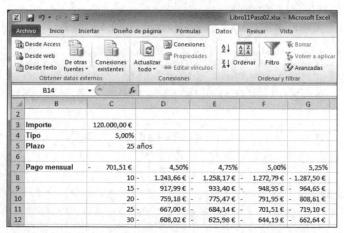

Figura 11.6. Datos resultantes en la tabla con dos variables.

Como puede ver, son muchas hipótesis para poder analizarlas mediante tablas. En casos como éste es mejor usar un recurso alternativo conocido como *escenarios*.

Un escenario se compone de una o más celdillas cambiantes y una o más celdillas de resultados. Se obtienen unos resultados diferentes para cada cambio de cada una de las celdillas cambiantes. Estos cambios pueden activarse, con una visualización inmediata en nuestra propia estructura de hoja, o bien resumirse.

11.4.1. Definir escenarios

Para comenzar, partiremos de un diseño de hoja como el de la figura 11.7. Aparte de los datos y el propio cálculo del pago o cuota, también se calcula el importe total de pago del préstamo y la parte de ese pago que corresponde a intereses.

Figura 11.7. Datos de partida para usar los escenarios.

Los datos cambiantes serían el importe y el plazo, mientras que los resultados a obtener serían la cuota, el pago total y el pago de intereses. Éstos son los datos necesarios para definir los escenarios.

> **Nota:** *En esta hoja de cálculo se utiliza en las fórmulas la función* ABS, *que obtiene el valor absoluto de un número. De esta forma, se convierten en positivos los valores negativos devueltos por la función* PAGO.

Para abrir la ventana de escenarios seleccione la opción **Datos>Herramientas de datos>Análisis Y si>Administrador de escenarios**. En ella verá una lista vacía, en la parte izquierda, y una serie de botones, en la derecha. Haga clic en el botón **Agregar**, lo cual hará aparecer una ventana como la de la figura 11.8. Introduzca en ella un nombre, que identificará al propio escenario, y las referencias a las celdillas que contienen los datos cambiantes.

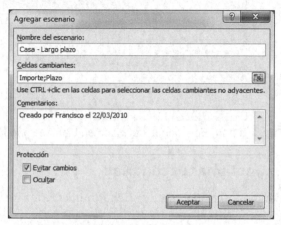

Figura 11.8. Agregamos un escenario.

Al clic en el botón **Aceptar** de la ventana anterior, aparecerá otra (véase la figura 11.9) en la cual tendrá que introducir los valores que tendrá este escenario para las celdillas cambiantes. La introducción de estos valores no alterará los datos existentes en ese momento en la hoja.

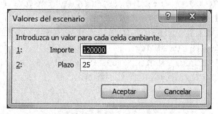

Figura 11.9. Valores para las celdillas cambiantes del escenario.

Siguiendo el mismo proceso que acaba de describirse, defina varios escenarios tal y como puede ver en la figura 11.10.

Cada uno de ellos tendrá importes o plazos distintos que, lógicamente, estarán acordes con la descripción que se ha facilitado.

Figura 11.10. Escenarios definidos en Libro11Paso03.

11.4.2. Gestionar escenarios

Teniendo abierta la ventana del administrador de escenarios, correspondiente a la figura 11.10, es posible realizar diversas operaciones con los escenarios definidos.

Haciendo doble clic sobre cualquier escenario, o bien seleccionándolo y haciendo clic en el botón **Mostrar**, los valores de ese escenario sustituirán a los datos cambiantes de la hoja. De esta forma, un simple doble clic sobre cada elemento de la lista le permitirá ir viendo cuáles serían los pagos de cada alternativa.

Puede modificar los datos de cualquiera de los escenarios. Es tan sencillo como elegir el escenario a modificar y hacer clic sobre **Modificar**. Las dos ventanas son idénticas a las utilizadas para definirlo, pudiendo alterarse los valores cambiantes y las celdillas de resultado.

También puede eliminar los escenarios, seleccionándolos y haciendo clic en el botón **Eliminar**.

11.4.3. Informes de escenarios

Con lo que ha aprendido hasta ahora, para poder comparar los pagos de cada escenario tendría que ir activándolos y anotando resultados. Es decir, tiene ahora un método menos eficiente que el visto anteriormente con las tablas. No se preocupe, aún no ha visto una de las opciones más interesantes de los escenarios: los resúmenes.

Teniendo abierta la ventana del administrador de escenarios haga clic en el botón **Resumen**, que abrirá una ventana como la de la figura 11.11. Puede elegir entre un resumen típico o una tabla dinámica.

También puede indicar cuáles son las celdillas de resultados que desea incluir en el resumen. Inicialmente éstas son las mismas definidas en el escenario pero, como puede ver, podrían modificarse.

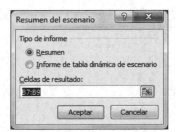

Figura 11.11. Se elige el tipo de informe.

El informe típico (véase la figura 11.12) crea una tabla en la que cada columna es uno de los escenarios, con filas que indican los valores cambiantes y los resultados. A partir de esta tabla sería fácil, por ejemplo, obtener las diferencias de pagos de cuotas o pagos totales entre cada escenario.

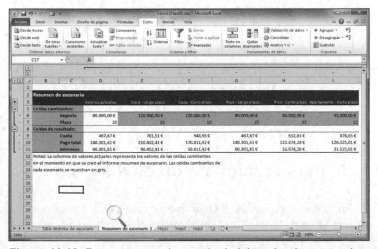

Figura 11.12. Resumen creado por el administrador de escenarios.

La tabla dinámica ofrece la misma información, aunque en un formato más compacto. Como puede ver en la figura 11.13, tan sólo aparecen los resultados y no los valores cambiantes. Las filas son los distintos escenarios y las columnas los resultados correspondientes. Como en cualquier tabla dinámica, puede activar o desactivar tanto escenarios como columnas de resultado. También puede alterar la tabla, por ejemplo añadiendo otros datos.

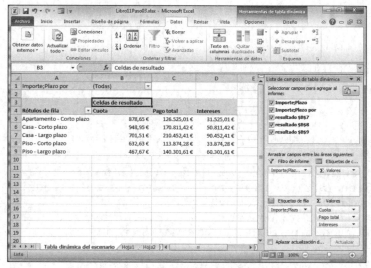

Figura 11.13. Tabla dinámica que resume los escenarios definidos.

Nota: *Los resúmenes creados con el administrador de escenarios, tanto el tradicional como el de tabla dinámica, se alojan siempre en una nueva página añadida al libro de trabajo actual.*

11.5. Persecución de objetivos

En ocasiones, puede necesitarse no una tabla o resumen de datos comparativos, sino saber qué valor debe utilizarse en una fórmula para conseguir un cierto objetivo. Es lo que habitualmente se llama búsqueda o persecución de objetivos.

Imagine que, finalmente, se ha decidido por la adquisición de un piso, pero, siempre hay un pero, ninguno de los plazos propuestos en los escenarios le viene bien. El caso es que el importe está claro, sabe cuánto le cuesta el piso, y también tiene claro cuánto podría pagar como máximo de cuota, por lo que habría que calcular posibles plazos hasta encontrar aquél que obtenga la cuota más cercana a lo que necesita.

11.5.1. Buscar un objetivo

Suponga que, partiendo de la misma hoja de cálculo anterior, quiere saber a qué plazo debería contratar el préstamo de 80.000 euros al cinco por ciento con el fin de tener una cuota de 550 euros, que es lo máximo que puede permitirse pagar.

Seleccione la opción Datos>Herramientas de datos>Análisis Y si>Buscar objetivo. Aparece una ventana en la que debe introducir tres datos: la referencia a la celda que contendrá el objetivo, el valor de ese objetivo y la referencia a la celda que deberá cambiarse para conseguirlo.

En su caso, los datos a introducir serían los mostrados en la figura 11.14. La celda que contiene el valor objetivo es la cuota mensual. El valor objetivo es 550. La celda que hay que alterar para conseguir ese objetivo es el plazo de reintegro.

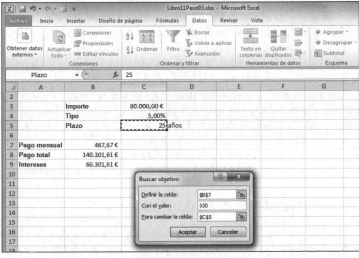

Figura 11.14. Introducimos los datos para encontrar nuestro objetivo.

Al hacer clic en **Aceptar**, Excel mostrará en una ventana (véase la figura 11.15), y también en la propia hoja, los resultados obtenidos. Si acepta esos resultados, el cambio permanecerá en la hoja. En caso contrario, Excel devolverá a las celdillas su contenido original.

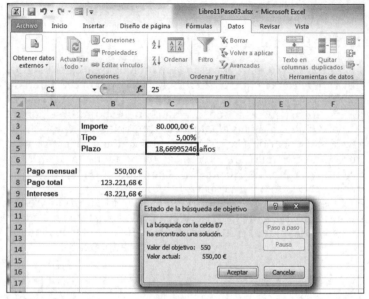

Figura 11.15. Valores conseguidos en la búsqueda de objetivos.

Usando la misma opción y método descrito podría, como ejercicio, obtener el plazo que necesitaría tener para pagar un máximo de 30.000 euros de intereses. En este caso la fórmula no sería tan directa ya que, como podrá ver si usa las opciones de auditoría que conoció en un capítulo previo, la celdilla que contiene el cálculo de intereses depende de otras que, a su vez, son fórmulas que habría que recalcular. Excel, no obstante, podrá conseguir el objetivo siempre que éste sea posible.

11.5.2. Resolución de ecuaciones

Lo que ha hecho en el punto anterior, si se analiza con detenimiento, es resolver una ecuación con una incógnita. Podría expresarse esta ecuación como PAGO(5%/12;X*12;80000) = 550, en donde X sería el número de años que es lo que, en definitiva, se desconoce para conseguir el valor objetivo que, en este caso, sería 550.

De forma similar, podría resolver cualquier otra ecuación con una incógnita.

Imagine que tiene la ecuación $X^2+3X-5=13$ y, lógicamente, quiere encontrar el valor X. Para resolver esta ecuación tendría que sustituir la X por una referencia a una celdilla, a la que podría asignar el nombre X. En principio esta celdilla tendría el valor 0, puesto que desconocemos cuánto vale X.

Observe la figura 11.16. Está mostrando las fórmulas de las celdillas. El foco de entrada está en una celdilla a la que se ha asignado el nombre X, puede verlo en el cuadro de nombres. Debajo de ésta, se ha introducido la fórmula que equivaldría a la ecuación.

Figura 11.16. Planteamiento para resolver la ecuación.

Usando la opción **Buscar objetivo** descrita en el punto anterior, le comunicamos a Excel que deseamos obtener el valor 13 en la celdilla que contiene la fórmula, para lo cual tiene que indicarnos qué valor sería el apropiado para la celdilla que actúa como X. Como puede ver en la figura 11.18, Excel encuentra un valor muy aproximado para el objetivo, concretamente 13,00000561. Para este objetivo, el valor de X propuesto es 3,000000624. No obstante, si da el valor 3 a la celdilla que actúa como X verá que el valor obtenido es 13, es decir, la solución de la ecuación anterior para X es 3.

> **Nota:** *Si hace clic sobre el botón **Cancelar** en la ventana de resultados de la búsqueda de objetivos, las celdillas de la hoja de cálculo volverán a los valores que tenían previamente.*

Figura 11.17. Buscamos el valor objetivo para encontrar la X.

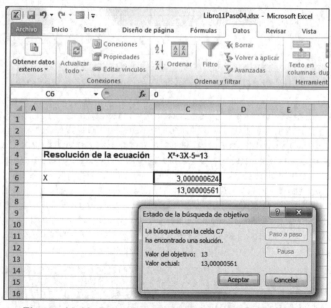

Figura 11.18. Resultado de la búsqueda de objetivos.

11.5.3. Opciones de resolución

Como ha visto en el punto anterior, en ocasiones Excel puede proponer como resultado un valor aproximado al objetivo, pero no el objetivo buscado. Esto se debe a las opciones por defecto que Excel usa a la hora de realizar la búsqueda, opciones que es posible modificar en la página **Fórmulas** de la ventana **Opciones de Excel**, accesible desde la vista **Backstage** como ya sabe.

Las opciones iniciales, que corresponden a las mostradas en la figura 11.19, indican que se realizarán un máximo de 100 iteraciones o cálculos para encontrar la solución que, por otra parte, se dará por conseguida en el momento en que entre el valor objetivo y la solución obtenida haya una diferencia igual o inferior a 0,001.

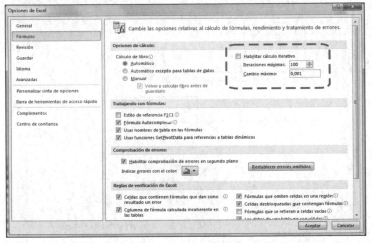

Figura 11.19. Opciones de cálculo de Excel.

Es el último parámetro indicado, la diferencia máxima entre objetivo y solución, la que provoca que Excel, en este caso concreto, facilite un valor aproximado.

Modificando estas opciones, sin embargo, es posible ajustar el proceso de cálculo.

Active la opción **Habilitar cálculo iterativo**, deje el número máximo de iteraciones como está y personalice el **Cambio máximo** dejándolo en 0. Es decir, no se permitirá ninguna solución que no sea el objetivo.

> **Nota:** *Al dar el valor* 0 *a* **Cambio máximo**, *puede darse el caso de que Excel no encuentre una solución si el número de iteraciones no es suficiente o, bien, es imposible alcanzar dicho valor pero sí uno aproximado.*

Hechos estos cambios, se usa de nuevo la opción **Análisis Y si>Buscar objetivo**. Verá que, ahora sí, la solución propuesta por Excel coincide con el objetivo buscado. De esta forma, tenemos directamente el valor de la X en nuestra ecuación.

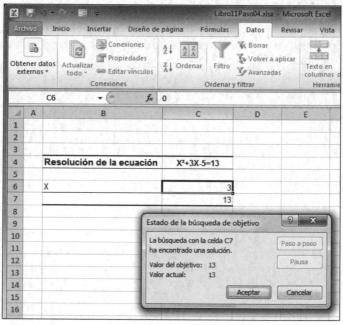

Figura 11.20. La resolución de la ecuación ahora es exacta.

Cómo grabar y usar las macros

12.1. Introducción

En los capítulos previos ha aprendido a utilizar la mayor parte de las características de Excel. Sabe cómo introducir y editar tanto datos como fórmulas. Sabe cómo usar los formatos para resaltar y hacer más claro el diseño de las hojas. Conoce algunas funciones útiles y muchas opciones que le permiten obtener resultados diversos. Sabe cómo trabajar con múltiples hojas, etc.

Al usar todos estos recursos para crear sus hojas de cálculo, seguramente percibirá que, en ocasiones, tiene que repetir las mismas acciones varias o muchas veces. Dar el mismo formato a las mismas celdillas, copiar el mismo rango a otra página, introducir la misma fórmula, etc.

Este capítulo le servirá para automatizar algunas de esas tareas, de tal forma que pueda hacer que Excel las memorice, ejecutándolas cuando le convenga con una simple pulsación de tecla o clic de ratón, como hace con cualquiera de las opciones propias de Excel.

12.2. ¿Qué es una macro?

Para automatizar tareas en Excel se usan las *macros*. Una macro es una sucesión de acciones a las que se asigna un nombre, que es el nombre de la macro. En cierta forma podría decirse que la macro es como un pequeño programa, si bien éste no es ejecutado directamente por Windows sino que es Excel el que se encarga de ejecutarlo.

En Excel es posible crear una macro básicamente de dos maneras: registrando esas acciones, igual que se registra la voz con una grabadora de audio; o bien escribiendo las órdenes en el lenguaje utilizado por Excel, que es conocido como VBA (*Visual Basic for Applications*, Visual Basic para aplicaciones).

Una vez creada, la macro puede ser ejecutada, modificada y eliminada. Ejecutar significa reproducir la macro, igual que se reproduciría la voz en la grabadora de audio mencionada antes. De esta forma se consigue el objetivo que buscamos: poder realizar la misma tarea de una forma más rápida, con la simple pulsación de una combinación de teclas o un clic de ratón.

> **Novedad:** *A partir de Excel 2003 es posible utilizar también el entorno de desarrollo Visual Studio para crear aplicaciones y automatizar tareas, gracias a un conjunto de herramientas conocidas como* Visual Studio Tools for Office. *El uso de dichas herramientas, no obstante, es un tema que queda fuera del ámbito de este libro por su complejidad y la necesidad de conocer Visual Basic o Visual C#, dos lenguajes de programación de amplia difusión.*

12.2.1. Activar la ficha Programador

Para poder utilizar las opciones que van a mencionarse en los puntos siguientes, a fin de trabajar con macros y definir nuevas funciones, tendrá que habilitar la ficha Programador de la Cinta de opciones que, por defecto, está oculta.

Abra el menú contextual asociado a la Cinta de opciones y seleccione Personalizar la cinta de opciones. Se abrirá el cuadro de diálogo Opciones de Excel por la sección Personalizar cinta de opciones (véase la figura 12.1), mostrando en la lista de la derecha las fichas existentes. Verá que hay una llamada Programador que está desmarcada. Márquela y haga clic en **Aceptar**.

Al cerrar el cuadro de diálogo anterior, tras activar la opción indicada, podrá ver que en la Cinta de opciones aparece una nueva ficha llamada Programador, tal y como se aprecia en la figura 12.2.

En esta ficha se encuentran todas las opciones de edición de código de macros, así como otros elementos que permiten diseñar formularios a partir de controles prefabricados, trabajar con datos en formato XML, etc. A nosotros nos interesan en particular las opciones del grupo **Código**, que serán las que empleemos en los puntos siguientes.

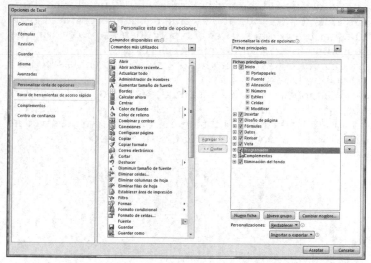

Figura 12.1. Activamos la visualización de la ficha Programador.

Figura 12.2. Elementos de la ficha Programador.

12.3. Introducir secuencias de días

Suponga que está trabajando en el diseño de un conjunto de hojas de cálculo en las que, periódicamente, precisa introducir una secuencia con los nombres de los días de la semana. En principio, basta con introducir el nombre del primer día y, a continuación, usar la capacidad de autollenado de Excel para generar la secuencia.

Tras realizar esa operación repetidas veces, se da cuenta que puede ser más rápido copiar la secuencia de días desde un punto en el que ya existe a otro en el que la necesita. No obstante, no deja de ser una operación repetitiva que le ocupa de vez en cuando.

12.3.1. Grabación de una macro

Tras repetir varias veces la creación de la secuencia antes citada, decide automatizar el trabajo de alguna forma. Lógicamente, lo más indicado es grabar una macro que registre nuestras pulsaciones de teclado permitiendo, posteriormente, reproducirla en el punto que se seleccione.

Coloque el foco de entrada donde desee crear la secuencia de días de la semana.

Seleccione la opción Programador>Código>Grabar macro, abriendo la ventana que puede verse en la figura 12.3. En ella hay que introducir el nombre que se dará a la macro, así como el método abreviado que permitirá su ejecución.

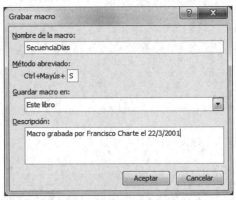

Figura 12.3. Parámetros para registrar una nueva macro.

El nombre de la macro, simplemente escríbalo. Para introducir el método abreviado, pulse la combinación **Mayús-S**. Puede elegir entre guardar la macro en el libro actual, que es la opción por defecto, o bien guardarla en el Libro de macros personal.

> **Nota:** *Una macro guardada en un cierto libro sólo podrá ser usada en ese libro. Si quiere crear una macro que esté disponible siempre, para cualquier libro, guárdela en el* Libro de macros personal.

Introducidos los distintos parámetros, haga clic en **Aceptar** para iniciar el registro de la macro. Los botones del grupo Código cambian según puede verse en la figura 12.4. En la parte superior tenemos un botón que detiene el registro de la macro, dándola por finalizada. El que hay debajo, que inicialmente no aparece pulsado, tiene la misión de activar/desactivar el uso de referencias relativas.

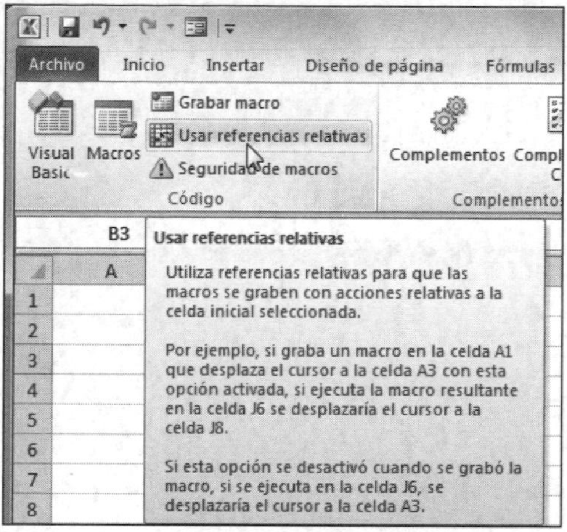

Figura 12.4. Botones que controlan la operación de registro.

Si utiliza referencias absolutas, los pasos que dé durante el registro de la macro, siempre se efectuarán en la misma posición de la hoja. Activando las referencias relativas, con un clic en el botón indicado en la figura 12.4, la reproducción de la macro se efectuará usando unas celdillas relativas a las que se utilizaron durante el registro.

Haga clic en el botón de referencias relativas y, a continuación, introduzca en la celdilla activa el primer valor: Lunes. Seguidamente, use el autollenado para crear el resto de los valores. Finalmente, haga clic en el botón de detención del registro. Ya tiene creada su macro.

12.3.2. Reproducción de la macro

A partir de este momento, cada vez que necesite introducir la secuencia de días de la semana tan sólo tiene que hacer una cosa: pulsar la combinación de teclas **Control-Mayús-S**. Los valores aparecerán a partir de la celdilla en la que se encuentre en dicho momento el foco de entrada. Así de sencillo y rápido.

Un método alternativo, para ejecutar la macro, consiste en abrir la ventana de macros, seleccionar la nuestra y hacer clic sobre **Ejecutar**. Puede abrir dicha ventana (véase la figura 12.5) pulsando la combinación **Alt-F8** o bien con la opción Programador>Código>Macros.

Como puede apreciar, desde esta ventana también puede eliminar la macro que tenga seleccionada, así como modificarla, ejecutarla o seguirla paso a paso.

Figura 12.5. La ventana de gestión de macros.

12.3.3. El código de una macro

Haciendo clic sobre el botón **Modificar** de la ventana anterior, accederá a una nueva, similar a la de la figura 12.6, conocida como el editor de Visual Basic. En ella puede ver que SecuenciaDias, el nombre dado a la macro, es un procedimiento, como un pequeño programa, delimitado por las palabras Sub y End Sub. En su interior se usa el antes mencionado lenguaje VBA para definir los pasos que hemos dado durante el registro de la macro.

Comprender el código de esta macro, que hemos creado nosotros mismos, no es demasiado complejo. ActiveCell hace referencia a la celdilla activa en ese momento, en la cual se introduce el valor Lunes. A continuación se usa el método AutoFill de la selección que va desde la primera hasta la séptima fila y se autocompleta. Por último, se selecciona ese mismo rango con el método Select.

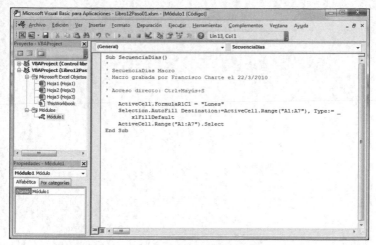

Figura 12.6. El editor de Visual Basic en Excel.

Lógicamente, podrían escribirse macros como ésta o más complejas de forma manual, tan sólo es preciso conocer el lenguaje VBA y los objetos que corresponden a los diversos elementos de Excel. En cualquier caso, es un tema que queda fuera del ámbito de esta guía y para la cual, si es algo que le interesa, deberá adquirir un libro especializado.

12.4. Asociar una macro a un botón

La macro que ha definido y usado en el punto anterior es fácilmente accesible, ya que basta con pulsar la combinación de teclas **Control-Mayús-S** para reproducirla. No obstante, es una combinación que puede resultar compleja para algunas personas, ya sea de recordar o de ejecutar. Si está acostumbrado a usar intensivamente el ratón, es mucho más eficiente asignar la macro a un botón, de tal forma que pueda pulsarlo como cualquier otro. Para ello se utiliza la opción de personalización de la **Barra de herramientas de acceso rápido**, opción que conocerá con mayor detalle en el último capítulo.

Comience por abrir la ventana de personalización eligiendo la opción adecuada. A continuación, elija de la página **Comandos disponibles** la categoría **Macros**. Seleccione, como puede ver en la figura 12.7, la macro SecuenciaDias y agréguela a la lista de la derecha mediante el botón **Agregar**.

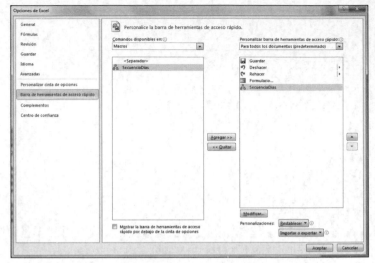

Figura 12.7. Añadimos un botón para ejecutar la macro.

A continuación, una vez que la macro está en la lista de la derecha, seleccionaremos la nueva opción de la barra de herramientas y haremos clic en el botón **Modificar** que hay debajo de la lista. Esto nos permitirá, tal y como se aprecia en la figura 12.8, asignarle un icono y un título algo más descriptivo. Por defecto el título es el propio nombre de la macro. A partir de ese momento, ya puede ejecutar la macro haciendo clic sobre el nuevo botón. Lógicamente, también puede continuar usando la combinación de teclas.

Figura 12.8. Configuración de icono y título del nuevo comando.

12.5. Definir nuevas funciones

Ya sabe que Excel cuenta con un importante número de funciones predefinidas que puede usar simplemente introduciendo su nombre.

En capítulos previos ha usado funciones como SUMA, HOY o PAGO para realizar diversas operaciones.

A pesar de ese gran número de funciones dispuestas para usar, es lógico pensar que no hay una función predefinida para realizar todas y cada una de las operaciones que puedan ocurrírsenos. Suponga que en una determinada hoja necesite repetidamente obtener raíces cúbicas, o calcular hipotenusas de triángulos, debiendo escribir la fórmula correspondiente al no existir una función que le facilite esas operaciones.

En los casos como éstos siempre le será posible escribir sus propias funciones. Lógicamente, para ello necesitaría conocer dos elementos fundamentales indicados con anterioridad: el lenguaje VBA y los nombres de los componentes de Excel. Como también se ha dicho, son temas extensos y complejos para los cuales necesitará adquirir libros mucho más específicos.

No obstante, crear una función sencilla, que puede serle de utilidad en cualquier momento, es una tarea relativamente fácil. Por eso va a indicarse cuál es el procedimiento que habría de seguir para hacerlo.

Nota: *Le recomendamos la adquisición del título* Manual avanzado Excel 2010, *de la misma editorial y autor, como material para iniciarse en el lenguaje VBA y su uso específico con Microsoft Excel.*

12.5.1. Una función para calcular raíces cúbicas

Como de lo que se trata es de conocer el procedimiento para crear la función, y no de su utilidad práctica, tomaremos un caso muy sencillo: crear una función que permita obtener la raíz cúbica de cualquier número.

Lo primero que tiene que hacer es abrir el editor de Visual Basic, lo cual puede conseguir mediante la opción de menú **Programador>Código>Visual Basic** o pulsando **Alt-F11**. Ya en el editor, que en principio muestra el código de la macro creada anteriormente pero podría estar vacío, introducimos el código que puede verse en la parte inferior de la figura 12.9.

Figura 12.9. El editor con la función RaizCubica.

Para indicar a VBA que vamos a crear una función usamos la palabra `Function`, tras la cual disponemos el nombre de esa función. Entre paréntesis se enumeran los argumentos que precisaría la función.

En este caso, como puede ver, tan sólo hay un parámetro que se ha identificado con el nombre `Valor`. El final de la función viene indicado por `End Function`. Las líneas intermedias contienen las órdenes necesarias para obtener la raíz cúbica del número entregado como argumento.

Calcular la raíz cúbica no es una operación compleja. Ya que la radicación es la operación inversa a la potenciación, lo que hacemos es usar como exponente para el operador ^ el inverso de la base, que en este caso sería 3. Observe que lo que se ha escrito es prácticamente una fórmula que, como todas, comienza con el símbolo = y está seguida de unos operandos y operadores. La diferencia, no obstante, es que delante se ha dispuesto el nombre de la función.

Utilizando la misma técnica podría escribir, por ejemplo, una función para obtener el área de un triángulo rectángulo, la hipotenusa u otros valores que pudiera necesitar.

12.5.2. Uso de la función

Usar una función definida por nosotros es tan fácil como utilizar cualquier otra. Es decir, no hay diferencias entre funciones de Excel y funciones de usuario, las fórmulas se escriben exactamente igual.

En la figura 12.10 puede verse cómo se ha utilizado la función `RaizCubica` para calcular la raíz cúbica del número 125. En la celdilla se muestra el resultado, en la barra de fórmulas está la fórmula usada.

	A	B	C	D	E	F
1						
2						
3		Lunes		5		
4		Martes				
5		Miércoles				
6		Jueves				
7		Viernes				
8		Sábado				
9		Domingo				
10						

D3 f_x =RaizCubica(125)

Figura 12.10. Utilizando la función RaizCubica en una hoja.

12.6. Macros y seguridad

Las macros y las funciones definidas por el usuario son elementos de indudable utilidad pero, al tiempo, también son elementos potencialmente peligrosos. Como seguramente sabrá, existen infinidad de virus informáticos, algunos de los cuales se transmiten en forma de macros de Office. Es esencial, por lo tanto, controlar la seguridad de las hojas que abrimos con Excel para evitar sorpresas desagradables.

Mediante la opción **Programador>Código>Seguridad de macros**, que da paso a la ventana mostrada en la figura 12.11, puede establecerse el nivel de seguridad con el que deseamos trabajar en Excel. Por defecto el nivel seleccionado es alto, aunque no el más alto, lo cual impide la ejecución de cualquier macro aunque se notifica al usuario del hecho.

Si mantiene este nivel de seguridad e intenta abrir un libro que contenga macros no firmadas digitalmente, como puede ser Libro12Paso01, obtendrá como respuesta un mensaje (véase la figura 12.12) en el que se le comunica que las macros han sido desactivadas. No será posible, por tanto, utilizarlas. Tan sólo hay dos alternativas: firmar digitalmente las macros, para lo cual es necesario obtener un certificado digital interno a nuestra empresa o bien de una entidad certificadora, o bien reducir el nivel de seguridad.

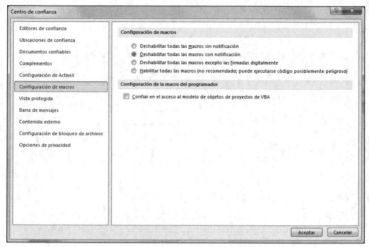

Figura 12.11. Nivel de seguridad a la hora de trabajar con macros.

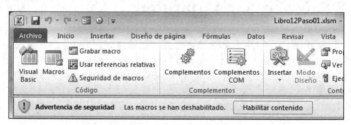

Figura 12.12. Excel desactiva automáticamente
las macros contenidas en el libro.

Haciendo clic sobre el botón **Habilitar contenido** del aviso se habilitarán las macros y funciones de este libro, algo que deberíamos hacer únicamente cuando estemos completamente seguros de que no hay peligro alguno en su uso.

Las demás opciones de la ventana que aparece en la figura 12.11 permiten deshabilitar directamente las macros sin ofrecer notificación alguna, ofreciendo un nivel de seguridad muy alto y sin posibilidad de que el usuario habilite las macros. La opción más peligrosa es **Habilitar todas las macros**, lo cual permitiría abrir cualquier libro conteniendo macros y que éstas se activasen de inmediato. No es recomendable utilizar esta configuración.

12.6.1. Guardar libros con macros

En comparación con versiones previas, Excel 2010 es un producto mucho más seguro y esa seguridad comienza con la separación, bajo distintos formatos de archivo, de los libros que contienen elementos potencialmente peligrosos de aquellos que son completamente seguros.

Un libro que contiene macros o funciones VBA no puede ser guardado en el formato por defecto de Excel 2010, si intentamos hacerlo obtendremos entonces un aviso como el de la figura 12.13.

Figura 12.13. El formato de libro por defecto de Excel 2010 no permite guardar proyectos VB.

Esto asegura a los usuarios que pueden abrir un documento con formato .xlsx con tranquilidad, sabiendo que no contiene código que pueda afectar a su ordenador.

Si, como a lo largo de este capítulo, hemos creado en un libro macros y funciones definidas por nosotros mismos, para guardarlo deberemos abrir la lista desplegable **Tipo** del cuadro de diálogo **Guardar cómo**, según se ve en la figura 12.14, y elegir el formato **Libro de Excel habilitado para macros**. Estos libros tienen un formato y una extensión de archivo diferente, .xlsm, lo cual les identifica de forma inmediata.

A pesar de esta diferenciación, recuerde que lo mejor es configurar su instalación de Excel para que por defecto no permita la activación de macros existentes en los libros, al menos no sin antes notificarle de ello, lo cual puede ahorrarle algunas sorpresas desagradables.

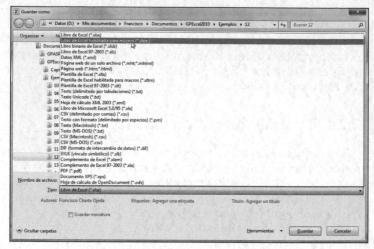

Figura 12.14. Hay un formato específico para libros que contienen macros.

Compartir datos con otras aplicaciones de Office 2010

13.1. Introducción

No cabe duda de que Excel es una aplicación de suma utilidad, que puede ser usada para muchos propósitos y puede solucionar un amplio abanico de problemas. Pero, Excel no es la piedra filosofal y, lógicamente, no puede hacerlo todo.

Excel forma parte de un producto, un paquete ofimático, integrado por otras aplicaciones de uso común. Ya en el capítulo de instalación se indicaron las diversas aplicaciones que componen Office 2010, dependiendo de la edición que se tenga instalada. La finalidad de Excel es facilitar la realización de cálculos, algo que ya sabe cómo hacer si ha leído la docena de capítulos que preceden a éste. Si normalmente realiza tareas de proceso de textos seguramente usará Microsoft Word. De forma análoga, el tratamiento de bases de datos y creación de presentaciones quedan en manos de Access y PowerPoint.

Aunque cada una de estas aplicaciones es de suma utilidad por separado, imagine lo que es posible hacer usándolas conjuntamente. Para ello, como es lógico, necesitará conocer no sólo Excel, sino también el resto de aplicaciones. Las posibilidades son muchas y, en este capítulo, tan sólo se hará una introducción y se ofrecerán algunos ejemplos sencillos.

13.2. Métodos para compartir información

En Windows compartir información entre diversas aplicaciones es algo bastante sencillo ya que, para ello, se utilizan técnicas que ya conoce. Entre estas técnicas o medios están el portapapeles y arrastrar y soltar. El habitual copiar y pegar, que ha usado en Excel para copiar datos en la misma hoja o libro, también le será útil para llevar datos desde Excel a otra aplicación o viceversa.

La información contenida en una aplicación puede llevarse a otra, ya sea de Office o no, básicamente con tres operaciones: mover, copiar y vincular.

La información que se mueve desaparece de su posición original, reapareciendo en el destino. Usando el portapapeles equivaldría a una operación de cortar y posteriormente pegar. Utilizando la técnica de arrastrar y soltar, sería mover los datos con el botón principal del ratón sin ninguna tecla modificadora, o bien moverla con el botón secundario eligiendo después la opción **Mover** o equivalente.

Con el fin de copiar la información también puede utilizar el portapapeles o bien arrastrar y soltar. En el primer caso, debería copiar la información al portapapeles y después pegarla en el destino. En el segundo, arrastraría la información utilizando el botón principal del ratón conjuntamente con la tecla **Control**. También puede efectuar la operación de arrastre con el botón secundario, seleccionando del menú, que aparece al soltar, la opción **Copiar** o equivalente.

Enlazar o vincular una información entre el origen y el destino equivale a copiar y crear un vínculo. La información, que en principio se encuentra sólo en la aplicación de origen, aparece ahora también en la aplicación destino.

Lo que se obtiene, no obstante, no es una simple copia, sino un enlace o vínculo con los datos originales. Esto significa que un cambio de los datos en la aplicación origen, se reflejará de inmediato en la copia vinculada.

Para vincular una información suelen existir algunas opciones de menú, pero suele ser factible arrastrar y soltar con el botón secundario del ratón y seleccionar después, en el menú contextual, **Crear vínculo** o una opción equivalente.

13.3. Excel y Word

Posiblemente éstas sean las dos aplicaciones ofimáticas más usadas actualmente.

La integración entre Excel y Word es total, en el sentido de que es posible transferir información tanto en un sentido como en otro.

La especialidad de Word es la creación de documentos, el procesamiento de textos. Los textos y las tablas de Word, por ejemplo, pueden ser transferidos a una hoja de Excel.

También los datos de una hoja o los gráficos de Excel pueden llevarse a Word, lo cual permite crear lo que se denomina *documento compuesto*. Un documento de este tipo no consiste sólo en texto, como es habitual en cualquier procesador de textos, sino que, además, también se compone de datos de otras aplicaciones o gráficos.

13.3.1. Textos de Word a Excel

El texto en Word se estructura en párrafos, cada uno de los cuales correspondería a una celdilla de Excel.

Puede seleccionar uno o varios párrafos para copiarlos o moverlos a Excel. Los medios que puede usar para ello pueden ser tanto el portapapeles, copiando/cortando y pegando, como arrastrar y soltar.

Utilizar el portapapeles para mover o copiar datos no requiere explicación alguna, es algo que ha hecho muchas veces dentro de Excel. La única diferencia es que, en este caso, copiaría o cortaría los párrafos estando en Word y, posteriormente, los pegaría en Excel.

Para arrastrar uno o varios párrafos de texto, también tiene que comenzar por marcarlos. Si utiliza el botón principal del ratón, el texto se moverá de Word a Excel. En el caso de que utilice el botón secundario, podrá elegir lo que quiere hacer. Obviamente deberá tener visibles ambas ventanas. En Windows 7 es muy fácil, basta con hacer clic en la primera aplicación, usar el atajo **Win-Flecha izqda**, hacer clic en la segunda y usar el atajo **Win-Flecha dcha**. Las ventanas quedarán dispuestas a izquierda y derecha ocupando toda la pantalla.

> **Nota:** *Si no tiene espacio suficiente para mantener visibles las dos aplicaciones, Word y Excel, para arrastrar y soltar tendrá que desplazar el puntero del ratón a la barra de tareas, poniéndolo justo encima de la aplicación en la que quiere soltarse la información. No suelte el botón, espere un segundo para que Windows abra la correspondiente aplicación, momento en que podrá mover el punto al destino deseado.*

Excel no es una aplicación pensada para trabajar con texto. Un párrafo puede tener una longitud muy superior a la que sería posible mostrar en una línea de pantalla o el ancho de una celdilla. Word soluciona este problema ajustando el párrafo al ancho de página.

Para conseguir un efecto similar en Excel, seleccione las celdillas en las que se ha copiado el texto y, en la ficha Inicio de la Cinta de opciones, haga clic en Alineación>Ajustar texto. También puede abrir el cuadro de diálogo Formato de celdas y marcar en la página Alineación la opción Ajustar texto, como se muestra en la figura 13.1. En la lista desplegable Horizontal puede elegir el tipo de alineación que desea para el texto.

En la figura 13.2 puede ver varios párrafos de texto, tomados de este mismo punto del libro, copiados en Excel y ajustados al ancho de la celdilla con el texto justificado.

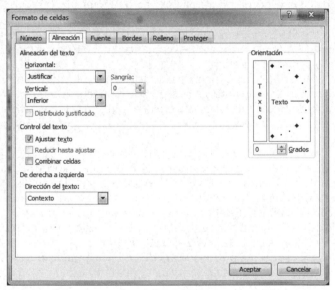

Figura 13.1. Opciones para ajustar el texto al ancho de celdilla.

13.3.2. Tablas de Word a Excel

De entre los diversos elementos que pueden existir en un documento Word, las tablas suponen un caso algo especial. Las tablas son, en cierta manera, similares a un conjunto de celdillas de una hoja de cálculo, de tal forma que es posible establecer una correspondencia entre las celdillas de la tabla y las celdillas de Excel.

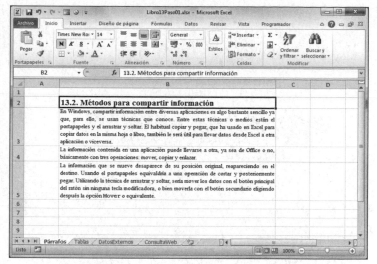

Figura 13.2. Algunos párrafos de texto en Excel.

Al mover o copiar una tabla de Word a Excel, se conserva la misma estructura que había originalmente de tal forma que, en la práctica, cada celdilla de la tabla se convierte en una celdilla de la hoja de cálculo. La interpretación de los datos, sin embargo, puede cambiar. Esto es algo lógico, puesto que Word simplemente trata texto, mientras que Excel puede entender algunos datos como fórmulas o fechas.

Fíjese en las figuras 13.3 y 13.4. En la primera se ha seleccionado una tabla de un documento Word. En la segunda puede ver esa misma tabla una vez copiada en Excel. Observe, no obstante, que algunos datos han sido interpretados por Excel como fechas. Además de copiarse y moverse, las tablas de Word también pueden moverse hasta Excel creando un vínculo. Pruebe a hacerlo simplemente arrastrando y soltando con el botón secundario del ratón, seleccionando después la opción Vincular documento aquí.

Lo primero que observará es que, estando en Excel, no puede acceder a los datos de cada celdilla, como sí podía hacer antes. Lo que hay en Excel realmente no son los datos originales de la tabla, sino un objeto que los representa. Si hace doble clic sobre este objeto, Word abrirá el correspondiente documento y le permitirá editar la tabla original. Cualquier cambio en ésta se mostrará inmediatamente en el vínculo existente en Excel.

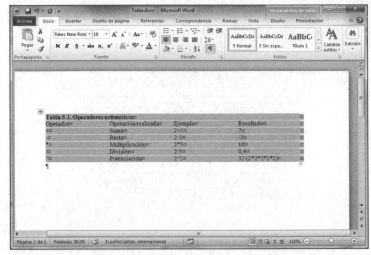

Figura 13.3. Una tabla de datos en Word.

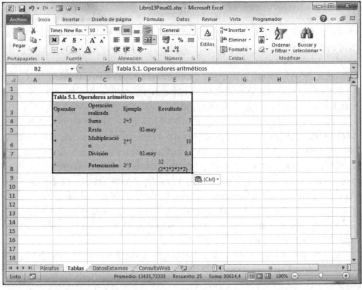

Figura 13.4. La tabla una vez copiada en Excel.

Observe, en la figura 13.5, que el objeto aparece en la barra de fórmulas de Excel como si fuese una fórmula. En ella se utiliza la función INCRUSTAR y se indica el tipo del objeto, que en este caso es `Word.Document.12`, y el documento en que reside.

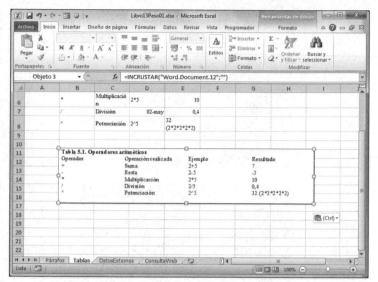

Figura 13.5. Una tabla de Word vinculada en Excel.

13.3.3. Documentos compuestos en Word

Aunque usar información de Word en Excel pueda resultar interesante, seguramente lo es mucho más en sentido inverso. Cuando un informe debe estar compuesto, aparte de datos, por textos explicativos, comentarios, gráficos y otros elementos, es mucho más fácil componerlo en Word que en Excel.

A un documento Word es posible mover un rango de celdillas que hayamos seleccionado, una página completa o un gráfico, por mencionar los elementos más habituales en Excel. Como se ha indicado en los puntos anteriores, es posible tanto copiar, como mover o crear vínculos. Esta última opción resulta especialmente interesante, puesto que el informe puede mantenerse permanentemente actualizado respecto a los datos de la hoja de cálculo.

En la figura 13.6 puede ver una vista previa de un documento compuesto que, en este caso, está formado por un texto introducido originalmente en Word, un rango de celdillas vinculadas desde Excel y un gráfico copiado también desde una hoja de cálculo.

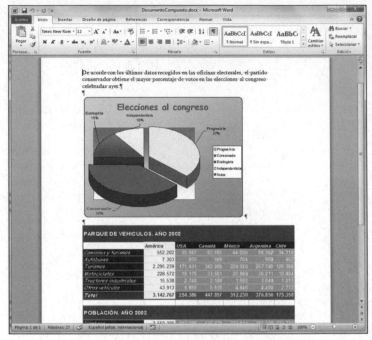

Figura 13.6. Documento compuesto en Word.

Dependiendo de que los datos importados desde Excel sean movidos, copiados o vinculados, un doble clic sobre ellos facilitará su edición de una forma u otra.

En la figura 13.7, por ejemplo, pueden verse las opciones que permiten, desde Word, abrir un rango de celdillas vinculadas para editarlas en Excel.

13.4. Excel y PowerPoint

Otra de las aplicaciones más usadas, de las que integran Office 2010, es Microsoft PowerPoint. Su finalidad es crear presentaciones, contando con funciones para colocar fondos, imágenes, textos y muchos otros elementos gráficos.

Utilizar información de PowerPoint en Excel es algo tan fácil como se ha visto en un punto anterior en el caso de Word, es decir, basta con mover, copiar y vincular el elemento deseado.

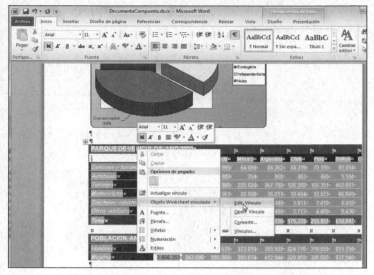

Figura 13.7. Opciones asociadas a un rango
de celdillas vinculadas.

Pero, no es muy habitual usar elementos de PowerPoint
en Excel, siendo más usual lo contrario. En una presentación
pueden necesitarse datos de una hoja de cálculo, un gráfico
sectorial o elementos similares, cuya creación en el propio
PowerPoint no es tan sencilla como en Excel. Puede tomar un
rango de celdillas o un gráfico de Excel y moverlo hasta una
diapositiva de PowerPoint, simplemente obteniendo una copia o bien estableciendo un vínculo con los datos originales.
En la figura 13.8 puede ver una diapositiva de PowerPoint con
el mismo rango de celdillas que antes se había usado en un
documento Word. No hay nada de especial en el proceso, se
han usado exactamente las mismas técnicas mostradas anteriormente. Al igual que ocurre en los documentos Word, una
presentación puede trabajar con vínculos a los datos originales, de tal forma que se mantenga siempre actualizada.

13.5. Excel y Access

La única aplicación *importante* de Office que falta por tratar es Access, el gestor de bases de datos. Si con Word y con
PowerPoint lo habitual es que sea la información de Excel la

que se transfiera, con Access suele ser lo contrario, actuando Excel como destino.

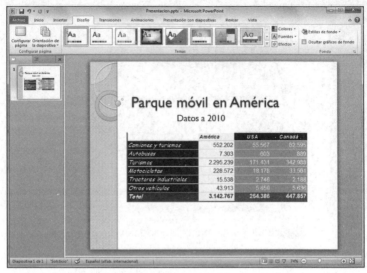

Figura 13.8. Una diapositiva de PowerPoint con datos de Excel.

Lógicamente, es posible transferir información en ambos sentidos, es decir, tanto desde Excel a Access como al contrario, pero es más habitual lo segundo, que los datos contenidos en Access se usen en Excel para realizar cálculos.

13.5.1. Celdillas de Excel a tablas de Access

Cualquier rango de celdillas de Excel puede convertirse en una tabla de Access. Desde esta aplicación pueden realizarse de forma más sencilla operaciones de mantenimiento de datos, si bien las posibilidades en Excel son suficientes para las tareas más básicas.

El primer paso que deberá dar, será abrir en Access la base de datos a la que quiere añadir la tabla o, en su defecto, crear una nueva base de datos vacía.

Acto seguido seleccione, en Excel, el rango de celdillas que quiere convertir en tabla. Asegúrese de seleccionar los títulos de columnas ya que, en Access, actuarán como título de las columnas de la nueva tabla. En la figura 13.9 puede ver cómo se arrastran los datos correspondientes a automóviles que teníamos en una de las hojas de cálculo de ejemplo.

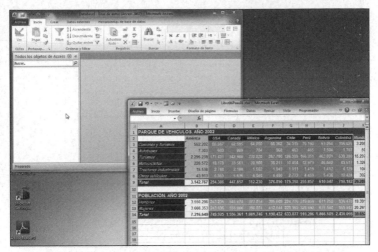

Figura 13.9. Rango de celdillas a convertir en tabla de Access.

Al soltar la selección sobre la base de datos de Access, éste mostrará un mensaje como el de la figura 13.10, preguntando si la primera fila de la selección contiene los rótulos de columna. En este caso concreto, se contestaría afirmativamente.

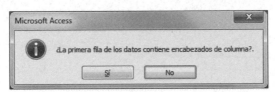

Figura 13.10. Access pregunta acerca de la estructura de las celdillas seleccionadas.

Finalizado el proceso, Access mostrará un mensaje indicando la creación de la nueva tabla. Otra opción es utilizar el **Asistente para importación de hojas de cálculo** de Access 2010 (véase la figura 13.11), obteniendo el mismo resultado final: una nueva tabla con los datos. Haciendo doble clic sobre dicha tabla, podrá ver tanto su estructura como el contenido actual (véase la figura 13.12).

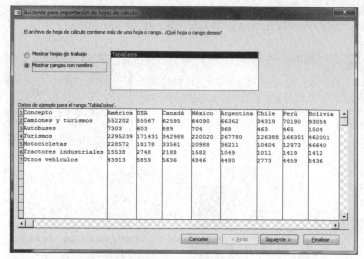

Figura 13.11. Usamos el asistente de Access
para importar hojas de cálculo.

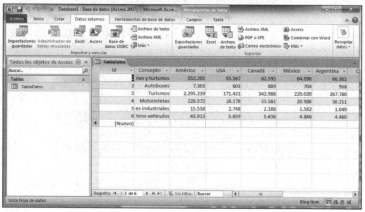

Figura 13.12. Contenido de la nueva tabla
añadida a la base de datos.

13.5.2. Añadir filas a tablas existentes

No es absolutamente necesario crear una nueva tabla para
transferir datos de Excel a Access, también es posible añadir
datos a una tabla ya existente. Para que esto sea posible, no
obstante, la estructura del rango de celdillas seleccionado y

de la tabla destino debe coincidir, ya que de lo contrario no se obtendrá el resultado esperado.

Imagine que quiere añadir a la tabla creada en el paso anterior, compuesta de datos de vehículos de distintos países, también los datos de población. Seleccionaría las dos filas de datos en Excel, en este caso sin rótulos de columnas ya que no va a crearse una nueva tabla. A continuación, usaría el mismo procedimiento de arrastrar y soltar, si bien en esta ocasión soltaría sobre la tabla anterior abierta.

Antes de completar la operación Access pedirá confirmación, como puede ver en la figura 13.13. Al responder afirmativamente, las dos filas se convierten en dos nuevos registros de la misma tabla (véase la figura 13.14).

Microsoft Access
Está a punto de pegar 2 registros.
¿Confirma que desea pegar estos registros?
Sí
No

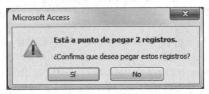

Figura 13.13. Access notifica la operación antes de completarla.

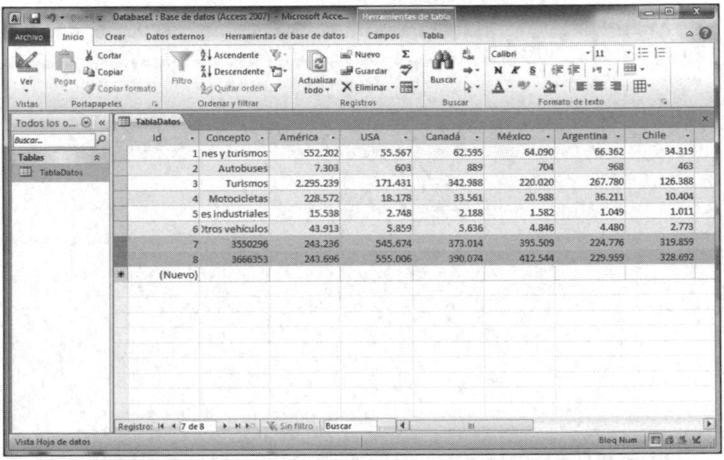

TablaDatos
Id Concepto América USA Canadá México Argentina Chile
1 nes y turismos 552.202 55.567 62.595 64.090 66.362 34.319
2 Autobuses 7.303 603 889 704 968 463
3 Turismos 2.295.239 171.431 342.988 220.020 267.780 126.388
4 Motocicletas 228.572 18.178 33.561 20.988 36.211 10.404
5 es industriales 15.538 2.748 2.188 1.582 1.049 1.011
6)tros vehículos 43.913 5.859 5.636 4.846 4.480 2.773
7 3550296 243.236 545.674 373.014 395.509 224.776 319.859
8 3666353 243.696 555.006 390.074 412.544 229.959 328.692
(Nuevo)

Figura 13.14. La tabla tras añadir los dos nuevos registros.

Nota: *Si para arrastrar y soltar datos a Access usa tan sólo los botones del ratón, los datos desaparecerán de su emplazamiento original en Excel. Recuerde que puede pulsar la*

> *tecla **Control** para evitarlo, copiando los datos en lugar de moverlos, o bien recurrir al portapapeles usando operaciones de copiar y pegar.*

13.5.3. Obtener datos de Access desde Excel

Las operaciones anteriores le permitirán almacenar en una base de datos, datos que originalmente había introducido en Excel. Como se decía anteriormente, sin embargo, es más habitual obtener desde Excel datos que están en bases de datos de Access. Imagine que tiene en una base de Access, datos relacionados con información estadística que quiere importar en Excel a fin de realizar algunos cálculos. Le interesa, por lo tanto, obtener datos de una base de datos y colocarla en una hoja de cálculo.

Comience por elegir la opción Datos>Obtener datos externos>Desde Access. Tras seleccionar el tipo en la lista Base de datos de Access (véase la figura 13.15), si quisiéramos abrir bases de datos de versiones previas, podrá elegirse la base de datos concreta de la cual se importarán los datos.

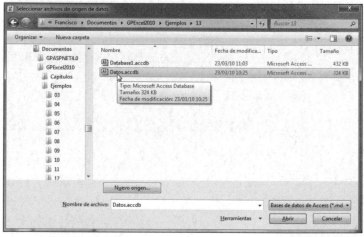

Figura 13.15. Se elige la base que contiene los datos.

Los datos importados pueden utilizarse para generar en Excel una tabla corriente, una tabla dinámica o una tabla y un gráfico dinámico, según se ve en la figura 13.16. Elegimos la opción que nos interese e indicamos, en el apartado ¿Dónde desea situar los datos?, el destino de la tabla, por ejemplo la hoja de cálculo actual.

Figura 13.16. Seleccionamos el tipo de tabla a generar y el destino.

Al hacer clic sobre el botón **Aceptar**, Excel importará los datos de la base de datos Excel y los utilizará para crear, en el caso de la figura 13.17, una tabla como la que habíamos utilizado en capítulos previos, y que nos permite filtrar los datos a mostrar.

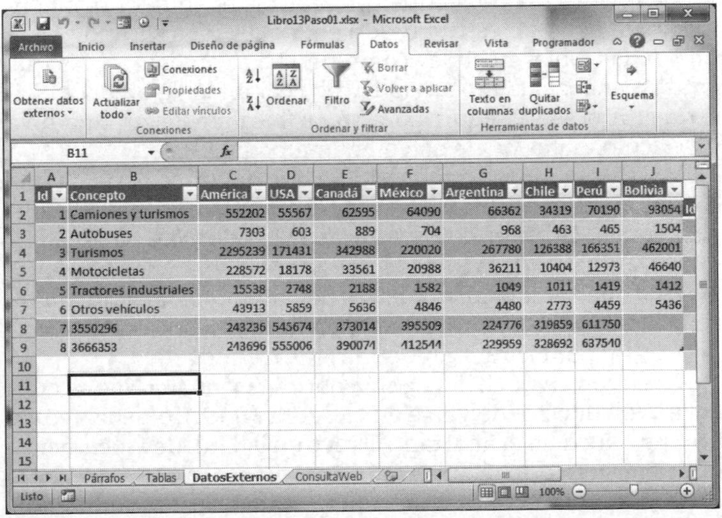

Id	Concepto	América	USA	Canadá	México	Argentina	Chile	Perú	Bolivia
1	Camiones y turismos	552202	55567	62595	64090	66362	34319	70190	93054
2	Autobuses	7303	603	889	704	968	463	465	1504
3	Turismos	2295239	171431	342988	220020	267780	126388	166351	462001
4	Motocicletas	228572	18178	33561	20988	36211	10404	12973	46640
5	Tractores industriales	15538	2748	2188	1582	1049	1011	1419	1412
6	Otros vehículos	43913	5859	5636	4846	4480	2773	4459	5436
7	3550296	243236	543674	373014	395509	224776	319859	611750	
8	3666353	243696	555006	390074	412544	229959	328692	637540	

Figura 13.17. Aspecto de los datos importados de Access.

13.6. Obtener datos de la Web

El intercambio de información en Excel no tiene por qué efectuarse siempre respecto a otras aplicaciones de Office, ni siquiera otras aplicaciones locales que pudiéramos estar ejecutando en el mismo ordenador, existiendo la posibilidad de efectuar consultas con el objetivo de recuperar datos de cualquier página Web.

Para exportar información de una hoja de cálculo y ponerla en la Web, básicamente ya conocemos los pasos que hay que dar: guardar la hoja como página Web y colocarla en el servidor Web de nuestra empresa o proveedor de servicios de acceso, según los casos. El procedimiento que va a describirse a continuación se centra exclusivamente en la importación de datos, recuperando información de la Web.

13.6.1. Consultas Web

Excel es capaz de recuperar datos de cualquier documento HTML que esté estructurado en tablas, identificando cada una de las tablas posibles como un rango de datos. Más que entrar a analizar cómo opera Excel, veamos en la práctica cuál sería el proceso a seguir para tratar localmente, en una hoja de cálculo, datos que existen en una página Web.

Encontrándonos en una celdilla que no forme parte de una consulta, ya sea Web o de base de datos, seleccionamos la opción Datos>Obtener datos externos>Desde Web (véase la figura 13.18) a fin de crear una nueva consulta. Dicha consulta, al igual que las consultas a bases de datos, quedará vinculada en la hoja donde se introduzca y contará con opciones específicas para, por ejemplo, redefinirla o actualizarla.

La ejecución de dicha opción abrirá la ventana Nueva consulta Web que puede verse en la figura 13.19. Comenzaremos por introducir en el apartado Dirección la URL del documento que tiene la información a recuperar, en este caso se ha utilizado la propia Web del autor, concretamente al apartado dedicado a libros publicados.

Figura 13.18. Iniciamos la creación de una nueva consulta Web.

Figura 13.19. Seleccionamos en la página Web
los datos a importar.

El visor de documentos HTML, que ocupa la mayor parte
de la ventana, es capaz de reconocer los puntos en los que

existen tablas, marcándolos con un icono en forma de flecha negra sobre fondo amarillo. Haciendo clic sobre dichos iconos seleccionaremos los datos que deseamos importar a Excel. En la figura 13.19, por ejemplo, se ha marcado una tabla con una serie de categorías, títulos y descripciones.

Seleccionadas todas las tablas a importar, un clic en el botón **Importar** nos llevará al pequeño cuadro de diálogo que aparece en la figura 13.20, pudiendo colocar los datos recuperados de la consulta en una cierta posición de la hoja actual o bien en una nueva hoja. Al hacer clic en **Aceptar** veremos cómo se insertan en Excel los datos obtenidos de la Web.

Dependiendo de la estructura que tuviese la tabla HTML, los datos importados se alojarán en una cierta configuración de celdillas. En la figura 13.21, por ejemplo, puede ver cómo la portada aparece como una celdilla en la columna B, mientras que el título del libro junto con la descripción son celdillas contiguas en la columna C.

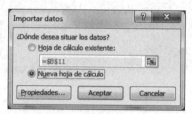

Figura 13.20. Hay que indicar el destino de los datos obtenidos.

13.6.2. Opciones de importación

Al ejecutar una consulta Web, Excel por defecto importa sólo la información textual, los datos, sin recuperar el formato que tiene en su ubicación original.

Es éste un comportamiento que, conjuntamente con otros aspectos, puede ser modificado mediante la ventana Opciones de consulta Web (véase la figura 13.22). Puede acceder a ella mediante el botón **Opciones** de la ventana Nueva consulta Web, situado en el extremo superior derecho.

Cambiando la opción Formato de Ninguno, su estado por defecto, a Formato HTML completo obtendríamos en la hoja de cálculo una mejor apariencia de los datos, incluyendo los hiperenlaces que pudieran existir en la página original. En la figura 13.23 puede verse la información obtenida tras ejecutar la consulta indicada antes con todo el formato original.

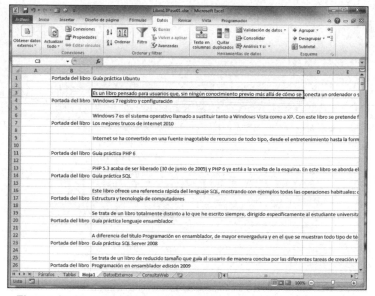

Figura 13.21. Resultados obtenidos a partir de la consulta Web.

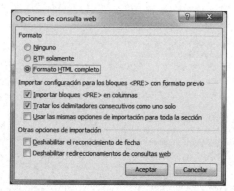

Figura 13.22. Opciones para la ejecución de la consulta Web.

Nota: Usando las opciones del menú emergente asociado a los datos importados, haciendo clic con el botón secundario del ratón sobre cualquiera de las celdillas, puede redefinir la consulta, actualizar los datos, editar las propiedades del rango de datos obtenido, etc. Incluso puede establecerse una actualización automática de manera periódica (véase la figura 13.24).

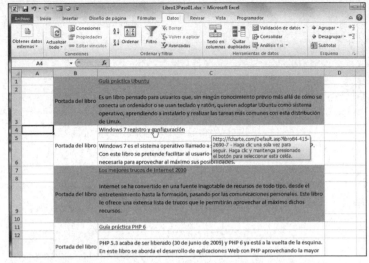

Figura 13.23. Información insertada en Excel al ejecutar la consulta Web con formato completo.

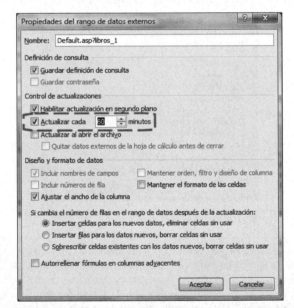

Figura 13.24. Los datos se actualizarán cada hora.

Personalizar
el entorno de Excel

14.1. Introducción

El entorno de Excel, tal y como ha podido comprobar puntualmente en algunos de los capítulos de este libro al agregar botones a la Barra de herramientas de acceso rápido o hacer visible la ficha Programador de la Cinta de opciones, puede personalizarse según las preferencias de cada usuario. Esta posibilidad tiene como objetivo conseguir que el usuario se encuentre lo más cómodo posible, algo que, indudablemente, redundará en la agilidad en el trabajo.

Aparte de las opciones de personalización que son propias de Windows, mediante las cuales podría seleccionar los colores de fondo y títulos de las ventanas, el tipo de letra, etc., Excel permite configurar bastantes elementos más. En los puntos siguientes aprenderá a adaptar la Barra de herramientas de acceso rápido, la Barra de estado y la propia Cinta de opciones. También conocerá algunas opciones generales al entorno.

14.2. La barra de herramientas de acceso rápido

Inicialmente situada en la parte superior del entorno, justo encima de la Cinta de opciones, y conteniendo únicamente tres botones que permiten guardar el documento actual, deshacer y rehacer, la Barra de herramientas de acceso rápido es el elemento más configurable de Excel 2010. Podemos cambiar tanto su posición como las herramientas que contiene, usando para ello distintos procedimientos.

La **Barra de herramientas de acceso rápido** tiene asociado un menú desplegable que nos permite cambiar las opciones visibles por defecto, así como modificar su posición.

El primer bloque de opciones, desde **Nuevo** a **Abrir archivo reciente** (véase la figura 14.1), hace referencia a botones que se añadirán o eliminarán de la barra según los marquemos o desmarquemos. En principio las opciones seleccionadas son **Guardar**, **Deshacer** y **Rehacer**, de ahí que sean ésos los botones que aparecen por defecto.

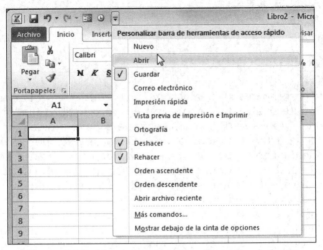

Figura 14.1. Menú desplegable asociado a la barra de herramientas de acceso rápido.

Marcando la opción **Mostrar debajo de la cinta de opciones** colocaremos la **Barra de herramientas de acceso rápido** justo encima de la **Barra de fórmulas**, como se ve en la figura 14.2. La situación no afecta a la funcionalidad, es simplemente cuestión de gustos ponerla en un punto u otro.

Una opción interesante que encontrará en el menú contextual de la **Cinta de opciones**, y que en versiones anteriores de Excel también estaba en el menú de la **Barra de herramientas de acceso rápido**, es **Minimizar la cinta de opciones**, que reduce el alto de ese elemento de la interfaz hasta que no se ven más que las pestañas, como en la figura 14.3.

De esta manera se amplía el espacio disponible de trabajo, pudiendo trabajar con más filas en una misma pantalla. Un clic sobre cualquiera de las pestañas abrirá entonces la fecha correspondiente, permitiéndonos acceder a las herramientas de la forma habitual, pero ejecutada la acción la Cinta de opciones volverá a desaparecer.

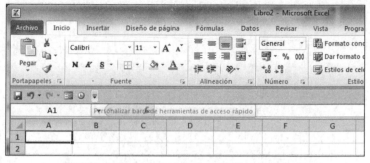

Figura 14.2. La barra de herramientas debajo de la cinta de opciones.

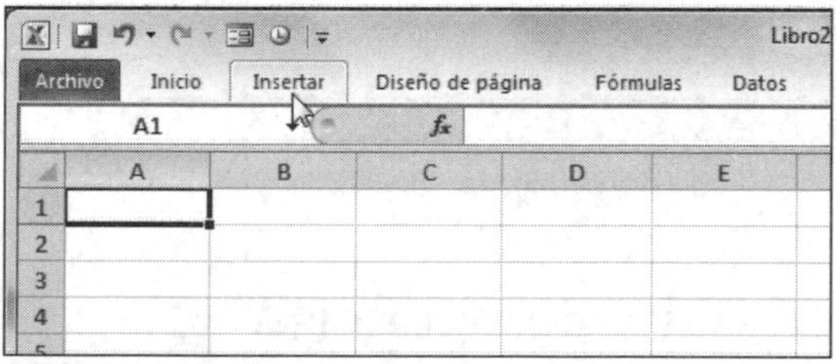

Figura 14.3. La cinta de opciones minimizada.

> **Nota:** *Puede alternar entre los dos modos de visualización de la Cinta de opciones, normal y minimizada, haciendo doble clic sobre cualquiera de las pestañas, sin necesidad de abrir el menú desplegable y elegir la opción correspondiente.*

Por último, en cuanto a las opciones del menú desplegable asociado a la Barra de herramientas de acceso rápido, tenemos la opción Más comandos. Ésta abre una ventana como la de la figura 14.4, en la que se distinguen dos listas: una a la izquierda con todos los comandos disponibles en Excel, agrupados por distintas categorías, y otra a la derecha mostrando los comandos que aparecerán en la barra de herramientas. Basta con ir haciendo doble clic sobre los elementos a añadir o eliminar, según nos coloquemos en una lista u otra, para componer la Barra de herramientas de acceso rápido más cómoda para nuestro trabajo. La personalización solamente será efectiva si cierra la ventana mediante el botón **Aceptar**.

Figura 14.4. Personalización de la barra de herramientas de acceso rápido.

14.3. La Cinta de opciones

A diferencia de lo que ocurría en las versiones previas, en las que la Cinta de opciones admitía como única personalización mostrar u ocultar la ficha Programador, en Excel 2010 este elemento de la interfaz puede adecuarse a las preferencias de cada uno de una forma mucho más flexible. Existe la posibilidad de ocultar cualquiera de las fichas, agregar a éstas nuevos grupos con opciones adicionales e incluso definir fichas propias.

En el menú contextual de la Cinta de opciones encontramos la opción Personalizar la cinta de opciones, con la que se abre el cuadro de diálogo mostrado en la figura 14.5. También puede abrir la vista Backstage y seleccionar Personalizar cinta de opciones para llegar al mismo lugar. Su apariencia es similar a la ventana desde la que se personaliza la Barra de herramientas de acceso rápido, si bien en este caso el panel de la derecha no es una simple lista de comandos sino que tiene estructura jerárquica.

Figura 14.5. Personalización de la Cinta de opciones.

Cada elemento de primer nivel del panel derecho representa una ficha de la Cinta de opciones. Basta con marcar/desmarcar el botón que hay a su izquierda para mostrar/ocultar, respectivamente, la ficha correspondiente. También es posible modificar el nombre de las fichas, si es que otra denominación nos resulta más significativa que la que tienen por defecto.

Al desplegar el nodo que representa a una ficha encontramos los subnodos que corresponden a los grupos que hay en ella y, de igual manera, cada grupo aloja una serie de comandos. El nombre de los grupos también puede cambiarse, pero no el de los comandos. Teniendo seleccionada una ficha o un grupo, los botones que hay en el margen derecho, con sendas flechas hacia arriba y abajo, permiten alterar el orden en que aparecen en la interfaz. También es posible emplear la técnica de arrastrar y soltar, tomando el título de una ficha y llevándolo hasta donde se desee.

14.3.1. Crear fichas y grupos propios

Mediante los botones que hay en la parte inferior del panel derecho, o bien recurriendo al menú contextual de los propios nodos del árbol (véase la figura 14.6), podemos agregar tanto nuevas fichas a la Cinta de opciones como nuevos grupos a las fichas ya existentes.

Figura 14.6. Opciones del menú contextual asociado a una ficha.

Si queremos tener todas las opciones que utilizamos habitualmente a un solo clic de ratón, seguramente la mejor manera de conseguirlo sea creando una ficha propia y distribuyendo esos comandos en grupos lógicos. En caso de que solamente deseemos tener al alcance algunos comandos que, por defecto, no están en la Cinta de opciones, es posible que agregar un nuevo grupo a una ficha ya existente sea más que suficiente. En la figura 14.7, por ejemplo, puede ver cómo se ha añadido un grupo con el título Archivo a la ficha Inicio, tras lo cual se han introducido aquellas funciones que empleamos con mayor frecuencia. La figura 14.8 muestra el nuevo grupo en la Cinta de opciones, en el margen izquierdo.

14.3.2. Exportar, importar y restaurar la configuración

En cualquier momento puede restaurar el estado de una ficha de la Cinta de opciones, o de toda la interfaz de Excel, eliminando todas las personalizaciones que hubiese efectuado. Para ello no tiene más que recurrir a las dos opciones que ofrece el menú Restablecer que hay debajo del panel derecho.

Debajo del anterior hay otro botón que, en realidad, actúa como un menú. En Importar o exportar están las opciones que le permitirán guardar las personalizaciones que haya efectuado, por ejemplo para llevarlas a otro equipo o poder restaurarlas después, con la opción de importación, si por alguna causa se ve en la necesidad de volver a instalar Office.

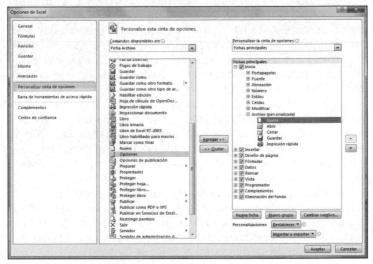

Figura 14.7. Creamos un nuevo grupo de comandos.

Figura 14.8. Aspecto del grupo personalizado en la Cinta de opciones.

14.4. La barra de estado

Otro de los elementos del entorno que podemos personalizar es la Barra de estado, mediante un menú contextual que contiene una amplia lista de opciones. Con ellas podemos, por ejemplo, cambiar los cálculos que aparecen al seleccionar un rango de celdillas con datos, obteniendo el valor máximo y mínimo además de, o en sustitución de, la media y la suma. También podemos desactivar la visualización de los controles de zoom, activar indicadores que nos digan el estado de las teclas **Bloq Mayús** y **Bloq Num**, etc.

14.5. Opciones de entorno

Todas las opciones y ventanas tratadas en los puntos anteriores afectan a un elemento concreto, como puede ser la **Cinta de opciones**, la **Barra de herramientas de acceso rápido** o la **Barra de estado**. Existen otras opciones de personalización, un gran grupo de ellas, que afectan de forma global a todo el entorno de Excel. Para acceder a estas opciones seleccione la opción **Opciones** que hay en el panel izquierdo de la vista **Backstage**.

La ventana mostrada cuenta con una decena de páginas en las que se agrupan las opciones según su categoría. En la página **Fórmulas**, que es la que hay activa en la figura 14.9, puede cambiar el método de cálculo, la comprobación de errores, etc. Otras opciones, como las relativas a la revisión, se aplican a elementos que aún desconoce.

Observe que muchas de las opciones que aparecen en esta ventana, y en otros elementos de Excel, van seguidas de un pequeño icono circular con una "i" en su interior. Si sitúa el puntero del ratón sobre dicho icono obtendrá una descripción ampliada como puede ver en la misma figura 14.9.

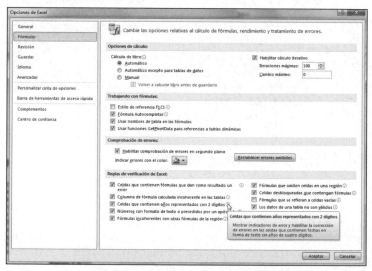

Figura 14.9. Opciones de entorno.

Índice alfabético